Horizonte vertical

Ana Beatriz Barbosa Silva
e Andréa Duarte

HORIZONTE VERTICAL

GLOBOLIVROS

Copyright © 2017 Editora Globo S. A. para a presente edição
Copyright © 2017 Ana Beatriz Barbosa Silva e Andréa Duarte

Todos os direitos reservados. Nenhuma parte desta edição pode ser utilizada ou reproduzida — em qualquer meio ou forma, seja mecânico ou eletrônico, fotocópia, gravação etc. — nem apropriada ou estocada em sistema de banco de dados sem a expressa autorização da editora.

Texto fixado conforme as regras do Acordo Ortográfico da Língua Portuguesa
(Decreto Legislativo nº 54, de 1995).

Todas as citações bíblicas foram retiradas da *Bíblia Sagrada Ave-Maria*,
da Editora Ave-Maria. Todos os direitos reservados.

Editora responsável: Amanda Orlando
Editora assistente: Elisa Martins
Preparação de texto: Jane Pessoa
Revisão: Carmen T. S. Costa e Erika Nogueira
Capa e diagramação: Diego Lima
Imagem de capa: © Rekha Garton/Trevillion Images

1ª edição, 2017

CIP-BRASIL. CATALOGAÇÃO-NA-FONTE
SINDICATO NACIONAL DOS EDITORES DE LIVROS, RJ

S578h
Silva, Ana Beatriz Barbosa
    Horizonte vertical / Ana Beatriz Barbosa Silva, Andréa Duarte. -
1. ed. - São Paulo : Globo, 2017.

ISBN 978-85-250-6298-7

1. Ficção brasileira. 2. Ficção científica brasileira. I. Duarte, Andréa.
II. Título.

16-35656

CDD: 869.3
CDU: 821.134.3(81)-3

Direitos de edição em língua portuguesa para o Brasil
adquiridos por Editora Globo S. A.
Av. Nove de Julho, 5229 — 01407-907 — São Paulo — SP
www.globolivros.com.br

A todos que acreditam que a vida é muito mais do que a realidade que os nossos limitados sentidos nos permitem perceber.

Ana Beatriz Barbosa Silva

Este livro é dedicado aos meus pais (in memoriam), raízes do que hoje eu sou, e a minha filha Juliana Duarte, semente onde me eternizo e que me mostra a cada dia o que eu ainda posso ser.

Andréa Duarte

"Na casa de meu Pai há muitas moradas."
João 14,2

*"O que está em cima é como o que está embaixo, o que está
embaixo é como o que está em cima."*

Lei da Correspondência — Hermes Trismegisto

Nota das autoras

Algumas histórias têm vida própria e se escrevem de forma independente, como se o autor fosse apenas um mero instrumento. *Horizonte vertical* é uma obra de ficção baseada em informações colhidas e experiências adquiridas ao longo de quatro anos, que foram tomando forma e consistência até darem vida aos seus personagens centrais. Os temas abordados, embora polêmicos, apresentam por vezes respaldo em trabalhos científicos e documentos que estão acessíveis a todos na internet.

Prólogo

29 de maio de 1925
Cuiabá, Mato Grosso

O coronel do Exército britânico Peter Hewllet Foley está sentado diante do seu velho birô. Ele guarda com cuidado suas anotações. Empilha os mapas que havia estudado detalhadamente nos últimos meses e os confere um a um. Passa os dedos longos e nervosos pelo cavanhaque, sem conseguir esconder a ansiedade. Sonhava com isso havia muito tempo, e tinha certeza de que encontraria o que tanto procurava. Olha pela janela daquela que havia sido sua casa nos últimos anos e avista uma família de micos dourados barulhentos nos galhos das árvores. Abre a primeira gaveta e retira um pequeno pacote de tabaco com o brasão da família real. O cachimbo de madeira, finamente talhado, era o seu único e solitário prazer naqueles confins do Mato Grosso. Gostava de ficar apreciando a nuvem de fumaça perfumada enquanto pensava. Na verdade, suas melhores ideias eram concebidas nesses momentos e, de certa forma, isso o fazia sentir-se em casa. Um odor leve e adocicado de baunilha logo tomou conta do lugar. Na segunda gaveta guardava um porta-retratos com a fotografia de uma mulher com cabelos loiros e compridos. Na foto, uma dedicatória escrita com carinho, muito tempo atrás. Na terceira gaveta havia mapas e algumas anotações.

Hesitante, resolve abrir então a quarta gaveta, retirando de lá uma pequena caixa retangular que abriga uma antiga e inusitada estatueta preta, presente de um velho amigo escritor. O monólito basáltico tinha uma forma estranha, que lembrava um corpo humano. Algumas marcas e inscrições num idioma totalmente desconhecido podiam ser observadas no seu rodapé. Os símbolos lembravam um pouco as letras do alfabeto sânscrito, que ele já vira em papiros antigos. Havia tentado traduzi-los diversas vezes junto com estudiosos e pesquisadores de línguas mortas, mas não conseguiu obter nada que lhe desse um indício ou sua origem exata. Peter percorre o objeto com os dedos como se tocasse algo divino, como se esperasse alguma resposta do nada. Abre o relicário e acomoda a pequena estátua num leito de veludo vermelho. Levaria consigo apenas o essencial. Confere pela última vez o mapa onde traçara com tinta rubra a rota que seguiria naquela manhã: de Cuiabá em direção ao Alto Xingu e depois, no sentido leste, atravessaria a serra do Roncador. Percorreria as terras às margens do rio Araguaia e Tocantins, terminando a missão ao atingir o delta do rio São Francisco. Estava convicto da veracidade de tudo que lera no manuscrito 512. A cidade perdida existia, e aquela estátua em seu poder era a prova cabal de que em algum lugar no meio da mata virgem haveria uma passagem, uma espécie de comunicação ou portal que o levaria para dentro da terra, em busca de uma antiga civilização perdida. Molha a ponta da caneta-tinteiro e faz desenhos gráficos numa folha de papel em branco. Em seguida, escreve:

Minha querida Nancy,

Aconteça o que acontecer, caso eu não mais retorne, já sabe o que fazer. Por favor, não organize nenhuma expedição de busca nem coloque em risco outras vidas por minha causa. Você, melhor do que ninguém, conhece os riscos desta minha missão, e não gostaria de expô-los a mais ninguém. Prometo proteger o nosso filho, uma vez que não consigo demovê-lo da ideia persistente de me seguir, e não posso culpá-lo por isso. Estamos bem próximos da maior descoberta arqueológica dos últimos tempos, e temos muita confiança no êxito dessa expedição. Perdoe-me se fui um marido ausente e se a fiz sofrer com tudo isso, mas quero que saiba que ainda a amo muito e penso em você todos os dias, sempre que vejo a beleza alaranjada do pôr do sol desta terra tão abençoada. Deixo o meu testamento ao encargo de Sir Laurence Campbell, que tem se mostrado um amigo devotado e fiel, de forma que nada irá lhe faltar. Assim me despeço com a promessa de que, se for possível, mando notícias, mas que não deve esperar por elas, visto que estou em um lugar inóspito e desabitado.

Envelopou, selou a carta e determinou que a enviassem para a esposa, na Inglaterra. Levantou-se e trancou as gavetas com uma pequena chave, que pendurou no pescoço. Ajeitou a boina, calçou as botas de couro e olhou uma última vez para si mesmo no espelho. Afastou os maus pensamentos, colocou o alforje nas costas e lançou um último olhar para dentro da casa, para a qual, em seu íntimo, sabia que nunca mais conseguiria retornar.

31 DE DEZEMBRO DE 2028
PRAIA DE COPACABANA, RIO DE JANEIRO

A NOITE DA VIRADA DE ANO ESTAVA particularmente linda. Não havia nuvens, nem sinal de chuva a caminho. Sophia caminhava pela areia macia da praia de Copacabana deixando pegadas profundas atrás de si. A calça branca, dobrada na altura dos tornozelos, deixava o mar lhe lamber as pernas. Caminhava sem destino certo. A blusa de tecido transparente deixava à mostra o colo bronzeado e o contorno dos seios naturalmente rijos, que a brisa do mar acariciava num consolo solitário. Olhava ao longe para o nada, alheia a tudo ao seu redor. O celular guardado de encontro ao peito vibrava de vez em quando, trazendo-a de volta dos seus pensamentos. Eram os amigos lhe desejando felicidades ou recomendando simpatias para dar sorte. As mães de santo dançavam freneticamente, fazendo oferendas a Iemanjá. Pequenos barcos de madeira pintados de branco e azul eram lançados ao mar com espelhos, pentes e pequenos frascos de perfume. Ao menos naquela noite a Senhora das águas salgadas ficaria linda, com seus cabelos longos adornados e perfumados. "Por que ninguém oferecia uns celulares de última geração?", pensava consigo mesma. "Seria tão mais fácil a comunicação com os devotos, uma espécie de delivery, onde os pedidos seriam rapidamente atendidos. Um celular blindado, para que o mar não lhe fizesse nenhum estrago, e vermelho para combinar com as palmas brancas oferecidas pelos fiéis. Não, talvez Iemanjá já tivesse o seu próprio serviço de telemarketing para organizar melhor os trabalhos: disque um para amarração amorosa, disque dois para desfazer mau-olhado, disque três para prosperidade financeira, disque quatro se desejar transferir a ligação para outro santo ou orixá, e disque cinco para retornar ao menu inicial."

De repente soltou uma gargalhada sonora ao pensar nas suas idiotices. Ao longe, o forte todo iluminado se preparava para a contagem regressiva. Logo seria 2029 e a vida seguiria o seu curso normal. Inesperadamente alguém lhe segurou as mãos. Levantou os olhos e deparou com a imagem de uma mulher que deveria ter por volta de uns sessenta anos. Vestia-se como as mães de santo, mas trazia alguns adornos nas orelhas que deixavam claro a sua importância entre os seus. A cambona tinha os cabelos compridos e negros, e seus olhos encaravam fixamente os de Sophia.

— Preciso lhe dar um recado.

Sophia tentou se desvencilhar daquele olhar que mais parecia um par de algemas, mas era inútil resistir.

— Co... como assim um recado?

— *Ele* precisa muito de você.

— Não sei do que a senhora está falando.

— Vai saber no momento certo, mas precisa estar preparada para o que vai conhecer e enfrentar.

— Preparada como? Quem é *Ele*?

— É preciso buscar toda a espiritualidade que há em você. É preciso se proteger. Você está triste e acha que está sozinha, mas não está, nunca esteve. *Ele* tem esperado e procurado por você, mas você foge o tempo todo. Tem sido sempre assim.

— Perdoe-me, mas acho que a senhora é quem precisa de ajuda.

— Procure ouvir a voz interior que sempre fala com você e que você teima em não escutar. Só assim vai parar de fazer tanta besteira. *Ele* precisa de você, e agora não poderá fugir como das outras vezes.

— Que outras vezes?

— Nas outras vidas.

Sophia puxou as mãos e começou a correr. Em seus ouvidos ecoava o que acabara de ouvir.

— Dez, nove, oito, sete...

Todos à sua volta faziam a contagem regressiva, mas tudo o que ela conseguia ouvir era a voz da estranha mulher.

— Seis, cinco, quatro, três...

E a cabeça de Sophia começou a girar.

— Dois, um... FELIZ ANO-NOVO!!!

A champanhe de um casal ao lado explodiu e o líquido jorrou à distância. Sophia levou as mãos aos ouvidos e sentiu a vista turva. Fechou os olhos, tombou na areia e não viu mais nada.

21 DE JANEIRO DE 2007
SERRA DO RONCADOR, MATO GROSSO

— SOPHIA, QUERIDA, VENHA LOGO! O lanche está pronto. Logo vai escurecer, e se você não comer tudinho, não vou deixá-la ficar acordada para ver a chuva de prata.

Sophia corria pelo quintal da avó atrás das galinhas. Queria segurá-las no colo como se fossem seus bichos de estimação. Algumas bicavam seus braços, reclamando do excesso de carinho, mas Sophia não ligava. Adorava passar as férias com a vó Ana. O pai nunca gostara muito da ideia, mas concordara, pois seria uma forma de tentar manter viva a lembrança da esposa, Luzia, que Sophia nunca conhecera. Luzia falecera sete anos antes devido a complicações durante o parto da filha.

— Mas, olha só pra isso! É pena e titica de galinha pra todo lado nesta criança — dizia vó Ana enquanto enchia uma cuia de água e jogava sobre os cabelos castanhos da neta.

— É hoje, vó? — Sophia tiritava de frio e perguntava, ansiosa.

— É hoje o quê? — Vó Ana tentava desconversar.

— É hoje o dia em que minha mãe manda estrelinhas de presente pra mim lá do céu?

Os olhos de Ana turvaram-se de lágrimas, e com as costas das mãos procurou limpá-las rapidamente para que a menina não percebesse.

— Sim, Sophia! Hoje você vai ganhar a sua sétima estrelinha. Vamos ficar bem lindas e esperar o padre Lemos para lanchar conosco. Sabe quem vem com ele?

— O André? Meu amigo índio vem me ajudar a pegar estrelas? Obaaaaaa!

— Ele mesmo, o pequeno curumim. Consegue se trocar sozinha enquanto termino a arrumação da mesa do nosso lanche?

— Sim, vovó, já sou grande. Já tenho sete anos.

Ana era uma mulher de meia-idade, descendente direta dos índios bororos, umas das tribos mais tradicionais da região do Mato Grosso. Viveu na reserva até os treze anos de idade, tecendo, cozinhando e aprendendo com a mãe e a avó os mistérios da cultura de seus ancestrais. Desde cedo demonstrou um dom especial para lidar com as plantas medicinais e as ervas da mata. Fazia unguentos, loções, cataplasmas e elixires, e foi esse seu poder curativo que a colocou em contato com o homem branco. Certo dia apareceu na aldeia um caixeiro-viajante trazido desacordado pelos índios. Aparentemente se perdera na mata e tropeçara numa raiz de árvore próxima a um enorme vespeiro. O impacto da queda alertou os insetos, que castigaram o homem até que perdesse os sentidos. Seu rosto estava irreconhecível, olhos e lábios esbugalhados e vermelhos. Tinha grandes nódulos nos braços e nas pernas, e balbuciava de vez em quando palavras sem sentido. O cacique autorizou a presença do estranho, e Ana, apesar de ainda criança, foi chamada para prestar socorro. Fez um chá com a semente da sucupira-branca e acrescentou alguns componentes que só ela conhecia e sabia para que serviam. De duas em duas horas forçava-o a beber a infusão amarga. Com a flor do camapum, uma espécie de trepadeira comum nas matas brasileiras, preparou um creme de efeito anti-inflamatório para aplicação sobre os nódulos das picadas. No final do quinto dia, o homem não apresentava mais inchaço algum. Grato, ele se encantou com a jovem de pele morena e cabelos negros escorridos e com suas habilidades medicinais. Ofereceu ao cacique tudo o que havia trazido consigo: alguns utensílios de prata, fumo, um punhal com cabo de marfim e abotoaduras de ouro, adquiridas no último escambo. Remexeu até encontrar o que procurava no fundo da mala, um pequeno medalhão dourado com uma figura de mulher em alto-relevo na sua parte externa. Olhou para Ana e perguntou ao cacique:

— Posso?

O índio balançou a cabeça, assentindo. Assim, o homem branco delicadamente abriu o medalhão e fez com que Ana se visse refletida na face interna e espelhada da joia:

— Você. — Ele apontou para Ana. — Bonita!

Ana inicialmente se assustou, mas depois entendeu que era o mesmo reflexo que via refletido nas águas das cachoeiras e dos lagos. O homem fechou o medalhão e o colocou no pescoço da indiazinha.

— Gostaria de vir comigo? — E fez com as mãos um movimento que indicava que estava prestes a partir.

O cacique estava maravilhado com os presentes. Ana interrogou-lhe apenas uma vez com os seus grandes olhos de jabuticaba. Pensou na mãe, nos irmãos e nas irmãs, e no quanto sempre desejou aprender e conhecer o que havia além da aldeia. O índio mais uma vez balançou afirmativamente a cabeça, consentindo com sua partida. Ana se levantou, olhou firme bem dentro dos olhos do homem branco, segurou sua mão e disse:

— Você, olho bom.

Vó Ana arrumou cuidadosamente a mesa do lanche. Assou no fogão a lenha alguns pães de queijo, broinhas de milho e bolo de cenoura com cobertura de chocolate, o preferido da neta. Para beber, limonada e suco de buriti. No centro do bolo, o número sete e uma grande borboleta de papelão e purpurina azul, espetada na extremidade de um longo palito. Ao entrar na pequena sala, Sophia soltou um longo suspiro de satisfação ao ver a borboleta.

— Ah, vovó! Que linda!

Ana abraçou longamente a menina de pele clara e cabelos castanhos levemente cacheados. Afastou uma mechinha teimosa da testa da neta e lhe deu um demorado e estalado beijo:

— Feliz aniversário, querida!

Elas ouviram uma batida na porta entreaberta e em seguida uma cabeça surgiu na fresta.

— Tem lugar pra mais duas pessoas nessa mesa?

— Padre Lemos! — As duas exclamaram ao mesmo tempo.

— Olha quem eu trouxe comigo, Sophia. — Padre Lemos deu um passo para o lado.

Diante de Sophia, o pequeno curumim André, de nove anos, sorria de orelha a orelha, exibindo com satisfação o grande espaço deixado pela perda dos dentes de leite.

— Olha, Sophia. — Ele estendeu a mão mostrando os dois dentes incisivos inferiores. — Tirei sozinho e nem chorei!

Sophia correu e abraçou o amigo das brincadeiras de todas as férias.

— Vamos pegar estrelas, André. Minha mãe vai mandar de presente pra mim.

— Antes venham comer — chamou vó Ana, conduzindo todos para a mesa. — Por que a Lurdes não veio? — perguntou Ana ao padre.

— Você sabe como ela é arredia. Apesar de estar conosco há tanto tempo, não gosta de sair de casa. Faz todo o serviço doméstico, me ajuda com alguns afazeres na igreja e se recolhe cedo. Mas o curuminzinho, ah, esse sim, está sempre muito atento e disposto.

André sorria. Vó Ana nunca vira uma nuvem sequer atrás dos olhos daquele menino que ajudara a trazer ao mundo. Com o rosto redondo e os cabelos cortados em formato de cuia, conforme os homens da tribo de origem de sua mãe, e duas grandes azeitonas pretas no lugar dos olhos, ele era a lua eternamente cheia. Ana tomou André como afilhado e se afeiçoou ao menino. Gostava de rever o indiozinho sempre que podia, como se de certa forma estivesse mais próxima dos seus, das suas raízes. Quando Ana foi levada da aldeia aos treze anos, entendia e falava muito pouco o português. Carregada pelas mãos do caixeiro-viajante José Peixoto, o Zé Coxo como alguns o chamavam, porque tinha um pequeno defeito físico, fixou-se aos pés da serra do Roncador. Teve muito mais sorte do que Lurdes, mãe do pequeno André. Lurdes vivia da prostituição pelos bares ao longo das praias do rio Araguaia. Padre Lemos se apiedou da moça e a recolheu, oferecendo um lar e trabalho. Já devia estar grávida, pois alguns meses depois nasceu o pequeno André.

— Coma mais uma broinha, padre. Eu sei que é do seu gosto.

— Dona Ana, essas broinhas eu como de joelhos. — O padre riu da própria piada. — Eram as preferidas do falecido Zé Coxo, não é mesmo? — indagou enquanto as migalhas lhe caíam pela roupa.

Ana apertou o pequeno medalhão que trazia no pescoço.

— Sim, padre. — As lembranças fizeram com que um tremor atravessasse seu corpo.

— Vó, podemos sair agora? — perguntou Sophia, impaciente.

— Claro, querida, vá com Andrezinho, e assim que começarem a ver as primeiras estrelas, nos chamem — pediu Ana.

— Obaaaaa! Vou levar uma cesta bem grande para guardar todas as minhas estrelas.

— Não dá para guardar estrelas em cestas! — retrucou André.

— Dá sim! Minha mãe sempre manda as estrelinhas pra mim de presente!

— Crianças, vão brincar lá fora enquanto eu converso com o padre Lemos.

E as duas crianças saíram numa carreira desabalada, cada qual carregando o seu cesto.

— Minha filha, você não pode continuar vivendo aqui sozinha. É muito perigoso — começou o padre.

— Aqui é a minha casa. Este é o meu lugar.

— Não é certo uma mulher viver sozinha praticamente dentro da mata — argumentou o padre.

— Eu estou protegida aqui — insistiu Ana.

— Sabe que nunca concordei muito quando o finado Zé Coxo apareceu por aqui trazendo você pelas mãos, uma menina de apenas treze anos. Eu estava iniciando meu doutrinado aqui, recém-saído do seminário naquela época. Lembro bem porque estava com trinta e três anos, a idade de Cristo.

— Zé sempre teve um olho bom, padre. Eu sabia que podia confiar nele, desde a primeira vez que nos vimos na aldeia. Seu coração era imenso. Nunca me tocou sem que eu estivesse preparada, sem que lhe permitisse.

— É, eu acredito, o Zé era bem assim mesmo. O povo é que é maledicente, não é mesmo?

— O Zé me ensinou a ler, a escrever e a entender muitas coisas. Era um homem simples, mas que tinha a mente aberta, os ouvidos apurados e o coração puro.

— Sempre quis que vocês fossem mais à igreja e escutassem a palavra do Senhor.

— A palavra do Senhor está em todo lugar, padre. Sempre lemos a Bíblia e conversamos sobre ela. Ir à igreja naquela época era alimentar os abutres com a nossa própria carniça.

— Também você há de convir comigo que você era apenas uma cunhatã vivendo com um homem branco, vinte anos mais velho que você. Depois, quando Luzia nasceu, com características físicas tão diferentes de vocês, a pele alva, os cabelos dourados e aqueles olhos... Ah, os olhos mais lindos que já vi, de uma cor cinza inexplicável. Foi outro falatório. A menina sempre teve a beleza de um biscuit. Chegaram a dizer na época que vocês tinham roubado a menina de alguém. Que Deus a tenha em bom lugar.

— O povo fala demais, padre. Quer mais uma broinha?

— Aceito, sim, minha filha, que já não tenho idade para essas vaidades. Deus me perdoe pela minha gula.

— E pela língua também, com todo o respeito que lhe tenho.

— Sou um representante da Igreja, minha filha. Tenho que zelar pelo meu rebanho.

A conversa foi interrompida por Sophia, que entrou correndo e aos berros:

— Vai começar, vai começar! As estrelas estão começando a aparecer no céu. Vem, vovó! Vem, padre Lemos!

— Padre, a mãe do Zé era clara. Tinha cabelos da cor da palha do milho de tão loiros, e tinha olhos azuis. Uma verdadeira galega. A minha Luzia nasceu branquinha por causa dos avós paternos.

— Eu não sabia, minha filha. Os parentes do Zé nunca vieram por essas bandas do Mato Grosso. Mas se é assim, está tudo explicado. A menina Sophia já parece ser uma mistura mais brasileira, tem a pele clara, mas não tão alva quanto a da mãe, os cabelos e os olhos castanhos, como os do dr. Carlos Roberto.

— Ela ia adorar ter conhecido a mãe.

— Sim, sim. Realmente uma tragédia a perda da nossa Luzia, tão nova e tão bela.

— Deus sabe o que faz, padre.

— Vamos, vamos! Deixem de tanta conversa mole! — ordenou Sophia, impaciente, empurrando os adultos relutantes para o quintal.

— E o doutor, já conseguiu se conformar? — continuou o padre.

— Espero que o coração dele esteja em paz. Fiz tudo o que pude pela minha filha... e pela minha neta. Daria tudo que tenho de mais precioso por elas. Mas a vida não é assim. O meu coração está em paz, e um dia, se Deus quiser, estaremos juntas de novo.

— Que Deus nos conforte.

—Amém, padre.

Sentaram-se em espreguiçadeiras espalhadas pelo gramado. O céu de janeiro no cerrado costuma apresentar algumas nebulosidades que atrapalham a observação, mas naquela noite o céu estava completamente limpo. Havia chovido, como de costume para essa época do ano, mas as nuvens logo foram embora, desnudando a paisagem. O pasto verdinho era um grande tapete macio, um convite irresistível para os pés descalços. As encostas da serra do Roncador ao fundo erguiam-se, protetoras, como uma enorme muralha de pedra vermelha. Meandros em forma de ferradura formavam vales, com grutas e quedas-d'água, muitas completamente ignoradas e ainda inexploradas pelo homem. Sentados onde estavam, podiam avistar a cachoeira do Zé Coxo, assim batizada pelo dono da propriedade e marido de dona Ana, como um verdadeiro véu de noiva, despencando sobre as pedras. As estrelas foram se tornando visíveis aos poucos.

— Consegue ver as Três Marias, Sophia? — perguntou vó Ana.

— Eu consigo, madrinha! — falou mais que depressa André.

— Eu também! — gritou Sophia, empolgada.

— E aquelas, quem sabe o nome? — propôs padre Lemos.

— É o Cruzeiro do Sul! — as crianças responderam em coro ao ver a cruz desenhada no céu.

Com a escuridão da noite, o espetáculo foi garantido. Pequenos fachos incandescentes de luz cruzavam os céus do Roncador, sob os gritos e aplausos das crianças. As estrelas rasgavam o firmamento desenhando trajetórias luminosas. Sophia e André corriam de um lado para o outro, enlouquecidos com seus cestos abertos, tentando resgatar as estrelas caídas.

— Aí está, padre, a chuva de prata da Sophia — observou vó Ana.

— Ainda acho melhor explicar pra essas crianças que isso é só uma chuva de meteoros* — argumentou o padre em tom didático.

— E acabar com o sorriso no rosto deles? Não mesmo! A Sophia é tão tinhosa, padre, que conseguiu uma chuva de estrelas cadentes bem no dia do seu aniversário.

— Quantas você pegou, André? — perguntou Sophia.

— Muitas. Pelo peso, acho que umas dez. — O menino franziu a testa como que querendo estimar o peso exato de cada estrela caída.

— Dez? Nossa, André, você é mesmo muito bom nisso! — E Sophia sorriu ao ver a alegria do amigo.

— Acho que por hoje vocês já pegaram estrelas demais. — Ana ameaçou se levantar com certo ar de preocupação.

— Ah, vó! Logo agora que eu já estava com quase dez estrelas também! — Sophia reclamou.

No céu, uma estrela mais luminosa do que as outras chamou a atenção de Ana.

— Fechem os cestos e não olhem lá para dentro, a luz das estrelas é muito forte e pode cegar vocês — brincou Ana, tentando parecer relaxada, mas sem tirar os olhos do ponto luminoso.

Ana e o padre se entreolharam e ficaram em silêncio. Recolheram as espreguiçadeiras e perceberam que o ponto de luz, inicialmente fixo, passou a se movimentar bem acima de suas cabeças. Seus movimentos eram rápidos e precisos. Para cima, para baixo e para os lados, piscando mais forte que as outras luzes no céu.

---

* A chuva de meteoros Perseidas é um evento anual esperado no céu do Mato Grosso, com data variável. Ocorre quando a Terra, ao orbitar em torno do Sol, passa pelo rastro de pedras e poeira deixado pela cauda do cometa Swift-Tuttle.

— Olha, vovó, a minha estrela, a estrela que a mamãe me dá todos os anos! — Sophia apontou para o objeto luminoso.

O ponto de luz se tornou cada vez mais visível e passou a apresentar uma enorme variação de cores, oferecendo um grande espetáculo. Flutuava em zigue-zague pelo céu com tonalidades variadas, até adquirir um brilho azul mais intenso. Passou veloz por sobre a cabeça de todos. Atônitos, eles tentavam se manter calmos e indiferentes. As crianças batiam palmas e gritavam de satisfação. O objeto azulado passou fazendo rodopios e finalmente cortou o céu, sumindo na escuridão da noite, em meio às aberturas da serra do Roncador. Sophia juntou as mãozinhas e agradeceu bem alto:

— Obrigada, mamãe! Obrigada pela minha linda borboleta azul!

Ana ainda olhava para o horizonte, com o semblante perdido, quando o padre lhe interrompeu os pensamentos:

— Minha filha, será que tens aí alguma calça do falecido? Porque acho que me borrei todo!

Sophia e André caíram na gargalhada, enquanto Ana ralhava com os dois.

Naquela noite, antes de cair em sono profundo, Sophia aninhou-se no peito da avó, que já começava a roncar, e chamou:

— Vó?

— Hum?

— Tá acordada?

— Não.

— É feio mentir?

— É.

— Eu sei que você mentiu para o padre Lemos.

— Como assim?

— Sei que a bisa não era loira igual à palha do milho e nem tinha olhos claros. E nem o biso.

Ana permaneceu calada, com a respiração quase suspensa.

— Vi numa foto antiga. Mas não se preocupe, vó, que eu não conto pra ninguém o nosso segredo. Quando a gente mente pra proteger alguém que a gente ama, acho que a mentira vira um pouco verdade, né, vovó? Obrigada pelo bolo e pela borboleta azul.

Espantada, Ana concordou calada e apertou Sophia contra o peito. Dormiram abraçadas.

Ana acordou cedo no dia seguinte, ainda sob o efeito do que acontecera na noite anterior. Estava surpresa que Sophia tivesse conhecimento de que havia mentido deliberadamente na véspera para proteger *alguém*. "Como ela poderia saber?", perguntou-se. Lembrou que, sim, realmente havia uma foto dos sogros falecidos dentro de um dos livros do marido, na última gaveta da cômoda do quarto. A foto em preto e branco estava amarelada e rasgada, de forma que seria difícil uma criança possuir o senso de observação e o discernimento necessários para perceber que o predomínio das cores escuras na foto realmente não deixaria muitas dúvidas quanto à cor dos cabelos das pessoas retratadas.

— Que menina danada! — pensou alto.

Caminhou até uma pequena plantação de arroz que cultivava num ponto mais alagado do terreno e começou a colher. Tinha tudo de que precisava para sua sobrevivência ali, sem que tivesse necessidade de se deslocar para a cidade de Barra do Garças, a não ser por algo muito extraordinário. Sempre levara uma vida muito reservada com José Peixoto, para evitar os comentários. Zé, quando ainda vivo, era habilidoso e trabalhador. O terreno comportava algumas plantações de leguminosas e uma área para pasto, onde conseguiram criar algumas poucas cabeças de gado leiteiro. Com o leite, Ana fazia manteiga e queijo, que vendia na cidade. Nos fundos da casa havia um celeiro, a casa das galinhas, que se tornavam as principais vítimas de Sophia durante as férias, principalmente quando inventava de querer vesti-las com as roupas das bonecas caras que o pai lhe dava. "Olha a Abigail como está bonita, vovó", dizia a menina enquanto puxava a galinha por uma cordinha presa no pescoço, com um vestido de renda e babados franceses, presente da última viagem da madrasta à Europa. O dr. Carlos Roberto, médico e pai de Sophia, se casara de novo dois anos após a morte da esposa.

Na propriedade, criavam também alguns porcos e algumas cabras. José Peixoto construíra muitos anos antes um moinho movido à água, elemento abundante numa região de inúmeras cachoeiras como aquela. O aparato era realmente muito engenhoso. A água era direcionada por uma calha até o moinho, fazendo girar as pás e movendo um grande socador em direção a um pilão, onde o arroz colhido na propriedade era esmagado para separar as cascas dos grãos. O quintal ainda contava com algumas árvores frutíferas, e assim goiabas, carambolas e seriguelas viravam doces em compotas, também vendidos na cidade. O cheiro forte das frutas maduras sempre atraía os animais silvestres, de forma que aves e pequenos micos eram convidados frequentes para as refeições. Ana recolheu alguns legumes e ervas para o almoço. A cozinha era simples, porém muito arrumada. As panelas brilhavam como espelhos de tão areadas, penduradas em ganchos nas paredes e separadas por tamanho. As prateleiras eram recobertas por panos com bordados floridos que a própria Ana aprendera a tecer na aldeia. Vários potes de compotas e conservas enfileirados davam um colorido especial e completavam a decoração. Num dos cantos da cozinha havia um grande fogão a lenha onde algum pão parecia sempre estar sendo assado. Sophia costumava dizer que a casa da avó tinha o melhor cheiro do mundo.

Ana escolheu uma das galinhas para o almoço, antes que Sophia acordasse. A menina não suportava ver o sofrimento dos bichos. Na verdade, não gostava de matar nada, nem mesmo um inseto, por mais asqueroso que fosse. Adiantou todo o almoço para que pudessem passar alguns momentos juntas na cachoeira. Em breve Sophia retornaria para a casa do pai. As aulas já iam recomeçar e, embora estivesse cursando a educação infantil, o pai era rigoroso com os estudos e havia feito uma concessão à permanência da menina por ocasião do seu aniversário. Ana e Carlos Roberto nunca se deram bem. O médico se apaixonou por Luzia durante o período em que veio clinicar em Barra do Garças, ainda como residente. Luzia era estudante de enfermagem e fazia estágio no mesmo hospital. José Peixoto sempre se preocupou em tentar dar à filha um destino melhor do que o dele e o da esposa.

Depois que Luzia nasceu, se sacrificava para pagar os seus estudos. Passou a viajar para as cidades vizinhas, mais distantes, tentando vender os produtos da fazenda e os objetos em prata e pedras semipreciosas que comprava de alguns artesãos da região, como o medalhão que dera a Ana no dia em que a tirou da aldeia. Ana fazia também algumas peças artesanais típicas das tribos indígenas da região, que também eram comercializadas por José Peixoto. A cultura dos bororos, xavantes e kalapalos é rica em objetos de decoração que atraem os turistas, principalmente os estrangeiros, e Zé não tinha dificuldade para achar fregueses. Cabaças, bateias, bolsas de palha, chocalhos e zarabatanas faziam parte de seu arsenal. Ana só não podia usar as penas das aves, mesmo as que eventualmente encontrasse soltas pelo chão. A arte plumária é proibida no Brasil para proteger as aves da extinção.

Luzia completou o ensino médio em Barra do Garças e cursou a faculdade de enfermagem na Universidade Federal de Goiás, na cidade de Jataí. No período do curso de graduação, alugou um quarto numa casa de família conhecida do seu pai e retornava para a fazenda nos fins de semana. No último semestre da faculdade, passou a estagiar no Hospital Municipal de Aragarças, divisa com Barra do Garças, onde depois de formada conseguiu um contrato com a prefeitura e continuou trabalhando perto da fazenda. Luzia era uma mulher belíssima e muito inteligente. Os cabelos dourados e os olhos cinza-azulados sempre chamaram a atenção, e não foi diferente com o dr. Carlos Roberto Pontes do Amaral, chefe do serviço de cirurgia geral do Hospital de Aragarças.

Filho de fazendeiros, Carlos Roberto sempre teve todas as facilidades que o dinheiro podia comprar. Formou-se em medicina pela Universidade Federal do Mato Grosso, em Cuiabá, e através do projeto Rondon foi obrigado pelo pai a fazer a sua residência médica em Aragarças, muito a contragosto, diga-se de passagem. Mas o velho Amaral, que sempre custeou as viagens e aventuras do filho, achava que era hora de o rapaz retribuir o seu investimento nos estudos atendendo à população ribeirinha do Araguaia. Antes de se tornar um dos maiores criadores de gado nelore do Mato Grosso, passara por grandes privações, e se achava no compromisso de melhorar a qualidade de vida do povo na região. Construíra alguns centros comunitários e creches, além de fazer doações de equipamentos e remédios para o pronto-socorro municipal. Ao lhe perguntarem quando finalmente iria se candidatar a prefeito, o velho soltava uma sonora gargalhada, alisava a barriga que pendia sobre a fivela do cinto e respondia: "Quando política deixar de ser roubalheira e eleição deixar de ser canalhice".

Quando Luzia resolveu apresentar os pais alguns meses depois de terem iniciado o namoro, o dr. Carlos Roberto não escondeu a surpresa ao constatar que Luzia era filha de uma índia. A rejeição ficou patente desde o início. Ana tentava ser agradável, mas nunca conseguiu se aproximar. Quando olhava bem dentro dos olhos do moço, não gostava muito do que via. Sempre que sentia o peso do olhar da índia, Carlos Roberto tentava desviar a atenção e fugia. Num certo dia foi chamado com urgência na casa de um dos fazendeiros das redondezas. Pegou seu Toyota 4×4 e seu material para pequenas intervenções cirúrgicas. Quando se deu conta de que o atendimento não era para o fazendeiro, mas sim para um dos seus peões, se dirigiu relutante e de mau humor às acomodações do homem, cujos gritos eram ouvidos à distância. Carlos encontrou o peão urrando de dor e com as mãos na barriga. Fez poucas perguntas e mal examinou o doente. Apalpou-lhe o abdômen superficialmente, e, não vendo nada de muito grave, prescreveu algumas gotas de um antiespasmódico e retirou-se. Tinha um compromisso social e não podia se atrasar. Havia atendido o paciente apenas por causa do pedido do fazendeiro, que era amigo do velho Amaral. Como o homem piorou ao longo da madrugada, o dono da fazenda, que estimava muito o seu funcionário, bateu na porta de Zé Peixoto atrás das ervas curativas de Ana. A índia ouviu a história com atenção, escolheu algumas ervas e se dispôs a examinar o adoentado. Colocou a mão na barriga do pobre homem, que gemia sem parar. Vagarosamente, deslizou os dedos em direção à pelve até sentir uma resistência do lado direito.

— Você pode se virar um pouco de costas? — ela pediu com delicadeza ao homem que chorava. Ele se virou com certa dificuldade e Ana deslizou os dedos por suas costas, até a região lombar. Fez certa pressão com o punho cerrado, como se desse um soco no lado direito do corpo do peão, que gritou como um louco.

— Você tem sangue na urina?

— Sim, senhora. Há alguns dias venho notando algumas gotas de sangue e tenho que fazer força pra mijar — respondeu o peão, ainda se recuperando do soco.

— Vou colocar essa folha na sua boca. Você vai mascar sem engolir. Ela vai aliviar a dor que está sentindo. Gostaria que esquentassem um pouco de água e, assim que ferver, desliguem o fogo e mergulhem essas folhas, mantendo a panela tampada. Ele deve beber esse chá de duas em duas horas.

—E com isso Ana retirou da bolsa algumas folhas grandes e aveludadas.

Ela manteve as mãos espalmadas sobre a área dolorida das costas do homem enquanto balbuciava umas expressões na sua língua nativa. Entoou uma espécie de canto entremeado a algumas palavras de ordem, que proferiu num tom mais grave e imperativo, como se falasse com a doença. Depois de alguns minutos, o homem parou de gemer. Foi ficando sonolento, até cair em sono profundo.

— Deixem ele descansar por duas horas e voltem a dar a infusão, de duas em duas horas, até que elimine o que está lhe fazendo mal.

O fazendeiro puxou a carteira e retirou um maço de notas. Ana recusou.

— Aceite, dona Ana! Paguei caro para o dr. Carlos Roberto e ele mal tocou no meu funcionário.

— Tenho certeza que o dr. Carlos deveria estar apressado para atender a algum outro chamado — contemporizou a índia.

— Hum, aquele ali? Duvido muito. Que me perdoe o velho Amaral, a quem devo minha amizade e respeito. Aquele, sim, é gente de bem. Quanto ao filho, tenho lá minhas dúvidas.

— Os médicos são ensinados e treinados pela medicina do homem. Acham que tudo está nos livros, e apenas o que está naquelas páginas é correto e possui o poder de curar. Mas nem tudo está escrito.

— Vendo a senhora trabalhar, acho que sou obrigado a concordar.

— Se usassem o que sabem e acreditassem que têm potencial para ser e poder muito mais do que são e podem, beneficiariam muito mais pessoas.

— Epa, não entendi!

— Os médicos precisam aprender com a natureza. Ouvir o que ela tem a dizer. A terra é nossa mãe, nos dá de comer e nos dá também a nossa cura.

— Acho que a senhora tem razão.

— Respeito os médicos, estudaram muito, aprenderam a ouvir a linguagem do corpo e a entender quando ele sofre, mas muitos se recusam a ouvir a natureza. Fecham os olhos e os ouvidos para o que ela tem a dizer.

— E a senhora faz alguma ideia do que possa ter feito mal ao meu peão?

— Não sou médica. Sou uma mulher simples que só entende de ervas. Aprendi com a minha mãe, que aprendeu com a mãe dela. O nosso livro de conhecimento não é escrito, é passado de geração em geração. Nasci na aldeia dos bororos. Aprendemos desde pequenas a escutar a natureza, e ela me diz que erva usar.

— Acredito na senhora e respeito muito essa sabedoria dos índios.

— Não faço diagnósticos, como o senhor pode ver, mas aprendi a tocar, ouvir e entender melhor a linguagem do corpo. A ponta dos meus dedos me diz onde há algo errado, e com a ponta dos meus dedos eu tento ajudar. Mas o senhor vai me prometer que, se ele voltar a sentir dor ou tiver febre, vai levá-lo imediatamente ao pronto-socorro municipal.

— Pode deixar, dona Ana. Muito obrigado!

A partir daquele dia, Carlos Roberto Pontes do Amaral passou a ter motivos de sobra para antipatizar com a mãe de Luzia. Chegara aos seus ouvidos que o peão da fazenda Nossa Senhora do Carmo havia ficado bom com umas ervas e algumas palavras mágicas que a índia dona Ana da cachoeira do Zé Coxo tinha proferido num ritual de magia e cura. A reza da índia foi tão poderosa que, na manhã seguinte, o demônio pareceu abandonar o corpo do homem. Ele expeliu uma pedra toda quebrada em pedacinhos junto com a urina. Indignado, Carlos passou a se referir pejorativamente a Ana como a "Feiticeira do Roncador".

Eram quase dez horas quando Sophia acordou. Espreguiçou-se e foi imediatamente imitada por Ron-Ron, um projeto de gata que deveria ter apenas alguns poucos meses. A bichana tigrada enroscou-se nos pés da menina, pedindo carinho.

— Vó, você esqueceu de me acordar?

— Não, querida, apenas deixei que você descansasse bastante, porque fomos dormir muito tarde ontem. Arrume-se e venha tomar o seu café. Já deixei o almoço pronto para ficarmos muito tempo juntas na cachoeira. Lembre-se que seu pai vem buscá-la no fim de semana.

— Ah, vovó, não quero voltar! Não posso ficar aqui morando com você?

— Sabe que não pode, pequena. Eu e seu pai temos um acordo e precisamos respeitá-lo. E depois tem a escola, os seus amigos...

— Posso estudar aqui, na mesma escola que o André. Papai vive sempre muito ocupado, não tem mais tempo pra mim. Vive no hospital, cuidando das pessoas.

— Esse é o trabalho dele, cuidar das pessoas, mas tenho certeza que você consegue arrancar dele de vez em quando um baita sorvete com casquinha de biscoito e cobertura quente de chocolate — tentou amenizar Ana.

Sophia deu um sorriso desanimado.

— Você também cuida das pessoas, mas está sempre comigo.

— O trabalho dele é diferente, querida, é mais sério. O seu pai opera as pessoas. Tem que estar sempre muito atento, não pode errar, senão pode machucar alguém.

— Acho que eu também vou querer cuidar das pessoas quando crescer.

— Tenho certeza disso. — Um brilho especial surgiu nos olhos da índia.

— Só não sei bem ainda se quero cuidar como você, como a mamãe ou como o papai.

Ana sorriu com as dúvidas da neta.

— Por que não pensa em cuidar de todas as formas?

— Eu poderia? Sem que papai brigasse comigo? Ele não gosta muito quando eu falo que as pessoas às vezes procuram por você na gruta da cachoeira.

— Então não fale nada e não o aborreça com essas coisas. Carlos é um bom médico, já tem problemas demais.

— Eu já ouvi ele conversando com a tia Margô na biblioteca, acho que chorava de saudades da mamãe. Ele dizia que, se tivesse acreditado mais nas suas bruxarias, talvez a mamãe estivesse viva aqui com a gente, como eu. Você é mesmo uma bruxa, vovó?

A pergunta foi tão inesperada, e a expressão de seriedade estampada na cara de Sophia era tamanha, que Ana não aguentou e caiu na gargalhada. Como a menina não esboçou nenhum sorriso e continuava aguardando a resposta, ela se recompôs e explicou:

— Você vê alguma pinta preta cabeluda no meu nariz?

— Não!

— Por acaso eu tenho algum gato preto?

— Não, só a Ron-Ron.

— Você já me viu voando em vassouras ou preparando algum remédio em caldeirões com sapos, cobras e lagartixas?

Sophia começou a querer esboçar um sorriso.

— Não, né, vó?!

— Pois então. Os adultos pensam demais, falam demais e fazem de menos. E vamos logo, tome o seu leite que o sol já está ficando quente demais.

Sophia tomou o leite ordenhado da vaca naquela manhã e comeu uma broinha de milho com manteiga. Estava de maiô, shorts, tênis e meia para proteger os pés durante a caminhada. O protetor solar formava placas brancas mais generosas em algumas partes do rosto, enquanto outras pareciam totalmente desprovidas de proteção. Ana espalhou o creme com os dedos, desfazendo as placas, e fez duas tranças nos cabelos da neta para que a menina pudesse brincar com mais liberdade. Saíram no final da manhã e levaram uma das cestas de palha que Ana trançara e enchera com sanduíches, frutas e suco, já que só voltariam no final da tarde. O caminho para a cachoeira do Zé Coxo era uma trilha onde se podiam avistar vários tipos de árvores, plantas e insetos. A vegetação do cerrado ali fazia uma sombra agradável, de forma que não sentiam muito calor durante o percurso. Cerca de dez minutos após terem iniciado a caminhada, ouviram alguns estalidos secos de madeira e passos que se aproximavam rapidamente.

— Madrinha, posso ir com vocês?

— Que susto, André! — as duas gritaram ao mesmo tempo.

— Padre Lemos sabe que você está aqui? — perguntou Ana, preocupada.

— Avisei a minha mãe.

— E ela deixou você vir sozinho da cidade até aqui?

André limitou-se a sacudir os ombros com indiferença.

— Isso não está certo, curumim — comentou Ana, contrariada.

— Já sou quase um homem, madrinha. Minha mãe disse que, na tribo de onde ela veio, os meninos com dez anos ficam isolados durante um tempo e depois se tornam homens quando furam as orelhas.

— É verdade, vó? Eles furam as orelhas feito meninas? — perguntou Sophia, espantada.

— Na realidade é um ritual muito bonito dos índios xavantes — explicou Ana.

— E o que é ritual, vó?

— Uma espécie de grande festa. Como a Lurdes já deve ter lhe explicado, André, todo xavante, entre os dez e os dezoito anos, vive durante um a cinco anos com outros meninos da mesma idade para receber os ensinamentos dos índios mais velhos, como se estivessem na escola. Aprendem coisas importantes sobre a natureza, a vida e a morte. Os xavantes são os guardiões da serra do Roncador, os protetores de seus segredos e os eternos responsáveis pela sua preservação.

— Mas como posso aprender essas coisas se não moro na reserva, madrinha? Como vou proteger a mata se não sei nada sobre ela? Não quero mais ir para a escola comum, é muito chato.

Ana começava a tomar consciência da dimensão do problema que iria enfrentar. André era filho de uma índia fugida da aldeia e de pai desconhecido. Atraída pelas possibilidades de uma vida mais confortável e de dinheiro fácil, Lurdes passou a perambular pelos bares das praias do Araguaia se prostituindo, principalmente a turistas de outros países. Foi acolhida pelo padre, e André nasceu alguns meses depois. O menino tinha, sem dúvida, traços indígenas marcantes, mas sua pele era mais clara do que a da mãe. Percebia-se a nítida participação do homem branco filtrando as características dos ancestrais indígenas do seu DNA, o que significava que sofria preconceito dos dois lados. Na escola do homem branco, era sempre chamado de índio. "Quer brincar, índio?" "É a sua vez, índio!", diziam os colegas. Na aldeia xavante, talvez fosse rejeitado por ser mestiço e, portanto, sua parte de homem branco não lhe daria o direito de compartilhar determinados segredos e informações. O mais grave de tudo é que rondavam boatos de que o menino poderia ser filho do padre.

— Vó, você não contou como os xavantes furam as orelhas.

— É, madrinha, como furam as orelhas?

— No ritual da Furação das Orelhas, o menino, depois de sair dessa escola, tem as orelhas furadas por um osso de onça para mostrar que já é um homem. É colocada uma espécie de anel de madeira, que vai alargando o furo aos poucos. Esse anel é especial, como se fosse uma antena, que permite a quem o usa sonhar com as pessoas de sua tribo que já morreram.

— Eu tenho medo de fantasma, vó. — Sophia arregalou os olhos.

— Pois eu não tenho! — André tratou logo de retrucar.

— Vocês falam alto demais e espantam os bichinhos. Vamos fazer silêncio enquanto andamos pela trilha para ver o que encontramos.

Eles andaram alguns metros e logo avistaram um casal barulhento de araras-vermelhas, que arrulhavam na copa de uma árvore mais alta.

— Estão fazendo ninho, madrinha?

— Não, elas fazem seus ninhos nas frestas das rochas da serra porque é mais seguro. Devem estar levando pedaços de cipó para fazer os ninhos ou procurando comida, esses bichinhos que vivem nos troncos das árvores.

Com a aproximação do grupo, as araras voaram juntas para bem longe dali.

— As araras vivem juntas para sempre. Quando uma morre, a outra permanece sozinha pelo resto da vida. E isso tem um nome difícil: elas são monogâmicas — Ana explicou.

— Então papai não é monstro... Como é mesmo que se fala, vovó?

— Monogâmico, ou seja, que se casa uma única vez. Seu pai tem direito de refazer a vida dele, Sophia.

— E a arara não?

E todos caíram na gargalhada. Os gafanhotos pousavam na cesta de comida e André os espantava. Vermelhos, roxos e esverdeados, dançavam um balé exótico e bastante colorido ao abrir e fechar as asas.

— Enfim, chegamos!

A cachoeira do Zé Coxo ou véu da noiva era uma queda-d'água de aproximadamente setenta metros, que despencava sobre um grupo de pedras e formava um grande lago de águas calmas e cristalinas, ideal para o banho. Ao redor do lago, pedras de tamanhos diversos circundavam o ambiente como se houvessem desmoronado até ali muito tempo atrás.

— Sempre que entrarem num lugar como este, fechem os olhos e peçam permissão para estar aqui.

— Alguém vive aqui na cachoeira, vó?

— Sim, muitos seres vivem por aqui e mantêm perfeito o equilíbrio deste lugar. O fato de não conseguirmos vê-los ou ouvi-los não significa que não estejam por aqui.

Todos fecharam os olhos e fizeram suas saudações pessoais.

Sophia e André mergulharam a tarde inteira. Ana aproveitou as áreas de fluxo mais turbilhonado da água para massagear as costas e a nuca. Sentia-se feliz e relaxada. Fechou os olhos e tudo que ouvia era o barulho da água se chocando contra as pedras. Começou a sentir uma onda de calor subindo por sua espinha, indo do cóccix em direção à nuca. A sensação era reconfortante. Logo os pelos se eriçaram e um formigamento passou a tomar conta de todo o seu corpo, como se estivesse completamente energizada. Sentia o corpo vibrar numa frequência cada vez maior, como se houvesse uma urgência em deixá-lo para experimentar a sensação de um prazer nunca antes conhecido. Repentinamente sentiu-se leve, flutuando no vazio. O som da cachoeira ficou distante e não conseguia saber onde estava. Estava perdida e flutuando no vazio. Sentiu que não estava completamente sozinha, que havia uma presença por ali, e aos poucos foi notando uma luz tênue. Algumas pessoas flutuavam como ela, mas tinham uma direção certa, não estavam perdidas. Outras deslizavam em monotrilhos que seguiam em várias direções. Tentou pedir alguma informação, mas aquelas pessoas pareciam muito ocupadas, e ninguém parava para ouvi-la. Dava vários passos no vazio, porém não conseguia sair do lugar. Ninguém estranhou que ela estivesse ali, como se aquilo fosse algo completamente normal e esperado. Lembrou-se então das crianças e começou a ficar aflita, pois tinha que voltar. Começou a se debater para tentar chamar a atenção de alguém.

Uma das presenças percebeu sua dificuldade e se aproximou. Tinha uma expressão tranquila e familiar. Deu um grande sorriso, como se esperasse que Ana a reconhecesse e se acalmasse. Olhava para ela atentamente como se a examinasse, e com uma alegria imensa, como se já a conhecesse e não a visse há muito tempo. Ana tentou mexer os lábios, mas percebeu que não era preciso. Sentiu a presença dentro de sua mente, lendo seus pensamentos e aflições. Era estranho, mas a via de comunicação era unilateral, e embora a presença de luz telepaticamente entendesse tudo o que se passava em sua mente, a recíproca não ocorria, ou seja, Ana não conseguia entender o que aquela aparição queria lhe dizer. Apenas olhava para ela e sorria com infinita beleza e ternura. A presença de luz se tornou mais forte e Ana sentiu o medalhão em brasa ardendo no seu pescoço, queimando a pele do seu colo. De repente um grande empurrão fez com que rapidamente ela entrasse no monotrilho e deslizasse numa velocidade muito alta. Seu corpo começou a vibrar de novo, e quando achou que fosse cair, começou a ouvir o barulho da cachoeira batendo nas pedras.

— Vovó, vovó!

— Madrinha, madrinha!

Ana abriu os olhos e sentiu as crianças lhe sacudindo pelos ombros.

— Vó, você dormiu na água e quase se afogou!

— É, madrinha, não estávamos aguentando mais o peso do seu corpo.

— Nossa, crianças, que perigo! Melhor lanchar e recolher as coisas para voltar para casa. — Ainda atônita e sem nada entender, Ana tentava se recompor e dominar a situação.

— Vó, achei esta pedrinha cor-de-rosa no fundo do lago. Posso levar comigo?

— O lugar dela é aqui. Coloque-a exatamente onde a encontrou. Todas as vezes que quiser estar com ela, venha até aqui. Cristais gostam de cachoeiras e não de quartos fechados.

— Está certo, vó.

Recolheram tudo e retornaram para casa. Padre Lemos estava esperando por André, que iria ficar de castigo por uma semana e, portanto, não veria mais Sophia naquelas férias. Jantaram a comida que Ana havia deixado pronta e, exaustas, avó e neta caíram na cama. Sophia já ressonava profundamente quando Ana sentiu um incômodo na região do colo. Coçou o local e percebeu uma grande mancha vermelha, como se fosse uma queimadura. Pegou um dos seus unguentos de ervas na gaveta da cômoda e retirou o medalhão para aplicá-lo. Observou que a marca na pele era arredondada e tinha o mesmo tamanho da joia, como se o medalhão em brasa estivesse tatuado em sua pele. Ao tentar recolocá-lo, o medalhão escorregou de suas mãos e caiu no chão, aberto.

— Graças a Deus que não quebrou! — disse Ana em voz alta, recolhendo o objeto. Pegou-o com as duas mãos e percebeu que o espelho do lado de dentro estava todo arranhado.

— Poxa vida! — reclamou, aproximando o medalhão dos olhos.

A princípio não conseguiu entender o que viu. Uma espécie de risco ou borrão. Tentou focar melhor e notou que o riscado era, na verdade, uma imagem de mulher, como se a imagem estivesse impressa no espelho. Achou a imagem familiar, como se já a conhecesse. Uma mulher jovem, de cabelos escuros e um olhar muito expressivo. Guardou o medalhão. Deitou-se ao lado da neta e fechou os olhos enquanto a memória continuava procurando o arquivo certo. Tinha visto aqueles olhos em algum lugar, mas onde? Uma onda gelada lhe percorreu todo o corpo, e ela se deu conta de que o rosto adulto impresso no medalhão era o de Sophia.

1998
Barra do Garças, Mato Grosso

O dr. Carlos Roberto Pontes do Amaral era um cirurgião geral conhecido e respeitado em Mato Grosso e Goiás. Havia feito a residência médica no Hospital Municipal de Aragarças, uma cidade vizinha à Barra do Garças, bastando apenas atravessar uma pequena ponte sobre o rio Araguaia para se deslocar de um município para o outro. Tornou-se chefe da emergência e do setor de cirurgia geral desse hospital público, trabalhando ali durante alguns anos, até montar o seu próprio empreendimento, o Hospital das Clínicas Nossa Senhora do Amparo, mais conhecido como Amaralzão, em homenagem ao seu pai. O velho Amaral, como era carinhosamente chamado por todos, era um homem simples e bem-humorado que adorava uma moda de viola e um rabo de saia. Candinha, a mãe de Carlos Roberto, era uma mulher que vivia para suas obras sociais e para a Igreja. Tinha uma participação ativa na paróquia do padre Lemos e estava sempre envolvida em projetos assistenciais. Carlos gostava do que fazia. Só não concordava muito com o pai, que insistia na ideia de que deveria permanecer preso àquela região do Araguaia. O velho Amaral mantinha uma casa na sede da fazenda em Cuiabá e outra residência em Barra do Garças, onde a família passava a maior parte do tempo. Era um homem forte, acostumado à montaria e ao trato com os peões. Carlos Roberto era filho único e, portanto, gozava de todas as atenções e regalias. Conseguiu que o pai, juntamente com alguns fazendeiros da região, montasse o hospital das clínicas em que passou a exercer a função de diretor médico.

— Dr. Carlos Roberto, o sr. Amaral o aguarda na linha dois.

— Pode passar a ligação, por favor.

— Carlinhos, preciso de um grande favor, meu filho.

— Você é quem manda, Rei do Gado.

— Sabe o Airton, aquele meu tratador que prepara os cavalos para as exposições?

— Sei, aquele que tem o nariz meio torto.

— Esse mesmo. Veio da fazenda se queixando de muita dor no fígado. Diz a mulher que o coitado tá até amarelo de tanta dor.

— Manda ele me esperar lá no Aragarças que passo por lá quando sair aqui do hospital.

— Vê se não vai deixar o homem esperando por muito tempo, hein?

— Está bem, seu Amaral, vou lá atender o seu tratador de elite.

— Qualquer problema, liga mais tarde lá pra casa do compadre Sérgio Reis que já tinha me comprometido com ele. Vai ter umas modas de viola por lá hoje.

— Compadre? Desde quando o grandão é meu padrinho?

— Seu não, o Grandão batizou a Pérola Negra, minha égua premiada, ora!

— Só você mesmo, seu Amaral...

Carlos olhou a programação das cirurgias eletivas daquele dia. Estaria ocupado durante toda a manhã. Resolveu então ligar para a sala dos médicos do Hospital de Aragarças.

— Sala dos médicos, bom dia!

— Bom dia, aqui é o dr. Carlos Roberto. Um paciente chamado Airton vai me procurar na emergência...

— Ele já está aqui, doutor. Um paciente com dor abdominal a esclarecer, não é isso?

— Isso mesmo! Qual é mesmo o seu nome?

— Luzia, sou a enfermeira da sala do comando de enfermagem hoje, doutor.

— Pois bem, Luzia, poderia me passar a situação real do doente? Estou com o quadro de cirurgias no Amaralzão hoje pela manhã completamente lotado.

— Claro. O paciente está ictérico e tem febre, dr. Carlos Roberto. O abdômen está tenso. Tomei a liberdade de pedir ao clínico que adiantasse toda a bioquímica e os exames de imagem. Está em dieta zero e foi passada uma sonda nasogastrica para diminuir a distensão abdominal. Foram administrados por via endovenosa omeprazol, bromoprida, antiespasmódico e iniciado esquema de antibioticoterapia.

— Muito eficiente, Luzia. Acho que nunca trabalhamos juntos.

— Troquei de setor. Na verdade, este é o meu segundo plantão na emergência.

— Muito bom, Luzia. Tenho certeza que vamos nos dar muito bem. Assim que tiver o retorno dos exames me avise.

— Claro, pode deixar.

Carlos entrou no centro cirúrgico às nova da manhã sem previsão de saída

Luzia estava empolgada com o plantão na emergência. Havia terminado o período de estágio nas enfermarias, e esse era efetivamente o seu primeiro emprego. As enfermarias eram mais tranquilas e previsíveis. As prescrições todas já estavam prontas, e os doentes, estáveis. A emergência era mais dinâmica, imprevisível, e de uma hora para a outra tudo podia mudar.

— Enfermeira, por favor... — chamou Airton.

— Pois não, sr. Airton.

— Estou com muita dor. O doutor ainda vai demorar muito?

— Ele já está a caminho, mas estamos fazendo tudo o que é necessário. Não se preocupe.

— Pode me dar alguma coisa para dor?

— Já está sendo administrado pelo soro, direto na sua veia.

— Mas não estou aguentando...

— Vamos fazer o seguinte: Feche os olhos.

— Ai! Você beliscou o meu dedão! — reclamou o paciente.

— Ótimo, vamos tentar desviar a sua atenção da dor.

— Fazendo doer em outro lugar?

— Quem sabe não funciona? Quer tentar? — insistiu Luzia.

— É isso ou nada?

— Sim.

— O.k., então. Não tenho escolha mesmo. — O homem finalmente fechou os olhos.

Luzia olhou em volta. Era hora do almoço e estava sozinha na sala de emergência. Certificou-se de que Airton estava com os olhos completamente cerrados. Pegou um garrote e amarrou em volta da região do hálux do pé direito, tendo o cuidado de não bloquear a passagem de sangue.

— Está sentindo uma pressão no dedão do pé?

— Sim.

— Procure se concentrar nela.

Com as duas mãos liberadas, aproximou-as da região superior do abdômen do homem, que gemia baixinho, e manteve-as abertas, sem tocar no paciente. Concentrou-se num ponto, como se tivesse avistado algo através da pele. Suas mãos começaram a vibrar e uma fluorescência alaranjada passou a fluir pela ponta dos seus dedos. Manteve o processo durante alguns minutos.

— Acho que está dando certo, já não sinto mais tanta dor — comentou Airton, mais aliviado.

— Mantenha os olhos fechados. Vou retirar o garrote, mas você vai continuar concentrado na dormência do seu dedão.

— Está certo.

Luzia manteve a emissão dos fótons de luz laranja durante cerca de trinta minutos, e então deu por encerrada a sessão. Airton dormia profundamente.

Após o almoço, as auxiliares retornaram e Luzia foi almoçar. Encontrou no caminho o residente da clínica médica que havia solicitado os exames de Airton e feito a prescrição inicial.

— Estou com os resultados dos exames, Luzia.

— E então?

— Enzimas pancreáticas todas elevadas e uma vesícula biliar entupida de cálculos, segundo o ultrassom, ou seja, pancreatite biliar. Contate o dr. Amaral e diga que o paciente é cirúrgico mesmo. Estou indo fazer uma reavaliação clínica. Depois nos falamos.

— Vou pedir a sala no centro cirúrgico. Assim que voltar do almoço, entro em contato com o dr. Amaral — concordou Luzia.

Luzia saiu um pouco do hospital e procurou um lugar mais isolado onde pudesse se recompor e recuperar as energias. Sabia que, se contasse o caso a Ana, a mãe não concordaria com o que tinha feito. Estava num lugar aberto e exposto a todo o tipo de energia. Essas práticas tinham um local certo para serem administradas, onde a energia poderia ser canalizada com um resultado melhor, e sem exposição à curiosidade alheia. Procurou uma fonte próxima e lavou os punhos e a nuca. Prometeu a si mesma que não faria aquilo novamente. A moça se recompôs e retornou ao hospital. Na sala da emergência, Airton sorria e nem parecia ser o mesmo homem de alguns minutos antes. O residente da clínica médica coçava a cabeça sem entender nada.

— Meu anjo voltou! — exclamou Airton assim que Luzia entrou na sala.

— Luzia, você chegou a reservar sala no centro cirúrgico? — perguntou o médico, confuso.

— Sim, doutor. Fiz como me pediu. Por quê? Há algo errado?

— Reexaminei o doente e não há mais qualquer sinal de defesa ou resistência abdominal. Levei-o pessoalmente ao centro de imagem mais uma vez. Não há nenhum cálculo. Na verdade, não há mais vesícula, como se as paredes tivessem colabado. Também não há mais sinais de cálculos nas vias biliares. O exame foi feito pelo mesmo técnico, que me disse que não há como explicar o ocorrido.

— Mas não é possível, doutor! E o sangue? Os sinais de sofrimento pancreático? — perguntou Luzia.

— Vamos repeti-los. Acredito que ainda estejam alterados, porém devem estar com valores mais baixos do que os anteriores. De qualquer forma, o paciente deve permanecer em observação até a normalização das enzimas. Não há mais indicação cirúrgica, isso é certo!

— E o que eu falo para o dr. Amaral?

— Diga que aconteceu um milagre!

— Enfermeira! Enfermeira Luzia! — chamou Airton, aflito.

— Sim, senhor.

— Muito obrigado!

— Mas eu não fiz nada, não lembra?

— Lembro daquela dor infeliz e do elástico no dedão do pé. Devia vender esse elástico, ia ficar rica.

— Elástico no dedão? — interrogou o residente com curiosidade.

— É uma técnica de ioga para desviar a atenção da dor — desconversou rapidamente Luzia.

— Ah, sim.

No final do dia, Luzia passou os casos para o plantonista, e quando se preparava para sair, alguém lhe bloqueou a passagem.

— Então você é o tal anjo de quem tanto me falou o Airton?

— Não dê ouvidos a tudo que ouve.

— Posso ao menos lhe oferecer uma carona? Você deve estar tão cansada quanto eu. Deixe que eu me apresente. Meu nome é Carlos Roberto, e estou ao seu dispor.

Janeiro de 1977
Barra do Garças, Mato Grosso

Quando Ana chegou em Barra do Garças trazida pelas mãos de José Peixoto com apenas treze anos, nem um nome ao certo tinha. Seu nome bororo era de difícil pronúncia. José Peixoto olhou para ela pensativo e disse:

— Você vai se chamar Ana, o nome da mãe de Nossa Senhora. Acha bonito? A-N-A, Ana.

No seu pouco entendimento, Ana balançou a cabeça, concordando. José, apesar de simples, havia cursado o ensino médio, sem, no entanto, ter concluído o curso. Gostava de ler tudo o que lhe caía nas mãos. Na sala de casa tinha uma estante com uma quantidade enorme de livros que tratavam de vários assuntos. Desde os clássicos de José de Alencar e Machado de Assis até os mais contemporâneos, como Nelson Rodrigues. Sempre que viajava, José procurava trazer um livro novo. Alguns eram mais técnicos e direcionados ao trato com a terra e à criação de animais. Gramáticas e enciclopédias dividiam o espaço com um atlas geográfico e livros de receitas. A Bíblia ficava sempre na mesa de cabeceira e suas páginas já estavam amareladas de tanto que foram lidas e relidas. Ana era esperta e aprendia com uma rapidez espantosa tudo o que José lhe ensinava. Com o tempo, após os afazeres de casa e durante as noites em que Zé roncava a sono solto, aproveitava a luz do lampião para ler o que podia. Já havia lido quase todos os livros de literatura da estante. Gostava de folhear o dicionário e descobrir palavras novas, com novos significados. Passou a ler e a procurar entender melhor sobre as plantas que tão bem conhecia na prática. Mas o seu preferido, sem dúvida, era o livro sagrado. Adorava folhear as histórias do Velho Testamento e imaginar os homens numa época em que Deus se dirigia diretamente a eles com tanta frequência que era como se praticamente andasse e frequentasse suas casas. Tinha uma simpatia particular pelos... anjos. Aquelas figuras celestiais com asas enormes, sempre tão protetoras, anunciando os grandes desígnios da humanidade. O versículo 6,1-2 do Gênesis lhe chamava a atenção em particular: "Quando os homens começaram a multiplicar-se sobre a terra, e lhes nasceram filhas, os filhos de Deus viram que as filhas dos homens eram belas, e escolheram esposas entre elas". Essa passagem sempre a intrigou. Perguntava ao marido quem seriam os filhos de Deus que teriam se deitado com as mulheres, filhas do homem, para gerar seres especiais. Zé não sabia responder, coçava a cabeça e dizia que nas suas andanças tinha feito amizade com um judeu e que o povo dele também era muito afeito aos livros. Esse amigo lhe dizia que, na Bíblia deles, as palavras nem sempre eram as mesmas... Que filho de Deus é filho de Deus, é aquele que vem do céu, voando com as suas asas, e filho do homem é filho do homem, aquele que vive na Terra.

Ana passou a pensar nisso fixamente. Talvez porque ficasse muito tempo sozinha durante as viagens de José. Os anos se passavam e nunca conseguia engravidar. José Peixoto esperou que completasse a idade de quinze anos e a desposou oficialmente na pequena igreja matriz, onde padre Lemos era o pároco recém-chegado. Fez questão de fazer tudo do jeito certo para calar a boca do povo. O tempo passou e nada conseguia fazer com que Ana gerasse uma criança. Tomou todos os chás e fez todos os rituais de fertilidade que conhecia da sua tribo. Não sabia de quem era o problema. Perguntava ao marido, uma vez que já tinha mais idade, se ele nunca havia feito nenhum filho por onde tinha andado. José Peixoto sempre respondia contrariado que ela deixasse de tolice e que, quando Deus quisesse, mandaria o filho que tanto esperavam, mas isso não era o bastante para acalmá-la. Dormia mal, sonhava que todas as noites um anjo vinha se deitar com ela. Um anjo lindo de asas enormes, mal podia ver o seu rosto de tão iluminado. O anjo sorria para ela, com seus olhos azulados e a pele rosada. Quando tentava tocá-lo, batia as asas, e ela só conseguia ouvir o seu farfalhar já bem longe. Era assim todas as noites, e acordava sobressaltada e suando. Numa noite em especial, estava no quintal recolhendo a roupa do varal, pois ameaçava chover. Olhou para o céu e viu algumas poucas estrelas por causa da nebulosidade. Uma delas, porém, chamou-lhe a atenção. Brilhava mais do que as outras. Num dado momento, a estrela simplesmente passou a movimentar-se numa trajetória errante, fazendo giros e dando verdadeiros saltos no céu, para cima e para baixo. Ana deixou o balaio de roupa cair no chão. Queria gritar, chamar pelo marido, mas a voz não saía. A estrela esquisita mudou de direção e rapidamente sumiu no céu. Ana recolheu as roupas e voltou para casa calada. José Peixoto passaria a semana viajando e sentiu certo temor em ficar ali sozinha.

— Que foi, Ana? Por que você tá tão amuada?

— Me deixa, Zé!

— Quer um espelho bem bonito pra você se ver melhor? Eu trago pra você.

— Pode ser...

— Ou prefere um livro novo, de romance com a capa dura, como você gosta?

— Tanto faz, não se preocupe. Só queria que você...

— Sim...?

— Voltasse logo...

Na manhã seguinte, José Peixoto arrumou todos os queijos, compotas, conservas e o artesanato na carroça. Atrelou bem os cavalos e partiu em direção às cidades vizinhas. Ana penteou os cabelos compridos e negros como fazia todas as manhãs. Trançou-os e prendeu a ponta com um pedaço de sisal de buriti. Havia feito para uso próprio um adorno com algumas penas de arara-vermelha que estavam soltas pelo terreno. Colocou uma túnica larga, que lhe escondia o corpo jovem de pele morena, sedosa e sem pelos. Não usava roupa íntima e nem calçados. Pegou uma das bolsas de palha trançada que estavam penduradas na parede e saiu para a mata, atrás de suas árvores e ervas. Estranhamente, naquela noite, dormira bem. Não sonhara com nada. Teve um sono até tranquilo apesar da experiência da véspera. Andou pela trilha com os ouvidos aguçados para prever a aproximação de qualquer animal silvestre. Os saguis brincavam na copa das árvores mais altas atraídos pelo cheiro das frutas maduras da época. As araras e os tucanos enfeitavam alguns galhos próximos. Estava atenta aos guizos das cascavéis, que sempre se escondiam entre as pedras. Recolheu algumas amostras de folhas e sementes para confecção de xaropes para problemas alérgicos e respiratórios. Também era comum preparar sempre algum medicamento para distúrbios digestivos.

Era uma manhã quente e o barulho da cachoeira logo se transformou num irresistível convite. Ana jogou a túnica sobre as pedras e se atirou na lagoa. Ficou boiando por alguns minutos com os olhos fechados. A trança foi se desfazendo e logo os cabelos estavam livres, emoldurando o seu rosto moreno. Levantou-se com agilidade e deitou-se sobre um trecho de areia fina entre as pedras. Os pingos de água escorriam dos cabelos e do seu corpo, fazendo pequenas poças onde as borboletas vinham matar a sede. Fechou os olhos e se deixou ficar, ouvindo o som da floresta. Momentos depois, sentiu a mata silenciar, o que não era muito comum. Nada se movia. Escutou um estranho farfalhar, como se algum grande pássaro se aproximasse. Olhou ao redor, mas não viu nada. Voltou a deitar, e uma urgência enorme em dormir começou a tomar conta do seu corpo, obrigando-a a ficar imóvel e de olhos fechados. Sentiu uma sensação deliciosa de calor envolvendo o seu corpo, da cabeça aos pés. Não sentia mais a areia sob as costas. Tentava abrir os olhos, mas não conseguia enxergar direito. A luz incidia sobre seu rosto, lhe dificultando a visão. Percebeu uma silhueta, nada além de um corpo envolto por um grande manto de luz. Aquela energia tomou conta do corpo de Ana, sem que pudesse reagir. Sentiu um grande formigamento na região da coluna, que subiu até a nuca, fazendo sua testa pulsar, e finalmente houve uma grande pressão na região da pelve. Achou que fosse explodir. Seus olhos escureceram e não viu mais nada. Acordou no final da tarde. O sol já se punha atrás das muralhas do Roncador. Não entendia bem o que havia acontecido. Vestiu-se rapidamente e voltou para casa sem saber ao certo se tudo não havia passado de um sonho.

Nos meses que se seguiram, Ana não sonhou mais com anjos. Na verdade, andou um período meio arredia, sem querer encostar mais os dedos na Bíblia. Andava um tanto chorosa pelos cantos da casa, e José Peixoto achava que ela tinha saudade da tribo que deixara para trás. Nada consolava a mulher, nem mesmo os presentes que trazia das viagens. Procurava Ana à noite, sentia-se atraído pela beleza morena de coxas grossas e pele macia. Os cabelos de Ana cheiravam a acácias, daquelas a partir das quais as abelhas fazem o mais puro mel. Após o episódio da cachoeira, Ana ainda havia permitido as intimidades normais com o marido algumas vezes, mas com o passar do tempo começou a se sentir incomodada e a rejeitá-lo na cama.

— Vai passar, Zé. Não se preocupe. É coisa de mulher — tentava explicar Ana, sem que nem mesmo ela fosse capaz de entender.

Os dias se passaram e Ana esqueceu o episódio. Entregou-se aos afazeres da casa e aos estudos de suas poções e plantas. Os moradores das fazendas vizinhas vinham sempre buscar algum xarope ou pomada.

— Bom dia, dona Ana! Vim pegar mais daquele elixir sanativo para os pulmões. Pedrinho tem passado bem que é uma beleza!

— Dia, vizinha! Quase morri de tanto botar os bofe pra fora. Tem algumas gotinhas pro fígado?

E assim Ana ia ficando conhecida mata afora por seus dotes "farmacêuticos". Num ou outro caso mais difícil era chamada pessoalmente para as suas "feitiçarias". Usava o toque das mãos e o canto das suas ancestrais para dar alívio a quem precisava. O atendimento médico na região era muito precário e as pessoas recorriam aos mateiros para resolver seus problemas de saúde. Porém, após algum tempo, Ana começou a se sentir mais pesada e lenta quando ia buscar ervas na mata. Os seios tornaram-se maiores, com aréolas mais escuras e mamilos mais sensíveis. Os quadris estavam mais avantajados e arredondados e o abdômen um pouco mais volumoso. Suas regras não desciam havia três meses. Acompanhara a gravidez e feito o parto de algumas crianças da região, mas não conseguia acreditar naquilo que seu corpo já tentava lhe dizer havia alguns meses.

— Estou grávida, Zé! Eu vou ter um bebê!

— Mas, como assim grávida, Ana? — O marido parecia incrédulo.

— Estou grávida, Zé. Tenho certeza!

— Mas a gente mal se rela na cama, mulher! Você tem me rejeitado quase todas as noites. E depois de todos esses anos…

— Ah, Zé! Para de besteira, homem. Agora, eu sei por que não te queria ultimamente… Porque estava grávida! Para e pensa! Antes fazíamos quase todos os dias.

José Peixoto coçou a cabeça e foi obrigado a concordar. Começou a se sentir mais confiante e feliz com a ideia da paternidade. Passou a sorrir mais e a assoviar enquanto trabalhava no pasto. Ana estava radiante com a barriga que dia após dia não deixava dúvidas de que a vida pulsava ali. A túnica, que sempre lhe cobrira o corpo até os joelhos, agora estava na altura das coxas. Continuava com as idas à cachoeira, porém tomando cuidado para não escorregar nas pedras. Sentia sempre o olhar observador de alguém pesando sobre suas costas ou por entre as árvores da mata. No dia 7 de abril de 1978, debaixo de uma chuva torrencial, veio ao mundo a menina Luzia.

— Mas por que Luzia? — queria saber José Peixoto. — Não pode ser Jacira como a minha falecida mãe?

— Vai se chamar Luzia, Zé! Deus atendeu as minhas preces, vai ser Luzia e pronto, Filha da Luz.

Luzia era o bebê mais bonito de todo o Araguaia. Sua pele era de uma alvura que praticamente deixava ver todos os vasos sob a pele. Os cabelos loiros cresciam em cachos, emoldurando o lindo rostinho de bochechas rosadas e lábios vermelhos. Seus olhos eram de um indescritível azul-acinzentado. Todos ficavam encantados com a beleza da menina, mas não menos espantados por não se parecer fisicamente com nenhum dos pais. Quando iam à missa do padre Lemos, todos ficavam cochichando pelos cantos da igreja. Com o tempo, Ana passou a se sentir incomodada e parou da frequentar a paróquia. José e Ana liam a Bíblia em casa, discutiam as passagens entre eles, e depois faziam suas orações. Criaram Luzia resguardada dos olhares questionadores do povo da região. José Peixoto era apaixonado pela menina, que adorava acompanhar o pai quando ia tirar o leite da vaca ou recolher os ovos no galinheiro, bem cedo.

Até os cinco anos, Luzia foi uma criança normal, com toda vivacidade e inquietude de uma criança da sua idade. A partir do seu quinto aniversário algo esquisito começou a ocorrer no comportamento da menina. Em alguns momentos durante o dia, começou a tornar-se mais arredia. Isolava-se durante várias horas, com o olhar perdido no horizonte, como se esperasse a vinda de alguém. Ana acordava durante a noite e encontrava a menina perambulando pela casa numa espécie de sonambulismo ou transe. Era normal Luzia anunciar a presença de estranhos antes que tivessem entrado na propriedade. Tinha um desenvolvimento físico normal, era extremamente observadora e inteligente, e fora desses momentos de isolamento era meiga, carinhosa, alegre e bem-humorada. Entrou para o colégio em Barra do Garças e José se esforçava ao máximo para dar uma educação melhor à filha.

As crises de sonambulismo eram frequentes, e certa vez Ana seguiu a menina ao longo da trilha da cachoeira, sem acordá-la. Passaram por detrás do lençol de água e entraram através de uma abertura estreita e escondida através de uma pedra numa gruta que Ana nunca havia visto, apesar de conhecer tão bem aquela região. A gruta era espaçosa e úmida. Luzia sentou no meio do lugar com os olhos bem abertos, e que se moviam rapidamente de um lado para o outro. Fazia movimentos pendulares com o corpo, e assim ficava durante horas. Às vezes acordava do transe ali mesmo na caverna, sem lembrar de nada do que tinha se passado até aquele momento. Às vezes, levantava-se ainda em transe e retornava para casa, deitando-se na cama e só acordando no dia seguinte. José Peixoto e Ana levaram a menina ao pediatra em Barra do Garças, que indicou um neuropediatra em Cuiabá. Ana nunca mencionou ao marido o episódio do seu encontro extraordinário na cachoeira com um ser de luz, mas, no íntimo, sentia que esse seu encontro estava associado ao nascimento e às alterações pelas quais Luzia estava passando. Culpava-se por isso. Voltou a ler a passagem da Bíblia que sempre a fascinara à procura de respostas, Gênesis 6,4: "Naquele tempo viviam gigantes na terra, como também daí por diante, quando os filhos de Deus se uniam às filhas dos homens e elas geravam filhos. Estes são os heróis, tão afamados nos tempos antigos".

Quem seriam esses gigantes de que a Bíblia falava? Estava decidida a conversar com o padre Lemos, quem sabe ele poderia ajudá-la a entender. Não conseguia compreender direito o significado das palavras, mas pareciam muito com o que ela tinha vivido. No dia seguinte, depois de deixar a filha no grupo escolar, pediu ao marido que a levasse até a paróquia. Voltariam todos juntos para casa na hora do almoço.

— Sua bênção, padre Lemos. — Ana beijou a mão do padre.

— Deus te abençoe, minha filha. Vocês andam sumidos aqui da paróquia.

— Ah, padre! É só minha Luzia aparecer na missa e lá vem o falatório.

— Deixa o povo falar, dona Ana.

— Não é por mim, padre. É pela menina.

— Mas é porque ela é tão... diferente de vocês. Será que puxou a alguém da família do Zé?

— Acho que a mãe do Zé era alva dos olhos claros — desconversou Ana.

— Bom, se é assim, tá explicado. Mas o que trouxe a senhora até aqui hoje?

— Ando lendo alguns trechos da Bíblia... e não tenho entendido muito bem.

— Que coisa boa, dona Ana. A palavra do Senhor é o melhor alimento.

— Amém, padre. É que não consigo compreender certas palavras...

— E que parte você não está entendendo, filha?

— Gênesis capítulo 6, versículos de 1 a 4. Quando fala de filhos de Deus se deitando com as filhas do homem e o aparecimento de gigantes na Terra.

— Bem, filha, você escolheu a dedo. Em minha opinião, essa é uma das passagens mais polêmicas da Bíblia. Mas por que o interesse especificamente por essa parte?

— É porque estamos lendo a Bíblia com Luzia. Ontem lemos sobre a história de Noé e o dilúvio, que veio como um castigo divino pela presença desses gigantes na Terra. E eu não entendi muito bem.

— Os filhos de Deus que desposaram as mulheres filhas dos homens foram considerados desobedientes e expulsos dos céus. São os chamados "anjos caídos". O fruto desses relacionamentos teria originado seres "especiais", por assim dizer. Alguns os chamavam de gigantes porque eram frutos de um relacionamento aberrante. Deus teria mandado o dilúvio para acabar com o homem e essas aberrações, e teria poupado apenas a família de Noé, por ele ser bom, justo e temente a Deus.

— Então, os filhos desses "anjos" seriam seres malditos, é isso, padre?

— Por isso o castigo divino que lavou com água toda a culpa sobre a Terra e refez um pacto de confiança com a humanidade.

— Mas será que não prestava ninguém mesmo, padre? Nenhum anjinho desses?

— Se prestassem, Deus os teria poupado, isso é certo.

Luzia saiu da igreja mais atormentada do que entrou. Começou a pensar em Luzia e em suas afetações realmente como um castigo divino.

José Peixoto deixou a mulher na igreja e entrou no bar do Naldo para tomar uma cerveja.

— Bom dia. Eu queria uma cerveja pra refrescar as ideias.

— Senta aí, Zé Coxo! Já pela manhã, amigo?

— É. Hoje é um daqueles dias em que eu vou precisar.

— E sua menina, como vai? Como é bonita, a danada!

— Vai bem. Vou levar para a capital pra fazer uns exames que a doutora pediu e que não tem aqui, mas não é nada sério.

— Você não me leve a mal, Zé, mas sabe como o povo fala, né?

— E o que o povo anda falando, Naldinho?

— Deixa essa história pra lá, Zé!

— Fala homem!

— Que a menina não é filha de vocês.

— Mas por que isso, minha gente?

— Porque ela não parece com nenhum de vocês.

— E o que mais o povo fala?

— Meu menino, que estuda na mesma classe lá no grupo escolar, contou que ela é meio esquisita. Faz uns desenhos estranhos. Às vezes ri e fala sozinha.

— Sei. Seu menino devia prestar mais atenção nas lições dele. — José Peixoto se levantou irritado e deixou uma nota, sem esperar pelo troco.

O Centro de Neuropsiquiatria Pediátrica de Cuiabá era uma das instituições mais respeitadas do estado. Chegaram pela manhã com uma carta de recomendação da pediatra que acompanhava Luzia. A menina passaria por uma bateria de exames de sangue e de neurofisiologia, a fim de diagnosticar o que poderia ter. Fez uma tomografia computadorizada do crânio, um eletroencefalograma em vigília, e passariam a noite no hospital para a realização de uma polissonografia que pudesse detectar algum transtorno durante o sono, já que as crises de sonambulismo eram frequentes. Na manhã seguinte, foram recebidos pelo dr. Ricardo Acherman, um renomado neuropsiquiatra com várias publicações científicas, no Brasil e no exterior.

— Sr. e sra. Peixoto, sentem-se, por favor. Os exames da Luzia estão completamente normais.

Ana e José suspiraram aliviados.

— Mas, embora não tenhamos encontrado nenhuma alteração estrutural ou funcional nos exames, não devemos nos precipitar. Essas ausências de Luzia, a tendência ao isolamento, os movimentos repetitivos e o desajuste social na escola podem indicar autismo.

— Isso é grave, doutor? Tem tratamento?

— O autismo não tem uma causa muito definida. Normalmente a criança já apresenta algumas alterações de comportamento desde bebê, mas muitas vezes só as percebemos de forma mais evidente na primeira infância, que é a época em que a criança começa a se socializar.

— Mas a nossa Luzia sempre foi um bebê normal, não é, Zé? — Ana não conseguia acreditar naquele diagnóstico.

— Luzia começou a frequentar o grupo escolar há pouco tempo. O comportamento sempre isolado e os movimentos repetitivos nessa tal gruta, conforme a senhora descreveu, tudo isso se encaixa perfeitamente. Agora, o fato de falar frequentemente sozinha é que me preocupa. Ela diz que ouve vozes?

— Ora, doutor, desculpe a minha ignorância, mas as crianças sempre têm amigos imaginários — retrucou José Peixoto.

— Sim, claro, mas temos que ficar atentos. Não posso descartar completamente a possibilidade de esquizofrenia.

— Meu Deus, isso é muito sério, doutor! — exclamou Ana.

— Não vamos nos precipitar. O autismo é uma síndrome que depende muito da estimulação do meio em que a criança vive, mesmo assim não tem cura. No caso da Luzia, passarei alguns medicamentos para melhorar a qualidade do sono, já que levantar todas as noites pode ser perigoso e extenuante. Mantenha portas e janelas trancadas para evitar acidentes. O ideal é que frequente a escola normalmente e aos poucos tente quebrar seu isolamento. Faremos reavaliações periódicas até fecharmos um diagnóstico mais definitivo.

Ana e José chegaram em casa exaustos e preocupados. Luzia, cansada, deitou cedo, sem resistência. "Autismo. Que doença de nome mais estranho", pensou Ana. O médico havia falado em criança isolada que não gosta de contato com outras pessoas, mas Luzia, fora dos "transes", era uma criança feliz e normal. Era carinhosa e meiga com as pessoas. Gostava de abraçar e beijar a todos que conhecia. Era até bem generosa com seus afagos e carinhos. Não tinha dificuldade na articulação das palavras. Expressava-se corretamente e com uma riqueza de vocabulário que não era comum numa criança de sete anos.

— Ele disse que não fechou o diagnóstico ainda, Zé!

José estava pensativo e arrasado. Além de tudo, havia o comentário constante e malicioso de que Luzia poderia não ser sua filha. Pesava sobre sua cabeça a possibilidade de não ser o verdadeiro pai da menina. Na semana seguinte, viajou para vender uns produtos em Goiânia e procurou um urologista por lá para não ser reconhecido.

— Pois, então, seu José, o senhor quer ser pai quase aos cinquenta anos? — perguntou o médico.

— Sim, doutor. Minha esposa é vinte anos mais nova e ainda quer ter filhos.

— Claro, entendo perfeitamente. A avaliação da infertilidade masculina normalmente é mais fácil de ser investigada do que a feminina. O senhor me disse que esse acidente, que lhe resultou no encurtamento da perna direita, na ocasião também lesionou o seu testículo direito, é isso?

— Isso mesmo, doutor. O médico que me atendeu disse que houve, além da fratura, uma lesão importante no meu testículo direito, e que ele estaria inutilizado para o resto da vida, mas que eu poderia ser pai pelo outro testículo.

— Se o traumatismo tiver lesionado o canal espermático do lado direito, sem dúvida a função desse testículo estará comprometida. Resta saber se a função do testículo esquerdo está normal. Vou solicitar um espermograma e uma ultrassonografia dos testículos. Assim que você estiver com o resultado dos exames, volte a me procurar.

— Muito obrigado, doutor.

Ana não acreditava no diagnóstico de Luzia. Ainda por cima tinha o padre para piorar a situação, sugerindo que a filha pudesse ser uma aberração, já que não conseguia tirar da cabeça a história do "anjo caído". Estava havia muito tempo longe de suas tradições indígenas e talvez devesse voltar à sua tribo. Talvez o seu povo pudesse ajudá-la.

— Luzia, você sabe que sua mãe, antes de conhecer o seu pai, vivia numa aldeia indígena?

— Sim, mamãe.

— Eu gostaria de levar você lá na aldeia, para conhecer os seus antepassados. O que acha?

—Acho que vou gostar muito — respondeu Luzia com firmeza. — Mas será que o papai vai deixar?

— Vai ser o nosso segredo, certo? Seu pai ainda vai ficar em Goiânia mais uns dias e podemos aproveitar.

— Sim, senhora.

A viagem até a aldeia dos bororos durou praticamente o dia inteiro. Ana preparou a outra charrete que tinham, abasteceu-a com alguns mantimentos, trancou a casa e saiu em busca de respostas. A reserva indígena Sagrado Coração de Meruri foi uma iniciativa do movimento de evangelização da Igreja católica, movida por religiosos salesianos em 1902, e que fundou uma missão pastoral entre o rio Garças e o rio das Mortes. Após um período tumultuado de confrontos com fazendeiros da região, que não concordavam com a demarcação das terras indígenas, os bororos atravessavam um período relativamente calmo, adquirindo o direito ao resgate das suas tradições e aspectos culturais. Ana e Luzia entraram na aldeia no final da tarde, causando certo alarido. As crianças corriam em direção às visitantes, admiradas com a cor da pele e dos cabelos de Luzia, que parecia se divertir com a situação. Estavam cansadas, mas Ana pretendia retornar para casa na manhã seguinte, logo ao amanhecer, uma vez que José Peixoto não tardaria a chegar. Fez uma saudação ao ser recebida e indagou sobre possíveis parentes ainda vivos na aldeia, mas não teve muito sucesso. Alguns, assim como ela, haviam deixado a tribo em busca de uma vida melhor. Os que ficaram morreram de tuberculose ou outras doenças trazidas pelo convívio com o homem branco. Não poderia, portanto, contar com seus ancestrais vivos. Ana se dirigiu a uma casa sede, onde esperava obter algumas informações, já que havia saído da aldeia aos treze anos e só retornara naquela ocasião, quando já beirava os trinta.

— Pois não. Em que posso ajudá-la? — perguntou uma espécie de funcionária administrativa cujas características físicas tornavam desnecessários quaisquer questionamentos a respeito de suas origens indígenas.

— Me chamo Ana Peixoto e sou bororo de nascimento, filha legítima desta aldeia. Saí daqui aos treze anos, com a permissão do meu pai, que na ocasião era o *boeemigera*.* E nunca mais tive notícias de ninguém.

— É provável então que tenhamos algum tipo de registro seu aqui, Ana, já que a missão atua na região desde 1902 — explicou a solícita funcionária, que aparentava ter em torno de vinte anos.

— Na verdade, gostaria de falar especificamente com uma pessoa...

— Bem, você terá que preencher um cadastro com todos os dados que lembrar a respeito de seus pais e irmãos. A pesquisa é demorada, e não vou poder lhe dar nenhum dado de imediato, mas pode andar livremente pela aldeia e conversar com os atuais moradores. Quem sabe não consegue alguma coisa? Estamos num período de recolhimento, pois um membro entre os mais queridos da tribo está muito doente. A família já requisitou a presença do *bari*** e a aldeia tem vivido esses dias em função dos preparativos para o funeral.***

— Meu marido é comerciante e está viajando. A questão é que ele não sabe que viemos até aqui. Não temos muito tempo. Pretendo voltar amanhã pela manhã — explicou Ana, apreensiva.

Luzia se mantinha calada, observando a tudo e a todos com um grande interesse. A mãe nunca lhe falara sobre as suas origens, sobre seus ancestrais indígenas. Aos sete anos, Luzia vivia a realidade da criação de uma criança comum, que frequentava o grupo escolar em Barra do Garças. Gostava de admirar a facilidade com que Ana reconhecia as ervas, sementes, flores e árvores, e o destino que dava a cada uma delas sob a forma de chás, infusões e unguentos

---

* "Cacique" em bororo.
* Curandeiro e feiticeiro.
** O funeral é o ritual mais importante dos bororos. O *bari* participa ativamente durante os três meses de preparação do corpo. A morte é uma forma de reafirmar seus costumes para celebrar a vida.

para as mais distintas mazelas. Não queria que a mãe se preocupasse com ela. Na verdade, sentia-se imensamente bem. Nunca lembrava do que lhe acontecia durante os episódios de sonambulismo, nem dos "transes" que a deixavam durante horas com o olhar perdido, como se estivesse fazendo uma longa viagem, sem pressa de voltar. Só sentia uma vontade inexplicável, uma certa necessidade de estar sozinha dentro da gruta da cachoeira. Encontrara a gruta sozinha, durante seus mergulhos, e desde então esse era o seu refúgio. Quando contou à mãe sobre a sua descoberta, quis tranquilizá-la, já que de vez em quando escapava para lá depois da escola. Mas Ana passou a proibir a menina de ir sozinha à gruta, temendo que algo lhe acontecesse. Talvez a resposta que procuravam estivesse ali, nas terras de seus ancestrais.

— Que menina linda! — elogiou a funcionária, finalmente percebendo a figura de Luzia, escondida atrás da mãe.

— Obrigada — retribuiu Luzia com um sorriso.

— É sua filha? Mas como pode... — deixou escapar a atendente com certo ar de incredulidade constrangedora.

— É minha filha, sim. E, por favor, não se acanhe. Já estamos acostumadas a esse tipo de reação...

— Desculpe, mas ela é tão... tão branca e tão loira! Um verdadeiro sol entrando nesta aldeia! Meu nome é Aline, e o seu? — A moça estendeu uma das mãos para a menina.

— Luzia. — Ela deu a mão para a moça.

— Para falar a verdade, a Luzia é um dos motivos de estarmos aqui — explicou Ana.

— Entendo. Bem, vocês não têm onde passar a noite, já é tarde e estão sozinhas. Não é um procedimento usual, mas vou acolher vocês na minha casa.

— Não sei nem como lhe agradecer, Aline.

— Eu moro com a minha avó, que já está bem velhinha, mas adora uma conversa. Quem sabe não conheceu os seus parentes? Minha avó é uma das anciãs da aldeia. Está com noventa e oito anos. Não enxerga muito bem desde que teve catarata, mas o que lhe falta nos olhos, sobra na memória. Bem, meu expediente vai até as cinco, e vocês são o meu último atendimento do dia. Por que não aguardam um pouco lá fora enquanto encerro as atividades?

— Claro, não queremos atrapalhar. Vamos aproveitar e andar um pouco pela aldeia. Vamos, Luzia?

Caminharam de mãos dadas naquele final de tarde, apreciando os reflexos avermelhados do sol escondendo-se entre as nuvens. A aldeia contava com algumas casas modestas de alvenaria com um pequeno quintal, onde se percebia alguma atividade de plantio. Passaram por uma igrejinha, onde pararam, fizeram o sinal da cruz e ajoelharam-se para fazer algumas orações. Aline logo se juntou ao grupo.

— Como você pode ver, abandonamos as ocas há muito tempo. Temos uma escola, uma unidade de atendimento de saúde, uma pequena mercearia, a igreja e a casa dos missionários. O cemitério fica a uns quatrocentos metros daqui. Os professores e enfermeiros são todos bororos.

— Tudo bem diferente da época em que eu vivia aqui. Mas, e as nossas tradições, os nossos costumes, não se perdem no meio disso tudo?

— A missão já passou por vários períodos em que o contato com os colonos e as outras tribos indígenas acabou influenciando o nosso povo, que por ser pacífico sempre aceitou a imposição de outras culturas. Hoje em dia, os serviços são voltados exclusivamente para os bororos, e temos um centro de preservação cultural para tentar manter vivas as nossas tradições, mas nem sempre é muito fácil. O celular e as antenas parabólicas são aquisições de utilidade indiscutível, não dá para ficar indiferente à tecnologia.

Caminharam mais alguns metros e chegaram a uma pequena casa rosada, com um pequeno jardim na entrada.

— Sejam bem-vindas!

Aline retirou os sapatos e foi imediatamente imitada por Ana e Luzia. Ana também não tinha o hábito de ficar calçada em casa.

— Vó, temos visitas!

A velha senhora estava numa cadeira de balanço, com a cabeça recostada e os olhos fechados, como se cochilasse.

— Eu sei — ela limitou-se a dizer.

— Entrem, por favor — Aline convidou.

O interior da casa era pequeno. A sala tinha uma mesa quadrada, quatro cadeiras e um velho sofá coberto por uma colcha. A cozinha e a sala eram divididas por uma mureta baixa. Sobre o fogão, uma chaleira no fogo aguardava enquanto a água esquentava. Numa panela maior, um conteúdo fumegante exalava um odor forte de sopa de legumes. A casa contava ainda com um quarto e um banheiro, que ficavam nos fundos.

— A casa é humilde, mas fiquem à vontade. Aqui estão algumas toalhas limpas, se quiserem tomar um banho. Devem estar exaustas e famintas — comentou Aline.

— Aproxime-se — ordenou a velha, apontando para Luzia.

Ana consentiu com a cabeça e Luzia se aproximou da cadeira de balanço. A índia de pele enrugada mantinha os cabelos brancos e longos soltos, de forma que eles escorriam por seus ombros. No rosto magro e encovado, exibiam-se os sinais de uma beleza nativa havia tempo perdida. Nos braços, a velha índia trazia várias pulseiras de palha de buriti trançadas com pedrarias.

— Pois então você veio conhecer os seus parentes índios... — A velha manteve os olhos fechados.

Aline e Ana se entreolharam sem nada entender. Luzia consentiu:

— Sim.

Os olhos da índia se abriram e revelaram duas grandes nuvens branco-acinzentadas que lhe cobriam totalmente a íris.

— Deixar "ver" você — ela pediu, dessa vez com uma certa delicadeza.

Luzia aproximou-se e segurou as mãos da índia. A mulher estremeceu com o toque de Luzia e segurou as pequenas mãozinhas com firmeza, levando-as até seus olhos. Demorou-se por algum tempo nessa posição. Depois, com a ponta dos seus dedos magros, sentiu a face quente, as bochechas redondas e os lábios carnudos da menina. Deslizou os dedos pelos cabelos, pescoço, colo, abdômen, e se deteve por alguns minutos na região da pelve. E finalmente sentenciou:

— *Waparuá!*

1985
GOIÂNIA

JOSÉ PEIXOTO FEZ TODOS OS EXAMES que o urologista havia aconselhado. Uma coisa era certa: só voltaria para casa com o resultado de todos eles. Nunca desconfiara da mulher, e sempre lhe tratara com dignidade e respeito. Mesmo quando a pegou ainda tão menina, na aldeia, nunca havia encostado um dedo sequer em Ana antes que estivesse pronta para isso. Fez questão de casar na igreja e lhe dar o seu nome, para que todos a respeitassem. Quando Ana esboçou o desejo de ser mãe, não quis desestimular a mulher, mas no fundo sabia que poderiam ter dificuldades por causa do acidente sofrido anos antes, e que o havia deixado com uma perna mais curta do que a outra. Entretanto, nunca teve certeza da sua possível esterilidade, nem sentiu necessidade de investigar o fato até Ana dar a notícia da gravidez. No início, chegou a pensar na possibilidade de uma traição, já que Ana passava longos períodos sozinha durante as suas viagens, mas depois se envolveu de tal forma com a gravidez da esposa que desejava ardentemente que a criança fosse de fato sua filha. Afinal, mesmo que um dos testículos tivesse sido lesionado de forma irreversível, ainda tinha o outro para garantir sua semente. "Sim", pensava. "Aquela criança que Ana esperava era sua, tinha certeza disso!"

Quando Luzia nasceu, ele mesmo a amparou nos braços. Envolveu a menina em panos e olhou fundo nos seus olhos azuis. Apaixonou-se irremediavelmente. Daquele dia em diante, havia feito a promessa para si mesmo de nunca mais questionar a paternidade da menina. Sempre iria protegê-la e amá-la pelo resto da vida. Mas então, depois de tanto tempo, uma pulga começava a incomodá-lo. Seus amigos riam pelas suas costas. Até o padre chegou a sugerir que haviam furtado a criança de alguém. A não ser pelo formato dos olhos um pouco amendoados, Luzia também não se parecia com Ana. Agora havia tomado a decisão de ir até o final, custasse o que custasse. Tinha que saber da verdade. A verdade que Ana esteve lhe escondendo todos esses anos. Mas, e se a menina não fosse sua filha de fato? O que iria fazer? Mandaria Ana e a menina embora? Talvez de volta para a aldeia indígena. Como poderia pensar numa coisa dessas, se Ana e Luzia eram as únicas coisas realmente importantes da sua vida?

— Sr. José Peixoto, o resultado dos seus exames estão prontos — informou a secretária da clínica em seu último contato telefônico.

— Obrigado. Passarei no final da tarde para pegá-los, antes de voltar para casa.

Resolveu caminhar até a clínica. Talvez os pensamentos se organizassem melhor a cada passo. E a cada passada, uma lembrança. Luzia envolvendo o seu pescoço com os bracinhos roliços, pedindo para imitar o "nariz de porquinho". Luzia agarrada nas tetas da vaca, tentando tirar leite com o rostinho todo sujo dos esguichos inesperados da Malhada. Luzia chorando com um pequeno corte no joelho, que, apesar das folhas curativas de Ana, só parou de doer quando ele a aninhou entre os braços e cantou para a dor ir embora. Parou. O semáforo estava vermelho. Um pequeno bichinho de pelúcia rolou e se alojou entre os seus pés. Agachou-se para pegar o pequeno objeto, um porquinho de cara simpática que pedia com insistência: "Aperte-me". Olhou para um carro vermelho que se afastava rapidamente enquanto uma menininha de cabelos cacheados lhe acenava pelo vidro traseiro. E aí, tudo lhe pareceu muito claro. E imaginou Luzia concluindo o curso primário. E mais à frente, linda, num vestido esvoaçante todo azul, combinando com os seus olhos, e aquilo sim era realmente importante! Nada iria tirar dele esse prazer, o prazer de ser verdadeiramente o pai de Luzia. Nenhum exame poderia tirar isso dele. O semáforo ficou verde e José Peixoto agarrou fortemente o porquinho de pelúcia contra o peito, como quem agarra as próprias lembranças. Deu um passo em direção à calçada oposta, mas a perna sem muita firmeza deslizou no asfalto, fazendo com que tombasse. Olhou para a frente e viu a imagem de um ônibus vindo em sua direção. Tentou acenar, mas o motorista vinha em alta velocidade e não o viu a tempo. Sentiu uma dor aguda, e o impacto da placa de metal sobre sua cabeça, dilacerando-lhe a pele. Então, viu o enorme sorriso de Luzia e não pensou em mais nada...

1985
Reserva indígena Sagrado Coração de Meruri, Barra do Garças, Mato Grosso

— WAPARUÁ!

As mulheres continuavam se entreolhando, sem nada compreender.

— Por que vir até aqui com criança? — A velha então se voltou para Ana.

Ana se aproximou com a cabeça baixa, com os olhos voltados para o chão, numa atitude de respeito.

— Vim à procura de um *bari*.

— *Bari* muito ocupado. *Bari* médico feiticeiro. Ser chamado para cuidar do corpo de índio velho doente que deixar logo a aldeia. Mas nada ser como antes do contato com o homem branco. Por que procura feiticeiro da aldeia?

— Porque minha filha está doente e preciso de algumas respostas.

— Menina não ter doença! Menina forte e perfeita. Resposta? Estar aí, no fundo da sua panela. Mexer e raspar bem o fundo. Resposta vem.

— Vovó, essas são Ana e Luzia — Aline se apressou em apresentar as visitas, embora isso já não fosse mais necessário.

— Vivi nesta aldeia há quase vinte anos, talvez a senhora possa me ajudar. Talvez tenha conhecido meu pai. Ele era cacique dos bororos nessa época.

— Pai não importante. Menina Ana importante. Muita gente morta. Muita gente ir embora. Menina Ana ir também.

— Minha vó falou em *Waparuá*. O que é isso? — perguntou Aline.

— Filha, leva menina. Menina com fome. — A velha apontou para o caldeirão fumegante. — Depois, descansa ela no sofá. Eu ter longa conversa com mãe dela.

— Ela precisa tomar uns medicamentos para dormir, costuma andar pela casa durante a noite — explicou Ana.

— E remédio de Ana não faz bem à filha de Ana?

— Não adiantaram.

— Sua avó grande poder, sua mãe grande poder, você grande poder. Menina ir embora cedo demais. Ana deixar poder apodrecer e não conhecer tudo. Fazer remédio, conhecer bem plantas, mas perder magia da terra. Não aprender tudo. Precisa procurar onde perder. Precisa encontrar poder e proteger menina Luz do Sol.

— Sim, eu sei.

— Aqui. Menina, segura. Não precisar remédio de homem branco. Coloca para mim um pouco de bebida quente. — A velha lhe estendeu a caneca.

Ana a encheu com o chá que fumegava. A velha agradeceu e contou:

— Há muito tempo, índia dar à luz uma criança branca. Menina ter cabelos cor da palha do milho e olhos cor do céu. Ela contar para toda a aldeia que estrela descer do céu e tomar forma de homem. Homem muito bonito, de cabelo amarelo comprido e olho cor do céu...

— Um anjo?

— Uma estrela que cair do céu e como homem semear a índia. — A velha colocou uma das mãos sobre o ventre de Ana. — Os índios chamar de *Waparuá*.

— E o que aconteceu com a criança? — perguntou Ana cada vez mais intrigada com a história.

— *Waparuá* dizer a todos que menina ser presente do Deus do céu para homem da Terra. Menina pura como cristal. Filha da água, do fogo, do vento e da terra. Vir proteger nossa casa, curar doença, ajudar planeta a ser feliz. Filha do céu e da Terra. Índios ser guardião de filha *Waparuá*.

— Mas o que aconteceu com ela? — insistiu Ana.

— Ninguém saber. Menina sumir, desaparecer com sete anos. Alguns dizer que *Waparuá* levar ela de volta para as estrelas, porque homem da Terra não saber cuidar. Que planeta ainda chorar muito até homem aprender a cuidar casa dele. Terra chorar tanto de falta da menina que abrir várias fendas nas pedras por onde água escorrer até hoje.

Ana estava perplexa com tudo o que ouvia. Seu coração gritava que a resposta estava ali, nas palavras daquela velha índia, mas sua mente não conseguia aceitar. Não sabia se estava preparada para aquilo, se podia assumir tamanha responsabilidade diante da vida. Era mãe, e isso por si só já era uma grande responsabilidade, mas estaria preparada para lidar com uma situação tão especial como aquela?

— Você preparada, acredita! — a velha respondeu como que lendo os pensamentos de Ana.

— Mas por que eu?

— Mulheres família de Ana andar com os deuses há muito tempo, bem no começo. Aprender segredos, curar, fazer magia. Mulheres família de Ana estar com os deuses até o fim.

— Mas, então...

— *Waparuá* vai cuidar da menina. Falar com ela. Deixar menina mais tempo com natureza. Dentro caverna. Não ter medo. Ele falar dentro da cabeça dela. Ele ensinar a controlar sono que anda, ensinar a controlar força da natureza. Ana buscar força que perdeu quando partiu. Agora, eu muito cansada.

Ana ajudou a velha índia a levantar e recolheu-se, indo dormir numa esteira de palha forrada no chão aos pés de Luzia, que ressonava no sofá da sala.

Na manhã seguinte, acordaram bem cedo. Aline e Luzia dormiram a noite toda e não escutaram a maior parte da conversa. Ana mal pregou os olhos com as informações que borbulhavam em sua mente. A velha índia estava acordada desde os primeiros raios da manhã. Acordara como de costume com certa urgência de ir ao banheiro, e levantara da cama com a dificuldade habitual imposta pelas restrições da idade e da visão. Os velhos olhos embaçados pela catarata já não lhe permitiam ver praticamente nada havia alguns anos. Temerosa com a medicina do homem branco, sempre rejeitou a ideia de cirurgia. Caminhou naturalmente com os olhos semicerrados, uma vez que o caminho e os obstáculos já eram milimetricamente calculados e conhecidos. O banheiro ficava no fundo do quintal. Entrou, acendeu a luz e trancou a porta por dentro, com uma pequena chave. Sentou-se no vaso e esvaziou a bexiga. Ao levantar, esbarrou na chave, que caiu no chão, rolando para baixo do vaso. A velha senhora tateou o chão procurando, sem sucesso, encontrar a chave. Estava trancada e presa dentro do banheiro.

Respirou fundo, passou um pouco de água nos olhos e no rosto, e olhou para o velho espelho sobre a pia do banheiro. Espantou-se ao perceber a imagem de uma velha mulher de olhos encovados e lábios pálidos. Passou os dedos pelos cabelos longos e brancos e acompanhou o próprio movimento através do espelho. Não podia acreditar no que estava acontecendo! Olhou para o chão e localizou a chave escondida atrás do vaso. Exultante, pegou-a e abriu a porta. O sol despontava e aos poucos o céu escuro ia ganhando nuances alaranjadas. Os pássaros coloridos iniciavam o seu gorjeio matinal num alvoroço da natureza, de quem não tem tempo a perder. E a velha índia não conseguia conter as lágrimas de emoção que rolavam sem parar pelo seu rosto magro.

— Vovó está lá fora desde que se levantou — informou Aline.

— Pessoas idosas gostam de acordar cedo — comentou Ana.

Tomaram um rápido café, pois Ana tinha pressa em retornar para casa. Arrumaram a carroça e, ao se despedirem, a velha índia aproximou-se de Ana.

— *Waparuá* dar uma nova chance ao homem. *Waparuá* acreditar homem ser digno de confiança de novo.

A velha índia pegou as duas mãos de Luzia como se fossem as joias mais preciosas que já vira e as beijou com carinho.

— Obrigada, minha menina! Muito obrigada pela alegria que você dar pra essa velha índia. — Ela retirou uma pulseira com uma pedra esverdeada do seu braço e a amarrou no braço de Luzia.

As mulheres entreolharam-se sem nada entender, e Luzia retribuiu com o seu sorriso mais puro e pleno de felicidade.

Ana e Luzia seguiram viagem de volta em direção a Barra do Garças. Ana veio pensando em tudo o que a velha índia havia lhe contado e aconselhado. Sabia que teria que pagar um preço por ter rompido precocemente com as suas responsabilidades para com seu povo, mas não imaginava que a sua descendência também pudesse ser penalizada por isso. Teria que resgatar seu passado e liquidar suas pendências para que ninguém tivesse que pagar por isso. Pararam na cidade para refrescar a garganta e entraram no bar do Naldo.

— Boa tarde, seu Reginaldo!

O dono do bar estava de costas, lavando copos. Virou-se ao ouvir a voz de Ana e, ao deparar com ela, deixou um dos copos cair e se espatifar no chão.

— Oh, dona Ana, me perdoe. — Reginaldo se agachou para catar os cacos de vidro.

— O senhor está bem? — perguntou Ana ao perceber que o homem estava um tanto nervoso.

— Sim, estou. Na verdade, eu precisava mesmo falar com a senhora. É sobre o seu marido.

— O senhor tem alguma notícia do Zé? — quis saber Ana, apreensiva.

— Ligaram ontem de um hospital público de Goiânia. O serviço social achou o número do bar entre as coisas do Zé.

— Não temos telefone, e o Zé costuma dar o número do seu bar como referência, quando precisa se comunicar — Ana justificou.

— Parece que houve um acidente e o Zé ficou muito ferido.

— Ai, meu Deus, como assim?

— Disseram que o Zé foi atropelado, e estão aguardando alguém da família, porque o estado é muito grave.

Ana teve uma sensação de desmaio e segurou-se no balcão do bar. Luzia ouvia tudo, atenta, com um olhar consternado de choro. O homem saiu de trás do balcão e apoiou Ana, sentando-a numa cadeira e oferecendo um pouco de água.

— Olha, dona Ana, assim que o menino que saiu pra fazer as entregas voltar, eu fecho o bar e levo a senhora até lá. Por que a senhora não leva a menina Luzia para a casa do padre Lemos? Ela pode ficar lá com a cozinheira do padre até voltarmos de Goiânia, e a senhora aproveita e se recompõe um pouco da sua viagem, o que acha?

Ana estava pálida. Não sabia o que pensar e nem o que fazer. Luzia olhou para ela com os olhos profundos e firmes:

— Vamos, mamãe, vai ser melhor.

1985
HOSPITAL MUNICIPAL NOSSA SENHORA DE LURDES, GOIÂNIA

O HOSPITAL MUNICIPAL NOSSA SENHORA DE LURDES em Goiânia tinha uma emergência movimentada e costumava receber os casos de média e alta complexidade da região. Ana e Reginaldo procuraram o serviço social para obter informações sobre o estado de saúde de José.

— Boa tarde. Estamos procurando um paciente vítima de atropelamento, o sr. José Peixoto — antecipou-se Ana.

— A senhora é a esposa?

— Sim.

— Tentamos contato telefônico várias vezes, sem resposta.

— Não temos telefone. Vocês ligaram para um bar na cidade.

— O sr. José Peixoto sofreu um atropelamento numa via pública ontem pela manhã. Deu entrada no serviço de emergência desta unidade trazido pelos paramédicos ainda com vida, mas seus ferimentos eram muito graves e ele não resistiu, apesar das tentativas de reanimação. Sinto muito.

As lágrimas rolavam pelos olhos de Ana, que não conseguia acreditar no que estava acontecendo.

— Mas o meu Zé é forte como um touro! Não ia se deixar levar por nada! Ele não iria nos deixar por nada neste mundo!

— Onde podemos retirar o corpo? — indagou Reginaldo, mais objetivo.

— Como o óbito foi provocado por acidente em via pública, o corpo foi encaminhado para o Instituto Médico Legal — explicou a atendente.

— Dona Ana, se a senhora quiser, posso fazer o reconhecimento do corpo pra senhora. O IML é um lugar deprimente, não é realmente necessário que vá até lá.

— José Peixoto era o meu homem, o meu companheiro. Eu faria qualquer coisa por ele.

— Não tenho dúvidas disso, dona Ana.

No IML, foram conduzidos através de algumas salas e galerias até as gavetas, no fundo de um dos salões. O funcionário abriu o gavetão e expôs a cabeça do morto para o reconhecimento. A pele alva estava arroxeada, com vários pontos de hematomas. Um corte enorme e profundo no supercílio esquerdo praticamente adentrava pela órbita do olho, descolando-o do osso e projetando-o para fora da face. Ana não olhou para nada disso. Apenas uma coisa lhe chamou a atenção: um certo ar de serenidade no semblante do marido. "Será" que alguém conseguiria sorrir numa hora dessas?", pensou. Conseguiram liberar o corpo e providenciar os trâmites burocráticos, no que o amigo foi de uma presteza admirável. O corpo seguiria já preparado pela funerária no dia seguinte diretamente para o velório em Barra do Garças, que seria realizado na paróquia do padre Lemos.

— Não se preocupe, dona Ana, seu Zé era muito meu amigo. Faço questão de pagar o enterro.

— Não tenho como retribuir tal favor, seu Reginaldo.

— Não precisa, dona Ana. Só quero que a senhora e a menina fiquem bem.

Entraram no carro e, ao dar a partida, foram interrompidos pela recepcionista do IML:

— Senhora, senhora! A senhora esqueceu a sacola com os pertences do seu esposo.

— Ah, sim, muito obrigada. Que cabeça a minha!

Ana despejou a sacola sobre o colo. Entre as coisas do marido estavam a carteira, um velho relógio, um protocolo de realização de exames e um pequeno porquinho de pelúcia de cara simpática que pedia: "Aperte-me".

O enterro de José Peixoto foi simples e contou com a presença do pároco da igreja e de alguns amigos e vizinhos da região. Reginaldo compareceu com a esposa e seu casal de filhos. A mulher, uma polaca catarinense que vivia de costuras, cumprimentou Ana friamente com os olhos. Reginaldo foi mais demorado, segurou-lhe as mãos e ofereceu os seus préstimos em nome da amizade que tinha pelo falecido. Como a esposa, também era catarinense, mas tinha herdado umas terras no Mato Grosso e decidira montar um pequeno bar e armazém em Barra do Garças depois de se apaixonar pelas paisagens da serra do Roncador. Vendeu umas terras que recebera de herança e comprou uma fazenda no Roncador, transformando-a em pasto para gado.

— Minha filha, tem certeza que não quer ficar uns dias comigo aqui na casa paroquial? — ofereceu padre Lemos.

— Não, padre. A partir de agora seguimos as duas sozinhas, eu e Luzia.

Naquela noite, as duas dormiram juntas e abraçadas. Luzia estivera inconsolável durante o velório e o enterro, principalmente por não poder ver o rosto do pai. O caixão foi trazido lacrado devido às condições do corpo, de forma que não pôde despedir-se como queria.

— Mamãe?

— Sim, meu bem.

— Será que o papai sabia que eu o amava de verdade?

— Tenho certeza que sim.

— Mas eu queria ter dito isso para ele.

— Então diga. Ele continua ouvindo você.

— Mas não vai ser do mesmo jeito.

— Vai ser do jeito que pode ser. Sabe, ele deixou uma coisa pra você.

— O quê? — Os grandes olhos azuis da menina cintilaram.

— Isto. — Ana lhe entregou o porquinho de pelúcia.

Lavara cuidadosamente o objeto, já que havia um gravador nas entranhas da pelúcia e não queria quebrar o mecanismo. O porquinho de pelúcia, agora limpo e cheiroso, parecia querer se jogar nos braços da menina. Luzia já sabia ler e atendeu prontamente a ordem do peludo, que dizia: "Aperte-me". E o animal respondeu sem hesitação:

— Amo você mais do que tudo.

Espantosamente, a voz da gravação era de José Peixoto.

1998
Barra do Garças, Mato Grosso

Ana ajeitou algumas caixas de compotas de frutas no bagageiro da picape, uma Chevrolet S10 1995 que conseguira comprar com algumas economias. Após a morte de José Peixoto, reuniu todos os produtos que tinha e inicialmente colocou-os à venda em consignação no armazém do Naldo. Alguns meses depois, alugou uma pequena loja ao lado do armazém e passou a vender os próprios produtos provenientes da fazenda: queijo, leite, manteiga, ovos, compotas e os seus unguentos e xaropes. Acabou investindo também na fabricação artesanal de sorvetes de frutos típicos do cerrado, como buriti, pequi, taperebá, murici, mangaba e carambola, muito apreciados pelos turistas que frequentavam as trilhas das cachoeiras. Era o famoso sorvete da dona Ana. O negócio deu tão certo que conseguiu custear os estudos da filha até a faculdade. Vendia também seu artesanato indígena e mantinha uma espécie de biblioteca itinerante, onde as pessoas trocavam livros.

Luzia crescera com liberdade para desenvolver as suas aptidões naturais. O contato constante e direto com a natureza e as idas frequentes à gruta da cachoeira, como orientara a velha índia bororo, trouxeram a paz e o equilíbrio à criança. As crises de sonambulismo ficaram cada vez menos frequentes, e os medicamentos para acalmar seu sono se tornaram desnecessários. Luzia tinha os seus momentos de isolamento, que eram respeitados por Ana, uma vez que o desenvolvimento físico e intelectual da menina era normal. Dizia que se sentia bem na gruta, e que alguma coisa ou alguém falava "dentro de sua cabeça" quando estava por lá, mas que não sentia medo. Ana insistia:

— Mas o que *ele* fala com você?

— Pra eu não ter medo, que ele é meu mestre. Que vai me ensinar coisas importantes. E que você vai entender.

— Por que eu vou entender?

— Não sei, mãe.

— E que história é essa de mestre?

— Acho que é amigo. Alguém que dá conselhos.

— Como um professor do grupo escolar?

— Sim, mas conversamos sobre outras coisas.

— Sobre o quê?

— Sobre tudo. Ele me ensina a respirar direito, mais devagar, e me diz que algumas coisas eu vou entender com o tempo. Que preciso aprender direitinho porque nasci para ajudar muitas pessoas.

— Que bonito, minha filha! Mas ele falou por que escolheu você?

— Não. Mas contou que existem outras iguais a mim, em outros lugares, sendo preparadas.

— Preparadas para quê?

— Não sei, mãe! Acho que um dia vai acontecer alguma coisa muito importante, e eu tenho que estar preparada para ajudar, acho que é isso. Posso ir dormir agora? Tenho prova de matemática amanhã e ainda não estudei nada.

Ana ainda tentou acompanhar a menina nas primeiras idas à caverna. Ficava quietinha num canto enquanto Luzia parecia teleguiada. Já entrava na gruta em transe, sem se dar conta nem da presença da mãe, com os olhos fixos e repetindo os mesmos movimentos. Ana não ouvia e nem via nada além dos gestos bizarros de Luzia. Como a rotina se repetia dia após dia, ano após ano, com o tempo Ana se convenceu de que a filha não corria perigo algum na gruta. Enquanto Luzia passava horas com suas práticas de meditação e entoação de cantos e mantras cujo comando vinha direto do seu mestre, Ana passou a experimentar algo que havia perdido fazia muito tempo.

Na sua última investida na mata, atrás de ervas e folhas, experimentou uma sensação de liberdade como só havia sentido quando menina, na aldeia. Sentiu o olfato aguçado lhe denunciando a presença de carambolas a vários metros dali. O barulho dos insetos pareceu-lhe ensurdecedor de tão intenso. Passou a caminhar a passos largos, e, quando se deu conta, estava correndo pela mata como se não sentisse mais as pernas. Tinha os poucos pelos do corpo eriçados e a pele lubrificada, exalando um odor forte da mistura do sebo com o suor, como se fosse um animal predador. Parou para descansar e beber água num córrego, quando *ela* surgiu do nada: linda, absoluta e imponente. Andou vagarosamente na direção de Ana. Devia ter um metro e oitenta e cinco de altura, e, pelo volume do seu abdômen, estava prenha. Olharam-se com respeito. Imediatamente Ana voltou no tempo, para uma época em que, durante os rituais xamânicos da sua tribo, ela e a onça se fundiam num único ser. Não teve medo. A onça-pintada desviou o olhar em direção ao córrego. Ana manteve-se imóvel. O animal matou a sede, dirigiu um último olhar a Ana e sumiu mata adentro. Depois desse encontro com a onça, Ana foi recobrando sua identidade real, redescobrindo-se como um elemento nativo, como parte integrante da mata, o que havia muito estava adormecido dentro dela. À medida que os anos se passaram, as respostas foram surgindo aos poucos, e nem por isso foram menos surpreendentes.

Certa noite, Ana resolveu entrar no quarto da filha para apagar a luz depois de observar uma luminosidade por debaixo da porta. Girou a maçaneta vagarosamente e empurrou a porta com cuidado. Deparou com uma luminescência que emanava do próprio corpo da menina, uma espécie de luz espectral envolvendo o corpo físico de Luzia, que parecia flutuar enquanto ela dormia. Ana não se surpreendia mais com nada. Aprendera naqueles anos de convivência com a filha que Luzia era uma criança especial, e que a sua única missão era guardá-la e protegê-la da curiosidade alheia. Aos treze anos, Luzia já tinha habilidades espantosas. Certo dia, Ana havia levado a menina para colher algumas frutas na mata para a confecção das compotas e dos sorvetes. Ao se aproximarem de um pé de murici, encontraram um ninho remexido e um pardal muito ferido.

— Tadinho do bichinho! Algum falcão ou coruja deve ter tentado fazer a festa! — comentou Ana.

— Olhe, mamãe! Alguns ovos ainda estão inteiros. Acho que espantamos o danado! Pobrezinho. A asinha está ferida. O que vamos fazer?

— A fêmea está muito machucada, não vai poder chocar os ovos — explicou Ana.

O pardal agonizante respirava com muita dificuldade. Luzia instintivamente acolheu-o com cuidado na palma da mão. Pegou algumas gotas de água do riacho, proferiu algumas palavras, como se as transformasse numa espécie de remédio, e aspergiu a água delicadamente sobre o pássaro, envolvendo-o em seguida com as duas mãos, como uma concha fechada. Cerrou os olhos e proferiu uma oração com palavras num dialeto que só ela entendia. Quando abriu as mãos, o pássaro estava completamente curado.

— Vai, passarinho, vai cuidar do seu ninho.

— É melhor mudarmos o ninho de lugar e colocá-lo numa fresta de rocha ou outro lugar mais seguro, não acha, Luzia? — sugeriu Ana com a voz trêmula de espanto e emoção, mas querendo transparecer naturalidade, como se não houvesse acabado de presenciar nada de extraordinário.

— Tem razão, mamãe, mas onde?

— Ali, naquela árvore de copa mais alta. Deixe que eu mesma subo e coloco lá em cima.

Ao descer da árvore, Ana perguntou, com cautela:

— Luzia, quem ensinou você a cuidar de passarinho?

Luzia caiu na gargalhada.

— Não é só de passarinho.

— Ah, não?

— Não. Eu cuido de outros animais. E de gente também.

— Quem ensinou?

— Ele. Mas você também sabe cuidar das pessoas. Você faz remédios e mágicas que eu já vi.

— Mas não assim como você, filha! Sabe que não pode fazer isso na frente de outras pessoas. É muito perigoso! As pessoas não entenderiam, Luzia!

— Eu sei, eu sei, mamãe, não se preocupe! Vou me controlar. Ele também ficou espantado quando mostrei o que já consigo fazer. Ele diz que é muito poder até mesmo pra mim. Por isso, Ele precisa me ensinar como usar. Ele me explicou que para mim é mais fácil, porque já nasci com esse dom, sabe? Do mesmo jeito que tem gente que nasce com uma voz mais bonita e o dom para cantar, mas que qualquer pessoa que queira realmente fazer o bem, um dia pode aprender como fazer essas coisas, só é preciso estar muito preparado para esse conhecimento. E Ele me fala tudo isso dentro da minha cabeça.

— E Ele nunca apareceu pra você?

— Não.

— Por quê?

— Não sei, acho que Ele disse que ainda não é a hora.

— E onde Ele mora?

— Agora?

— É. Ele tem algum endereço, telefone?

— Não, né, mãe?!

— Ele vive aqui na Terra?

— Já viveu.

— Ele, está mor... morto?

— Ele não me parece nada morto. Ouço a voz dele muito clara na minha cabeça. Acho que Ele só está em... outro lugar.

— E você não tem medo, filha?

— Nem um pouquinho.

— Ele fala alguma coisa sobre mim?

A menina soltou uma gargalhada.

— Fala!

— E por que você está rindo?

— Porque ele diz que você é a minha grande onça-pintada, e sempre vai estar aqui para me proteger.

Ana se calou e foi obrigada a concordar.

1999
BARRA DO GARÇAS, MATO GROSSO

LUZIA E CARLOS ROBERTO CASARAM-SE um ano após se conhecerem. Luzia mudou-se para a fazenda e insistiu para que a mãe a acompanhasse. Ana, porém, achou mais prudente manter-se no seu próprio chão. E, depois, havia a rotina de aprendizado e meditação de Luzia na gruta da cachoeira que jamais poderia ser interrompida. Carlos Roberto era mantido no mais profundo desconhecimento a respeito dos dons da esposa, o que talvez fora um grande erro, afinal, a verdade sempre busca seus próprios caminhos.

— Luzia, o que você e a sua mãe tanto fazem naquela cachoeira? Só pode ser macumba, despacho, ou eu sei lá mais o quê... Aquela Feiticeira do Roncador nunca me enganou!

Luzia tentava explicar os fundamentos do que fazia da maneira mais simples possível, para convencer o marido de que tudo era muito sério e real, mas o médico nunca encarava suas palavras com seriedade. Por mais científicos que fossem os argumentos da mulher, eram sempre encarados com chacota e desprezo.

Certa vez, Ana chegou a receber a visita de um geólogo interessado em colher amostras das rochas de sua propriedade para estudo.

— Essas grutas e cavernas da serra do Roncador têm uma composição mineral diferenciada — explicou-lhe o rapaz. — São ricas em magnésio, silício e cálcio. O subsolo, então, é riquíssimo em quartzo. Sabe o que isso significa?

— Sinceramente, não.

— A senhora já ouviu falar em forças eletromagnéticas?

— Não, mas acho que a minha filha já. Ela é enfermeira lá no Hospital de Aragarças, sabe? O senhor aceita um pouco mais de suco de buriti?

— Ah, por favor. Está mesmo uma delícia! Pois, então, essa composição mineral torna essas cavernas verdadeiros reatores nucleares para o corpo humano.

— E isso é bom, moço?

— Claro, dona Ana! Isso pode curar muitas doenças.

— Acho que minha Luzia vai gostar muito de saber disso. O meu genro é médico, mas não acredita nessas coisas, não. Mas a minha Luzia, ah, ela sim adora essas terapias, como é mesmo que ela fala? Ah, sim, "alternativas".

— Mas isso é pura ciência, minha senhora. O corpo humano, os ossos, as células, tudo é formado por minerais. A composição desses minerais, a concentração deles e a forma com que se dispõem na natureza, como acontece aqui, nas cavernas do Roncador, podem influenciar seriamente o metabolismo, através dessas correntes elétricas.

— E pensar que Deus me deu a graça de morar num lugar tão abençoado, não é, moço?

— Pode ter certeza disso, dona Ana. Mas como é mesmo o nome dessa frutinha do suco que a senhora me ofereceu? É mesmo uma maravilha.

Na verdade, o dr. Carlos Roberto Pontes do Amaral, apesar da criação católica, era completamente ateu. Inexplicavelmente, Luzia agradou-se pelo médico de tal jeito que as suas próprias obrigações para com o mestre passaram para um segundo plano. Voltava mais pensativa das suas instruções, que se tornavam cada vez mais espaçadas.

— O que está havendo, Luzia?

— Nada, mãe!

— Tenho achado você tão pensativa, filha.

— O mestre tem me falado sobre fazer escolhas.

— Que tipo de escolha?

— Missão, renúncia, arbítrio, essas coisas.

— Ele também não gosta muito do doutor, não é, filha?

— Isso não pode ser uma escolha Dele, é a minha vida!

— São apenas caminhos, filha. Existem estradas mais longas e outras mais curtas para se chegar ao mesmo lugar. O caminho, quem escolhe é você. Talvez esteja escolhendo o caminho mais confuso, ou mais longo, quem sabe...

— Como você quando deixou a sua tribo para seguir o meu pai?

— Isso. Eu fiz a minha escolha.

— Sei que parece loucura. O Carlos parece um homem insensível, mas não é, acredite!

— Não estou aqui para julgar ninguém, filha. Você fez a sua escolha no dia em que se casou. Só acho que ele não sabe quem você é de fato. E, pra falar a verdade, tenho muito medo da reação do doutor.

— Você acha mesmo, mãe? Acha que se ele soubesse que tenho aquele dom...

— Ele não está preparado! E a culpa é sua.

— Como assim?

— Carlos é intolerante e, pior, vaidoso demais. Não suportaria viver com alguém que desafiasse o seu "poder" e a sua "sabedoria" o tempo todo. Não vou suportar ver você negar a sua essência e ser humilhada pelo seu marido.

— Ele não faria isso!

— Carlos faz isso comigo o tempo todo, filha! Debocha, me chama de feiticeira. Enquanto ele fizer isso apenas comigo, irei relevar, mas no dia que ele levantar a voz pra você, ele vai conhecer a verdadeira Feiticeira do Roncador.

Os primeiros enjoos começaram pela manhã enquanto escovava os dentes e se repetiram mais tarde, quando passou pela cozinha e inalou o aroma carregado de alho frito das iguarias da cozinheira, que se esmerava em agradar. O velho Amaral não cabia em si de tanta felicidade:

— Chama o Airton do Nariz Torto e manda matar uns porcos e reunir os compadres pra tocar umas modas de viola que o meu neto tá a caminho!

Luzia estava radiante, apesar do mal-estar inicial. Carlos Roberto estava mais compreensivo e amoroso do que nunca, evitando discussões que pudessem abalar a paz do casal. E foi então, a partir do terceiro mês, que tudo começou. Haviam terminado o jantar e Luzia se recolheu mais cedo. Carlos ficou no escritório fazendo algumas leituras, e, quando olhou para o relógio, já passava das três da madrugada. Apagou a luz e dirigiu-se para o quarto. Luzia não estava na cama. Procurou pela casa toda, até que uma imagem lhe chamou a atenção. Luzia estava no meio do jardim, completamente estática, os braços largados ao longo do corpo, olhando para o nada. Carlos lhe sacudiu os ombros, inutilmente.

— Luzia, acorde! Meu amor, acorde!

Como não obteve nenhuma resposta, carregou Luzia nos braços e a conduziu de volta à cama. No dia seguinte, Luzia acordou disposta como se nada tivesse acontecido e Carlos ignorou o fato. Os meses foram se passando com o desenvolvimento normal do bebê, mas as alterações de comportamento de Luzia eram cada vez mais frequentes e incomuns. As crises de ausência e os episódios de sonambulismo eram diários. Até que, num final de tarde, a sogra, dona Candinha, ao entrar no quarto para lhe oferecer algumas torradas, parou estarrecida na porta e, fazendo o sinal da cruz, gritou:

— Chamem o padre Lemos!

Uma fluorescência esverdeada fluía através do corpo de Luzia.

No dia seguinte, bem cedo, o velho Amaral se convidou para o café da manhã na fazenda do Zé Coxo.

— Bom dia, dona Ana!

— Mas que ventos o trazem tão longe, seu Amaral? Ai, meu Deus, foi alguma coisa com a minha menina?

— Fique tranquila que a menina Luzia está ótima.

— Graças a Deus! Mas então vamos tomar um lanche reforçado. Vou passar um café quentinho e assar pão de queijo.

— Eu vou aceitar de bom grado, dona Ana. Tomei um café rápido quando saí da fazenda, mas nada se compara ao seu cafezinho torrado e moído na hora. E esse pão de queijo, meu Deus!

— Pois, então, é só esperar um pouquinho.

— E o negócio do sorvete parece que está dando certo mesmo, hein?

— Sim, agora vou mudar a placa.

— Vai mudar o nome?

— Já mandei fazer uma placa com o nome "Sorvete da vó Ana, o melhor do cerrado".

— Muito bom, muito bom! — concordou o velho fazendeiro com um sorriso. — Mas é sobre o nosso neto que vim conversar.

— Algum problema com a criança? — Ana parecia preocupada.

— Não, de forma alguma. A menina Luzia tem algum tipo de problema de saúde, dona Ana?

— Não, seu Amaral. Por quê?

— Parece que tem tido umas insônias e fica perambulando pela casa à noite.

— Ah, meu Deus!

— A minha Candinha também anda meio fraca das ideias. Está meio esquecida. Coloca as coisas fora do lugar. O Carlinhos já levou ao neurologista, e ele acha que é aquela doença dos infernos. Que vai roubando a memória e levando tudo o que é realmente importante.

— Sinto muito!

— Imagine que outro dia a Candinha fez um escândalo porque cismou que viu uma luz verde saindo do corpo da Luzia. Pediu até pra chamar o padre Lemos, mas a menina acordou com o escândalo e mostrou que estava tudo normal.

Ana estremeceu ao ouvir aquele relato. Luzia andava negligenciando seu aprendizado na gruta da cachoeira, e era nítido o retorno dos sintomas de sua infância. Luzia estava em perigo e Ana precisava protegê-la.

— Dona Ana, apesar de nossas famílias serem muito antigas aqui, nos conhecemos muito pouco. Sei que a senhora descende de um povo indígena, que tem muito poder. Agradeço pelo que fez pelo peão do meu amigo. Soube que meu filho atendeu, mas não resolveu o problema, e a senhora com a sua sabedoria e as suas ervas salvou o homem.

— O povo fala demais, seu Amaral.

— Meu filho é cabeça-dura, dona Ana! Em parte isso é culpa minha, e em outra parte da mãe dele. Mas estou aqui de coração aberto para tentar ajudar.

— Agradeço a sua preocupação.

— O Airton, o meu capataz, é louco pela Luzia. Diz que ela é um anjo que o salvou na emergência do Aragarças.

— Ela é enfermeira, é a função dela ajudar as pessoas.

— Sabe como é, dona Ana, filha de peixe...

— O que o senhor quer dizer com isso?

— Nada, dona Ana. Só quero ajudar.

— Olha, seu Amaral, a minha filha tem umas sensibilidades que se curam com os banhos de cachoeira aqui da gruta. Acredito que seu afastamento possa estar interferindo nisso.

— É mesmo, dona Ana?

— Sim, isso é científico. Um geólogo já esteve estudando as rochas da gruta e disse que isso é possível.

— Olha que interessante! Eu não sabia disso.

— Como o senhor mesmo disse, o seu filho é cabeça-dura e não acredita nessas coisas. Mas se o senhor puder convencer ele a deixar a Luzia aqui com mais frequência, acredito que minha filha volte a se curar do sonambulismo.

— Pode contar comigo, dona Ana. Hoje mesmo peço para trazer a menina aqui. Muito obrigado pelo café e sucesso com o novo nome do sorvete.

— Não tem de quê. E a propósito, seu Amaral, vamos ter uma neta.

— Uma neta? Acho melhor nem perguntar como é que a senhora sabe dessas coisas.

Com o retorno à gruta, os episódios de sonambulismo cessaram e Carlos Roberto parecia menos relutante em deixar Luzia passar mais tempo na fazenda da mãe. Luzia parecia feliz, mas tinha sempre uma certa nebulosidade no olhar. Manteve os plantões até o sexto mês da gravidez, quando começou a apresentar um pouco de inchaço nos tornozelos e alguns episódios de hipertensão. O obstetra passou a recomendar mais repouso, dieta com restrição de sódio e alfa-metildopa para o controle da hipertensão. O seu último plantão foi na ala pediátrica do hospital. Estava checando as medicações das prescrições quando a luz do leito 7 se acendeu. Era Chayene, uma japonesinha de nove anos com metástase pulmonar de um osteossarcoma na perna esquerda, que havia terminado a nebulização.

— Como está se sentindo, meu amor?

— Não muito bem, tia. Mas acho que vou melhorar.

— Ainda com muita dor? Quer a mágica do elástico no dedão do pé?

— Agora não, tia, a dor não está muito forte. Pra quando é o seu neném?

— Para daqui a três meses.

— É menino ou menina?

— É uma linda menina que vai se chamar Sophia. Você gosta desse nome?

— Gosto, sim — respondeu. — A senhora é tão bonita! Parece uma princesa.

— Acho que a princesinha aqui é você! Mas, espere aí, está faltando alguma coisa aqui em cima dessa cabecinha, o que será? — Luzia procurou num dos bolsos do jaleco e encontrou uma pequena coroa de plástico. Colocou sobre a cabeça da menina e completou: — Eu a coroo princesa da estrelinha azul!

Chayene ficou encantada com o presente e seus olhinhos até então ofuscados pela dor finalmente encontraram um motivo para voltar a brilhar.

— Engraçado, tia! Parece que eu já sonhei com isso!

— É mesmo? E como era o sonho?

— Eu estava voando num lugar mágico, com muitas borboletas azuis, mas não sabia para onde ir. E você apareceu, linda! Colocou a coroa na minha cabeça, estendeu a mão para mim e me levou bem alto para a luz. Só que você não tinha mais a barriga...

Luzia empalideceu e sentou-se na beira da cama para não cair.

— O que foi, tia? Tá passando mal?

— Não, meu amor! Foi só uma tontura. Já vai passar.

Foi o último plantão de Luzia durante a gravidez. Na semana seguinte, passou no hospital para um chá de fraldas que as amigas organizaram e para apanhar as suas coisas no armário. Pegou um grande saco e foi guardando tudo o que encontrava: estetoscópio, termômetro, lanterna, jaleco, um saco de rosquinhas fechado, um resto de pó de café, uma escova de dente velha e um papel amassado esquecido no fundo do armário. Pegou o papel e o abriu com cuidado. Era um desenho feito com giz de cera. No centro da folha havia um enorme sol e duas pessoas de mãos dadas: um anjo loiro de cabelos compridos e uma menina sem cabelos com uma enorme coroa com uma estrela azul no meio. Luzia segurou-se como pôde no balcão.

— O que foi, Luzia? Sente-se aqui. — O colega plantonista ofereceu a primeira cadeira que encontrou.

— Você sabe como esse desenho veio parar dentro do meu armário?

— Não faço a menor ideia, pois só você tem a chave. De qualquer forma, alguém pode ter empurrado pela fresta. Mas o que é? Algo que aborreceu você?

— Sabe aquela paciente da quimioterapia na ala pediátrica, a japonesinha?

— A Chayene?

— Isso. Ela já teve alta?

— Infelizmente a Chayene faleceu há três dias.

Depois do episódio da ala pediátrica, Luzia se tornou mais fechada. Não contou o ocorrido a ninguém. Não queria preocupar as pessoas. Afinal era só um sonho e um desenho de uma criança. Mesmo assim iria cobrar algumas respostas de certo alguém. Estavam vivendo uma época de grandes expectativas em relação à passagem do ano. A chegada de Sophia estava prevista para a segunda quinzena de janeiro do ano 2000. A virada de um milênio sempre vem cheia de promessas e significados. Seitas e novas ordens religiosas surgiam por todos os lados, pedindo a adesão e a redenção de seus fiéis antes do "fim do mundo". Nunca se viu tantas pessoas abrindo mão de seus pertences para seguir novas ordens. Ana e Luzia estavam sentadas na frente da casa numa tarde quente de novembro quando surgiu um andarilho, pedindo informações:

— Eu gostaria de falar com a dona Ana. Ela está?

Ana se adiantou, enquanto Luzia, com sua enorme barriga de sete meses, descansava numa cadeira de balanço.

— Sou eu mesma. E o senhor, quem é?

— Sou um homem querendo buscar novas motivações para continuar vivendo.

Luzia abriu os olhos e passou a escutar a conversa com mais interesse.

— E o senhor não tem um nome?

— Arnaldo.

— E no que eu posso ajudá-lo, seu Arnaldo?

— Sei que a senhora é índia e entende como ninguém de raízes, frutos e sobre as cavernas da serra do Roncador.

— Conheço algumas coisas. Em relação às cavernas, são mais de oitocentos quilômetros de paredão de pedra, moço. Mas o que exatamente o senhor está procurando?

— Uma passagem.

— A rodoviária fica em Barra do Garças, seu Arnaldo.

Luzia soltou uma sonora gargalhada.

O homem, meio sem graça, ignorou a piada de Ana e continuou:

— Na verdade, procuro uma espécie de entrada ou portal. A senhora já deve ter ouvido falar das lendas da cidade perdida, é claro. Sou um admirador das aventuras do coronel Peter Foley e dos mistérios que envolvem o seu desaparecimento no meio da mata do cerrado. Estou disposto a percorrer toda a extensão do Roncador. Queria umas informações sobre a serra, como o que levar e que frutos posso encontrar pelo caminho nessa época do ano.

— Ah, o senhor é daqueles que têm medo que o mundo acabe no ano 2000? A sua cigana previu isso e você quer se proteger? — provocou Luzia.

— O senhor está procurando um abrigo para se proteger do fim do mundo, é isso?

— É mais ou menos isso, moça. Não me interesso mais por esta vida sobre a Terra. Sou um empresário falido. Meus filhos me deixaram e minha mulher fugiu com o meu sócio. Resolvi tentar a façanha do coronel.

— E o senhor acha que tem alguma coisa de interessante para oferecer para quem vive dentro da Terra, nesse tal portal que o senhor procura? Sim, porque o senhor há de concordar comigo que, se existe um lugar assim, talvez apenas pessoas muito especiais estejam aptas a encontrá-lo — Luzia comentou.

— Sou um homem justo e bom. Acredito que posso me tornar alguém ainda melhor do outro lado do portal.

— E nunca passou pela sua cabeça que talvez esse tal portal não exista de fato, e que esse lugar tão especial não seja exatamente físico, como o senhor está imaginando?

— Acredito plenamente na sua existência concreta. Acho que se trata de uma espécie de abertura em alguma rocha, ou está localizado atrás de alguma cachoeira, que deve dar acesso a um tipo de túnel para o interior da Terra. Já li a respeito de uma lagoa sagrada dentro de uma reserva xavante, onde não há nenhuma forma de vida, e que seria uma dessas entradas para o mundo subterrâneo.

Ana, que até então se mantivera calada, resolveu se manifestar:

— Olha aqui, seu Arnaldo, quanto à lagoa, ela existe mesmo, mas está dentro de solo sagrado. A área é muito bem guardada por xavantes. Ninguém pisa em solo sagrado, apenas o xamã ou quem tem a permissão do cacique.

— Quanto ao coronel Peter — completou Luzia —, ninguém até hoje sabe ao certo o que lhe aconteceu. Alguns dizem que foi morto por índios selvagens, outros que virou comida de onça. Tem gente até que afirma tê-lo visto perambulando, desmemoriado, por essas terras. Mas a verdade é que o homem sumiu na poeira, sem deixar vestígio. E o que me deixa mais admirada é que mesmo depois de tanto tempo... Quanto mesmo...?

— Setenta e quatro anos — Arnaldo calculou mentalmente.

— Isso, mesmo. Depois de setenta e quatro anos do seu desaparecimento, ele continua conquistando seguidores pelo mundo afora.

— Mesmo assim, estou disposto a tentar. Não tenho mais nada a perder.

— Então, boa sorte na sua jornada. Mas se existe algum valor num conselho, ouça bem o que vou lhe dizer: Seja bom aqui na Terra, pratique o bem aqui mesmo. Procure os seus filhos. Refaça a sua família e a sua vida. Tenha a certeza de que você faz toda a diferença para alguém aqui em cima.

— Bem, tudo o que a senhora falou é muito bonito, e eu agradeço, mas estou disposto a continuar a minha caminhada.

— Então, boa sorte! E que Deus o ajude!

— Obrigado.

As duas mulheres se entreolharam. Ana entrou e voltou após alguns minutos com uma tabuleta, pregos e um martelo, parecendo decidida. Luzia arregalou os olhos de forma interrogativa:

— Você não está achando que eu vou aguentar esse vaivém de gente estranha aqui dentro da fazenda, está? Esse foi o quarto só esta semana!

— Mas que placa é essa? — Luzia levou as mãos à barriga e a acarinhou instintivamente. O bebê respondeu com um pequeno movimento, como se quisesse tocar com o pezinho a área estimulada pelo toque da mãe.

Ana segurou o pedaço de madeira e o virou para que Luzia conseguisse ler os seguintes dizeres, escritos de forma tosca com um hidrocor preto:

TRILHAS PARA O PORTAL DO RONCADOR, PACOTES PARA O FIM DO MUNDO, TRATAR NO BAR DO NALDO

— Você é mesmo uma figura, dona Ana! — Luzia soluçava de tanto gargalhar.

— No fundo, o Naldo vai acabar me agradecendo por eu aumentar o movimento do seu bar — justificou Ana enquanto arrastava a placa na direção da porteira da fazenda.

No céu, algumas nuvens ao longe anunciavam a já esperada chuva vespertina.

***

O desenho de Chayene não saía da cabeça de Luzia, como se fosse um mau pressentimento. Fazia perguntas ao mestre, mas as respostas nunca eram objetivas o suficiente. Ele se limitava a dizer que tivesse calma, que não poderia antecipar as situações porque isso seria contra as leis do Universo, que ele estava ali para ensiná-la, e com ela ficaria até a conclusão da sua missão. E que ela sempre teve toda a liberdade para decidir o seu destino, havia tomado uma grande decisão, e sabia da importância de tudo o que tinha aprendido. Verdades ocultas, mas de suma importância para a humanidade. Esse conhecimento não poderia se perder, caso morresse. Apenas uma única pessoa poderia herdar esse conhecimento. Alguém que tivesse esse direito por nascimento e conquista. O mestre um dia já havia lhe falado sobre essa questão. Esse alguém só podia ser Sophia. Estava disposta a passar os últimos meses da gravidez fazendo uma espécie de diário para Sophia. Escreveria em silêncio quando estivesse na fazenda da mãe, e não daria maiores explicações para não preocupá-la. Chamou-o de "O diário de Luzia". Era um caderno com uma capa de couro preta bem resistente. Sua única preocupação é que apenas Sophia tivesse acesso ao seu conteúdo. Nem mesmo Ana poderia tomar ciência do que escrevera, embora certamente se tornasse a guardiã daquele conhecimento. Nos últimos meses andava tão inchada e pesada que o marido esteve prestes a lhe proibir as idas à casa da mãe. Porém, como sempre ela retornava bem melhor nos dias em que ia à gruta da cachoeira, ele se mantinha calado.

Na sua última ida à gruta, Luzia ficou surpresa ao encontrar um objeto à sua espera. Uma caixa pesada feita de uma liga metálica esquisita. A caixa tinha uma espécie de lacre, daqueles que, uma vez fechados, não abririam mais. Luzia indagou o seu significado, mas o mestre ignorou suas perguntas como se não as entendesse. Luzia levou a caixa para casa e a guardou. Ana observava tudo com certa curiosidade.

— Você tem escrito muito nos últimos tempos, filha.

— Tenho aprendido coisas que não quero esquecer.

— E essa caixa?

— É para guardar as coisas do bebê.

— Com esse metal feio e pesado?

Luzia não pôde deixar de rir,

— Quanta curiosidade, vó Ana!

— Só estou cuidando de você.

— Eu sei, minha mãe. Escute, não quero que fique preocupada, mas quero que me prometa que, se alguma coisa me acontecer, vai cuidar de Sophia para mim. Não vai deixar o Carlos exercer o domínio dele sobre minha filha. — Luzia pediu angustiada, como se finalmente tivesse se dado conta da natureza temperamental do marido.

— Não diga bobagens! E é claro que eu cuidaria da minha neta em qualquer circunstância.

— Sabe esta caixa de metal?

— O que tem ela, além de ser feia que dói?

— Acho que Ele me deu de presente, mas não quer admitir.

— Pra guardar o quê?

Luzia apontou para o diário.

— É tão brabo assim o que tem escrito aí nesse caderno?

— Se cair nas mãos de pessoas mal-intencionadas, sim. Lembra o que eu fiz com o passarinho, muito tempo atrás?

— Como eu iria me esquecer de uma coisa dessas? E você está ensinando isso aí?

— De certa forma sim. Acho que a Sophia vai ter o conhecimento e o entendimento sobre tudo isso no momento certo. Ela terá esse direito por nascimento. Se for a pessoa boa e correta que esperamos que seja, vai ter o direito por conquista. Ela vai precisar desse conhecimento no futuro para ajudar muitas pessoas.

— E Ele disse isso tudo para você?

— Ele não pode me dizer esse tipo de coisa. Diz que é contra as leis do Universo, que não pode interferir.

— Mas então…

— É só uma intuição, mas quero que me prometa que vai tomar conta da sua neta e deste livro como uma grande onça-pintada.

— Pode ter certeza disso!

21 DE JANEIRO DE 2000
BARRA DO GARÇAS, MATO GROSSO

— MAS O DR. RENATO GARANTIU que o bebê seria para o final do mês — reclamou Luzia, se contorcendo de dor.

Carlos Roberto parecia aflito. Luzia havia acordado mais inchada do que de costume, queixando-se de muitas cólicas. Sua pressão estava muito alta e não cedia com a medicação. O marido, então, ligou para o hospital e acionou a equipe médica, alertando para a gravidade do quadro,

— Alô. Aqui é o dr. Carlos Roberto. Mande chamar toda a equipe de plantão. Minha esposa entrou em trabalho de parto, e é uma gravidez de alto risco com indícios de pré-eclampsia.* O dr. Renato já foi localizado? Não estamos conseguindo contato com ele. Quero a UTI pediátrica preparada e a neonatologista já avisada. Estamos a caminho.

Desde o início da gravidez da esposa, Carlos quis se mudar para a sede da fazenda em Cuiabá, onde teriam mais recursos médicos, porém preferiu satisfazer o desejo de Luzia, que dizia precisar da gruta da cachoeira. E realmente, todas as vezes que ia à casa da Feiticeira do Roncador, Luzia sempre

---

* Pré-eclampsia é um transtorno específico da gravidez caracterizado por hipertensão arterial, inchaço nas pernas e perda de proteínas na urina. Pode evoluir para convulsão e coma, quadro conhecido por eclampsia.

voltava se sentindo melhor. O obstetra aconselhou então que mantivessem um pré-natal rigoroso com extrema vigilância dos níveis tensionais e, ao primeiro sinal de sofrimento fetal ou risco de vida para Luzia, antecipariam o parto. O velho Amaral, vendo que Luzia também parecia melhor com os banhos de cachoeira, aconselhara o filho a permitir que Luzia ficasse mais tempo em companhia da mãe. Naquele momento, tudo parecia um grande pesadelo.

— Eu quero a minha mãe! Mande chamar a minha mãe!

— Até agora eu fiz o que você quis, agora você vai me ouvir! Não quero aquela bruxa aqui! Você está assim por causa dela e daquela gruta maldita!

— Não é verdade! Você sabe que eu melhorava todas as vezes que voltava de lá!

— Dr. Carlos Roberto, o dr. Renato está no meio de outra cirurgia. O dr. Gaspar é o plantonista. O senhor quer chamar algum outro obstetra? — perguntou a enfermeira.

— A senhora pode chamar Deus? A senhora O conhece? Sabe onde posso encontrá-Lo?

— Não fique aflito — pediu Luzia. — Tudo vai dar certo.

Carlos sentiu a mão de Luzia soltando a sua e percebeu que a mulher tinha desmaiado. Ela foi encaminhada rapidamente para o centro cirúrgico, entubada e submetida à terapia anti-hipertensiva endovenosa para tentar controlar o edema cerebral. Carlos entrou no centro cirúrgico junto com o obstetra de plantão, e alguns minutos depois o dr. Renato se juntou à equipe. A situação era tensa e muito grave. O obstetra tentava rapidamente libertar o bebê das malhas do músculo uterino, quando Luzia começou a revirar os olhos e a convulsionar, sem responder aos medicamentos. Veio então a primeira parada cardíaca. Carlos batia feito louco no peito da mulher, tentando reverter a parada.

— Adrenalina! Vou fazer intracardíaca!

— Calma, ela voltou em fibrilação ventricular, vamos desfibrilar!

Renato retirou com rapidez o bebê aparentemente sem vida e o passou para a neonatologista, que tentou aspirar as vias aéreas e reanimar a criança totalmente azulada pela baixa oxigenação. Carlos estava obcecado em manter Luzia viva. Não perguntou pela filha. E foi então que veio a segunda parada cardíaca.

— Por favor, não parem! Não desistam!

— Carlos, não dá mais. Acabou, amigo.

Do lado de fora, a família Amaral aguardava ansiosa. O velho Amaral mandara pegar Ana na fazenda. Quando a índia chegou, todos se entreolharam consternados, sem saber o que dizer.

— E a minha filha? Alguém pode me dar notícias?

— Não sabemos de nada ainda, Ana. Tenha calma.

No centro cirúrgico, Carlos jogou a máscara no chão. Chorava copiosamente sobre o corpo sem vida de Luzia.

— Carlos...

— O que é, Margô?

— O bebê, não quer saber?

— Não, não quero.

— Mas você precisa...

Margareth era a chefe da neonatologia do Amaralzão. Todos a chamavam gentilmente de Margô. O corpo de Sophia permanecia imóvel, todo enrolado em lençóis dentro da incubadora.

— Nós tentamos, mas...

Nesse momento, inesperadamente as portas do centro cirúrgico se abriram.

— A senhora não pode entrar aqui! — tentava impedir o segurança.

— Não é você quem vai me impedir! — Ana entrou no centro cirúrgico se desvencilhando do segurança.

— Ah, pode deixar. É a Feiticeira do Roncador. Está satisfeita agora? Já sei! Agora você virou Deus! Veio ressuscitar os mortos? Então pode começar, porque o estrago foi grande!

Ana olhou rapidamente para o cenário à sua frente. De um lado, Luzia estava imóvel sobre a mesa de cirurgia. O corpo da filha que tanto amava agora jazia sem vida sobre a mesa fria de alumínio. Desviou os olhos para o outro lado e viu o corpinho inerte de Sophia na incubadora. Não ouvia o que Carlos Roberto falava. Não conseguia compreender. Via-o mexer os lábios em câmera lenta enquanto um relâmpago percorria sua espinha. Precisava ser rápida. Aproximou-se de Sophia, agarrando o pequeno corpo envolto por lençóis, e soltou um grito gutural, sumindo no meio da noite.

A primeira lua cheia do ano iluminava o caminho, e foi fácil para Ana se esgueirar pelo meio da floresta. Agarrou bem o lençol com Sophia e correu o mais rápido que conseguiu. Deixou os sapatos pelo caminho e foi saltando sobre os galhos secos das árvores que estalavam sob o peso dos seus pés descalços. Não via nada à sua frente. Apenas sentia muita dor. Uma dor imensa que dilacerava sua alma, partindo-lhe ao meio. Não tinha tempo para lágrimas, embora elas caíssem, teimosas, embaçando-lhe a visão.

Voava em meio aos arbustos, com as pupilas dilatadas, desviando-se dos troncos das árvores, o coração disparado no peito querendo saltar pela boca. Tinha umas contas para acertar com Ele, e dessa vez não haveria escapatória. Suas pernas corriam incansáveis, e rapidamente a levaram a um lugar, que era seu velho conhecido: a gruta da cachoeira. No caminho, as palavras do geólogo não saíam da sua cabeça: "Essas cavernas podem funcionar como reatores nucleares. Podem curar doenças". Ana entrou na gruta e colocou Sophia no local onde Luzia costumava receber as orientações Dele. Sentia-se na responsabilidade de tentar tudo o que fosse possível, até mesmo o impossível se isso trouxesse sua neta de volta. Entre a filha e a neta, teve que fazer uma opção rápida. Não conseguiria convencer ninguém naquele momento a ajudá-la, e muito menos era capaz de carregar sozinha o corpo da filha. Tomou uma decisão e fez uma escolha. Tinha que tentar, e seu coração lhe dizia que não havia nenhuma heresia nisso. Heresia seria negar a sua intuição, heresia seria negar o sentimento forte que existia dentro dela, que dizia que ela deveria ao menos tentar. Luzia era um ser especial, concebida de uma forma extraordinária que nem mesmo a própria Ana jamais havia entendido muito bem. Luzia era filha de *Waparuá*, dissera um dia a velha índia da reserva bororo.

Aos vinte e dois anos, Luzia havia estudado e aprendido muito com o seu mestre. Aprendera a importância de lidar com a natureza, com os seus ajudantes invisíveis, os elementais. Aprendera a respeitar tudo o que existe neste plano físico e num plano que está muito além do nosso, mas que de alguma maneira ela tinha acesso. E, o mais importante, aprendera a usar todas essas forças a favor do bem, a favor do próximo. Estava sendo preparada para algo maior, embora o mestre nunca houvesse lhe dado detalhes sobre o assunto. "Cada coisa no seu devido tempo", era o que Luzia dizia quando Ana a interrogava sobre os planos do tal mestre. Porém ambas sabiam que aquilo era algo muito importante para a humanidade, para a preservação da espécie, como num processo de purificação e seleção natural em que "novas raças", mais esclarecidas, um dia substituirão as atuais. Sempre foi assim e sempre será assim. A história do próprio planeta nos mostra isso. Entretanto, todo ser humano tem direito às suas próprias escolhas, e Luzia não estava livre delas.

Carlos Roberto nunca foi propriamente o que se poderia esperar de uma alma gêmea para Luzia. Apesar de nunca ter se envolvido com ninguém, a moça se apaixonou pelo médico, mesmo conhecendo seu temperamento explosivo e egocêntrico, e com isso alterou a rota do seu próprio destino, de acordo com a sua vontade. Seu mestre chegou a adverti-la algumas vezes. Aconselhou-a a refletir muito sobre suas decisões, mas, a partir do momento que ela definiu o seu próprio caminho, ele nada mais pôde fazer a não ser estar com ela sempre, até o fim. Sophia de certa forma também herdaria esse elemento especial da mãe, essa marca no DNA, esse dom especial para fazer o bem. Só precisaria do conhecimento, porque este, nunca se perde. É a única coisa realmente importante que levamos das nossas vivências e que permanece latente em nós como se fosse um talento oculto a ser despertado. Ana simplesmente tinha que tentar. Não pensava no depois, na reação preconceituosa das pessoas diante das maravilhas que não conseguem explicar. Não se preocupava se seria entendida ou crucificada. Se tentasse e fosse atendida, é porque assim o foi permitido, e não haveria nenhuma heresia nisso. Pensando assim, pronunciou com a voz trêmula:

— Eu, Ana Peixoto, filha dos bororos, venho pedir humildemente ao senhor, o mestre da minha filha Luzia, que, sendo tão poderoso e conhecedor das leis do Universo, traga minha neta Sophia de volta à vida. Seu mestre, eu não tenho tempo para chorar a morte da minha filha. Prometi a ela que cuidaria da minha neta. Eu lhe confiei minha filha, mas você não soube cuidar dela. Acho justo que traga a minha neta para mim. Prometo ao senhor que ela continuará os ensinamentos da mãe dela, e nada vai mudar isso.

A gruta estava no mais completo silêncio. Ana olhou e avistou um pequeno livro de capa dura. Reconheceu logo o diário de Luzia, que deveria tê-lo deixado ali na sua última visita. Pegou o caderno e não pensou duas vezes. Folheou algumas páginas sem entender muito o que estava escrito. Queria algo que denunciasse as palavras que Luzia havia dito no dia em que curou o pardal. Eram muitos números, letras e nomes numa língua que não conhecia. Parou numa página onde havia o desenho de um pequeno pardal voando. Lembrou do ritual que Luzia havia feito. Pegou um pouco da água da cachoeira e adaptou ao seu próprio rito:

— Que esta água pura e cristalina da cachoeira ajude a trazer vida para esse corpo tão puro e imaculado que da existência ainda nada conheceu.

E aspergiu algumas gotas sobre o corpinho sem vida de Sophia. Depois, embalou-a e fechou os lençóis com cuidado, como se fosse uma espécie de mortalha. Habituada aos rituais xamânicos, acendeu uma fogueira e consagrou a menina ao fogo.

— Que esse fogo sagrado seja a centelha divina que trará o calor de volta ao corpo de Sophia. — Erguendo o corpo fechado para o alto, invocou a natureza: — Que o vento traga o sopro da vida para este corpo, e que o solo sagrado desta gruta seja testemunha do verdadeiro nascimento da minha neta Sophia. Que, assim como sua mãe, venha com o compromisso de fazer o bem e trabalhar em favor do progresso da humanidade, e que nunca coloque nada e nem ninguém acima disso.

Ana aconchegou o corpinho de Sophia junto ao seu, aquecendo-o. Embalou-o com os movimentos que Luzia fazia durante os seus transes mediúnicos e, por fim, pediu:

— Meu sagrado Jesus, que veio ao mundo numa gruta como esta há dois mil anos, peço que me perdoe e salve esta criança como a tantos salvou também dentro de uma gruta, tantos outros como o pobre Lázaro. Minha

Nossa Senhora, que como eu perdeu seu filho, mas que por tantas vezes imaculada apareceu para os seus fiéis em tantas grutas sagradas pelo mundo, eu imploro pela vida desta criança. Que assim seja.

Ana mergulhou num transe profundo, entoando cantos que estavam adormecidos nos redutos mais recônditos de sua mente. Uma mistura de dor e esperança reverberava pela caverna. No céu, a Lua, a Terra e o Sol completamente alinhados davam as boas-vindas ao signo de aquário com o primeiro eclipse total da Lua do novo milênio.

22 DE JANEIRO DE 2000
HOSPITAL DAS CLÍNICAS NOSSA SENHORA DO AMPARO, BARRA DO GARÇAS, MATO GROSSO

NINGUÉM ENTENDEU AO CERTO o que tinha acontecido. O boato que corria por todas as alas do Hospital das Clínicas Nossa Senhora do Amparo é que uma espécie de animal tinha invadido o centro cirúrgico e carregado o corpo morto de uma recém-nascida pelos dentes. Há quem jurasse ter visto uma onça-pintada fugindo rapidamente pelos corredores do hospital e se embrenhado na mata. Havia um pesar imenso no ar. Os colegas de enfermagem de Luzia estavam consternados. Os médicos do hospital e os amigos da família Amaral tentavam dar apoio a Carlos Roberto, que não se conformava com a perda da mulher.

— Fui dar ouvidos ao velho Amaral e deu nisso! Desde o início devíamos ter nos mudado para a capital.

— Você fez a vontade dela, Carlos. Afinal, Luzia era adulta e uma profissional da área da saúde. Sabia o que estava fazendo quando decidiu ficar aqui, apesar da gravidez de alto risco — argumentou Margô.

— Ela estava influenciada por aquela maluca daquela bruxa. Viu o que ela fez? Saltou como um animal sobre o corpo da minha filha. Velha louca! Vou pôr a polícia atrás dela. Quero enterrar minha filha junto com a mãe.

— Procure descansar um pouco. Você deve estar exausto. Passou a noite em claro.

— Preciso providenciar os detalhes do enterro da minha mulher. Quanto ao corpo da minha filha, não sei se conseguiremos achá-lo a tempo do enterro. Vou dar queixa à polícia. Quero aquela mulher longe de mim e da minha família.

— Não acha que está exagerando, Carlinhos? Não acha que essa pobre mulher está sofrendo mais do que qualquer um de nós, filho? — ponderou o velho Amaral.

— Não sei por que o senhor sempre a defende.

— É uma pobre mulher que criou a filha sozinha, sem nenhuma ajuda.

— Fazendo bruxarias?

— Não seja injusto, Carlos Roberto!

— Ninguém me tira da cabeça que ela enchia a mente da Luzia com aquelas coisas de cachoeira. Aquela índia maldita. Fisicamente nem parecia ser mãe da Luzia. Vai ver roubou a menina de alguma maternidade, e ainda por cima lhe ensinava feitiçaria.

— Não diga asneira! Vou até a fazenda da dona Ana. Se eu não a encontrar por lá, você pode avisar a polícia. Vamos tentar poupar sua mãe disso tudo. Sabe como anda com o juízo meio atazanado.

— Como sempre o Rei do Gado manda e nós, mortais, obedecemos.

— Vá tomar um banho e trocar essa roupa. Pedi ao padre Lemos que fizéssemos o velório na capela da igreja. O enterro será no final da tarde. Encontro com você na igreja. Se o corpo da menina for encontrado, faremos o enterro junto com a mãe.

— Seu pai tem razão, Carlos. Vamos, eu fico com você — ofereceu-se Margô.

Tenório do Amaral era um homem justo e generoso. Apesar de todo falatório acerca dos segredos que envolviam a família Peixoto, sempre teve muito apreço por Zé Coxo e dona Ana. A pobre saíra desarvorada do hospital, ele mesmo tinha tentado alcançá-la, mas não houve jeito. Achou melhor assim. O certo era deixar a pobre sozinha com a sua dor. Apesar de concordar com o casamento, sabia que o filho tinha um gênio ruim. "A quem aquele menino puxara daquele jeito, meu Deus?" Tinha esperança que Luzia, com sua meiguice e doçura, conseguisse aos poucos amansar aquele potro selvagem. Domesticar e fazer o milagre que ele e a pobre mulher nunca conseguiram.

Procurou não dar ouvidos aos boatos que sempre rondavam tanto o hospital de Aragarças quanto o Amaralzão. Diziam que os plantões de Luzia sempre eram estranhamente calmos. A taxa de óbitos e complicações em seus plantões era baixíssima a ponto de os colegas quererem fazer permutas para trabalhar sempre nos seus dias. Entretanto, ninguém jamais relatara nenhuma conduta estranha, a não ser os pacientes, que se referiam a uma brincadeira com elástico que Luzia costumava fazer, afirmando que era uma forma de abstrair a dor. O convívio com Luzia era algo muito compensador, e o velho logo se afeiçoou à moça. Chegou a notar certa mudança no comportamento do filho, certa tolerância com os empregados, que Carlos Roberto nunca tivera. Porém, após a gravidez, Luzia realmente se tornou estranha, mais reclusa. E depois começaram aqueles episódios de sonambulismo no meio da noite e, o mais estranho de tudo, aquela luzinha verde que via por baixo da porta do quarto da moça. Uma vez chegou a olhar pela fechadura. Não entendeu o que viu, mas achou bonito toda aquela luz em volta do corpo da nora. Não devia ser uma coisa ruim ou do demônio. Até parecia uma santa! Não comentou aquilo nem mesmo com o padre Lemos. Até que houve o dia em que Candinha, desavisada, entrou no quarto e fez um escândalo. Como a esposa andava mesmo de miolo mole, ninguém lhe deu muito crédito, mas ele sabia que suas palavras eram a mais pura verdade. Entretanto, não estava ali para julgar ninguém. Esses pensamentos o acompanharam até a entrada da fazenda dos Peixoto.

— Ó de casa! Dona Ana! Sou eu, Tenório. Vim pegar a senhora, para o enterro da vossa filha.

O velho Amaral deu a volta no terreno e não conseguiu ver e nem ouvir nenhum movimento dentro da casa.

— Abra, dona Ana. Quero ajudar a senhora. Não é bom que fique aqui sozinha. Venha comigo. Garanto que vou fazer com que meu filho se comporte. Na verdade, ele está sofrendo muito. Carlos Roberto amava muito a Luzia.

Tenório do Amaral sentiu uma estranha sensação de estar sendo observado. Virou-se e deu de cara com ela, a onça-pintada, que o encarou. Tenório ficou imóvel e calculou haver cerca de três metros entre ele e a onça. Tinha uma espingarda carregada no carro, mas se corresse não teria muita chance. O suor começava a lhe brotar da testa, espalhando no ar o cheiro de medo que os felinos de olfato aguçado tão bem conhecem, o cheiro da presa acuada. A onça começou a se aproximar lentamente do velho, mostrando as presas. A saliva escorria pelos cantos da boca, e as garras estavam eriçadas. O velho Amaral começou a andar de costas na tentativa de se proteger. O animal parecia se divertir com a expressão de terror na cara do velho corpulento que, num pisar em falso, tropeçou num pedaço de galho e caiu. A onça não teve dúvidas de que o momento do seu banquete tinha chegado e pulou sobre o peito do homem. Nesse instante, ouviu-se um tiro para o alto e a onça assustada saiu correndo para o meio do cerrado. O velho olhou para a direção do tiro. Ana estava na porta de casa com a espingarda nas mãos, apontando para o fazendeiro. Segurava a espingarda carregada com a mira voltada diretamente para o peito do velho Tenório do Amaral. Estava visivelmente cansada e incrivelmente mais velha, como se tivesse envelhecido dez anos naquelas vinte e quatro horas.

— Mas o que é isso, dona Ana? A senhora ficou louca?

— Não tenha nenhuma dúvida quanto a isso. Não tenho mais nada a perder, seu Amaral.

— Mas eu vim até aqui para buscar a senhora.

— Não vou a lugar algum.

— Não vai ao enterro da sua filha? Francamente, eu não estou entendendo a senhora.

— Não precisa entender.

— Dona Ana, sempre fui seu amigo, a senhora sabe disso. Sempre cumpro com a minha palavra. Prometi à senhora que a menina Luzia a visitaria, e ela veio durante toda a gravidez, mesmo contra a vontade do meu filho.

Ana abaixou a espingarda. Tenório se levantou e se ajeitou. As garras da onça chegaram a rasgar sua camisa e a arranhar ligeiramente sua pele.

— É, dessa vez foi por pouco. Se não fosse a senhora… Dona Ana, a senhora não pode ficar aqui, olha que perigo!

— Como o senhor deve ter percebido, eu sei me defender.

— Posso entrar para me lavar?

— Não.

— Mas, dona Ana, eu estou ferido.

— O senhor tem um filho médico e é dono de um hospital.

— A senhora não vai querer ver a sua filha pela última vez?

— Vou continuar vendo sempre a minha filha.

— A senhora não vai poder ficar com o cadáver da menina, dona Ana. Ela precisa ser registrada e enterrada.

— Já enterrei minha neta.

— Mas isso é crime de ocultação de cadáver. A senhora quer ser presa?

— Não, mas acho que o senhor quer virar comida de onça.

— Bem, eu tentei. Espero que realmente saiba o que está fazendo.

— Pode ter certeza que eu sei. Agora se o senhor me der licença...

Ana fechou a porta e Tenório do Amaral andou em direção ao carro com a estranha sensação de ter ouvido um choro de criança abafado dentro da casa.

22 DE JANEIRO DE 2000
CEMITÉRIO NOSSA SENHORA DO AMPARO, BARRA DO GARÇAS, MATO GROSSO

LUZIA FOI ENTERRADA NO MAUSOLÉU DA FAMÍLIA Amaral no final da tarde, após o velório na igreja. Apesar de toda a tragédia que se abateu sobre a família, ela tinha uma aparência tranquila de quem estava em paz. Padre Lemos fez uma preleção sobre a importância de se encontrar a serenidade e o conforto nos braços de Maria, que tão bem representa a resignação perante a dor e o sofrimento. Carlos Roberto mantinha-se reservado e pensativo. Ao seu lado, Margô deslizava discretamente a mão sobre o braço do médico num gesto de solidariedade. Dona Candinha ao mesmo tempo que chorava perguntava frequentemente quem havia morrido. O velho Amaral procurava ajeitar o curativo, que teimava em se soltar de seu peito peludo. Passou a preleção toda brigando com Airton do Nariz Torto, que chorava feito um bezerro desmamado.

— Mas, seu Amaral, como pode um anjo morrer? Ela só fazia o bem para as pessoas. Não tem quem não gostasse dela naquele Hospital de Aragarças. Por quê, meu Deus? Por que tem que levar os bons e deixar só aqueles que não prestam? — Airton olhou de rabo de olho para Carlos Roberto.

— Airton, meu filho, enxuga esse seu nariz torto e vai tomar um ar lá fora que você está precisando. Toma aqui uns trocados e vá beber um café.

Após o enterro, o velho procurou Carlos Roberto, que continuava parado diante da sepultura.

— Dra. Margareth, a senhora pode me dar licença um minuto com meu filho?

— Claro, seu Amaral. Fiquem à vontade.

— Essa não deixa nem o caixão esfriar e já está que nem urubu sobre a carniça — comentou o velho.

Carlos Roberto deu um sorriso amarelo.

— Só você mesmo pra me fazer rir numa hora dessas, Rei do Gado.

— Carlinhos, estive há pouco no Zé Coxo...

Carlos encarou o pai e observou o ferimento no peito.

— O que foi isso no seu peito?

— Uma onça-pintada quis me fazer um carinho lá na fazenda da dona Ana.

— Aquela feiticeira...

— Filho, tenha pena daquela mulher. Pela memória da sua própria esposa, que sempre odiou quando você tratava a mãe dela dessa maneira.

— Conseguiu alguma coisa por lá? Viu o que essa mulher fez com o corpo da minha filha?

— Ela não me deixou entrar na casa. Disse que enterrou o corpo, mas não duvido nada que ainda esteja com ele lá dentro.

— Eu mesmo vou lá.

— Eu o acompanho.

— Eu vou sozinho, seu Amaral.

— Quer virar comida de onça? Tá ficando maluco?

— Tenho mais chance sozinho do que com você. Pode ser que assim aquela Bruxa de Blair me receba.

— Bruxa de onde?

— Nada não, seu Amaral. Pensei alto, só isso.

— Não vou deixar você ir sozinho, nem pensar. Levo você e espero na caminhonete. Levamos os rifles para o caso de qualquer inconveniente. E estou achando melhor ir amanhã, nas primeiras horas do dia.

— Quero resolver isso agora.

— E vai ficar com o corpo de um bebê apodrecendo no berço do quarto? Ora, me ouça! Vá com essa doutora comer alguma coisa e descansar, que hoje o dia já foi longo demais. Amanhã, com a cabeça no lugar, iremos assim que você acordar.

Carlos Roberto não era um homem muito carinhoso, mas sentiu necessidade de abraçar o pai. O velho Amaral, meio sem jeito com o carinho inesperado do filho, acolheu aquele homem imenso de um metro e oitenta e cinco e o aconchegou, como fazia quando era apenas um menino. As lágrimas rolaram dos olhos do médico, que desabafou:

— Ela era a única coisa que eu amava de verdade. Ela conseguia me ver de uma maneira diferente, que ninguém mais conseguia.

— Eu sei, meu filho, eu sei.

Pai e filho deram as mãos e caminharam pela alameda em direção aos portões do cemitério. O sol tingia de vermelho o céu daquele fim de tarde. Uma névoa branca contornou o mausoléu, e uma bruma leve ascendeu em direção ao infinito, deixando um longo rastro de luz na linha do horizonte.

Carlos Eduardo acordou com os primeiros raios da aurora. Na verdade, dormira muito pouco. Os últimos acontecimentos ainda estavam pulsando muito vivos em sua memória. Teve um sonho estranho e muito perturbador em que uma pomba branca entrava pela janela do seu quarto. Ele corria atrás do pássaro, tentando pegá-lo, mas ele escapava e dava longas gargalhadas, divertindo-se com sua dificuldade em acompanhá-lo. Quando percebeu, estava nas costas da pomba, sobrevoando as fazendas e plantações. Viu a serra do Roncador e a achou magnífica lá de cima, com suas florestas e cachoeiras. Nunca tinha sentido uma emoção tão intensa. Teve medo de cair e segurou mais forte nas penas da pombinha, que ria e voava ainda mais alto. A ave tinha uma gargalhada cristalina, que se confundia com o gorgulho das águas das cascatas. Nunca tinha experimentado aquela sensação maravilhosa de liberdade. Sentiu-se tão pequeno. Parecia um grãozinho de arroz comparado à imensidão de tudo aquilo. A própria pombinha, que no seu quarto parecia tão frágil, tornara-se gigantesca. De repente, estava num quintal, no meio de porcos e galinhas. A pomba pousou no parapeito de uma janela fechada. Parecia aflita em querer entrar e começou a se atirar feito louca contra a vidraça, até ficar toda ensanguentada.

Carlos acordou coberto de suor e depois não conseguiu mais dormir. Tomou um banho demorado. Olhou-se no espelho. Era um homem bonito. Moreno, corpo atlético, torneado pelos esportes que sempre praticou. Cabelos lisos e castanho-escuros. Rosto angular de traços fortes e queixo quadrado, a marca dos homens difíceis de se lidar. Talvez tenha sido essa dificuldade toda que encantou Luzia. Essas atrações simplesmente não se explicam. Vestiu uma calça jeans e abriu a primeira gaveta da cômoda. Remexeu em algumas caixas de remédio. Eram medicamentos indutores de sono. Nos últimos três meses de gravidez o neurologista havia aconselhado que Luzia tomasse a medicação hipnótica para conciliar o sono e evitar as crises de sonambulismo, embora o quadro estivesse mais estável. Não haveria perigo em relação a malformações porque o período crítico já havia passado, embora devessem ficar atentos em função da dosagem, principalmente no último mês, para não haver risco de sedação excessiva do bebê. Carlos Eduardo recolheu as caixas e as jogou no lixo. Depois pegou um revólver calibre 38 e o carregou. Colocou-o na cintura, preso no cós da calça. Deu uma última olhada no espelho, bateu a porta, e foi em direção ao seu destino.

Carlos Roberto e o velho Amaral chegaram na fazenda do Zé Coxo por volta das oito da manhã. Tudo parecia calmo e não havia nem sinal da onça-pintada.

— Tem certeza de que quer ir sozinho, filho?

— Absoluta, sr. Tenório do Amaral.

Carlos andou devagar em direção à porta da frente. Não precisou fazer nenhum estardalhaço. Não precisou fazer nenhum escândalo. Colocou a mão na maçaneta e a girou. A porta se abriu sem dificuldade. Entrou e, por um momento, sentiu-se ridículo quando achou que teria que usar a força contra a pobre e velha índia. A sala estava vazia. Caminhou em direção à cozinha, guiado por um som que vinha dos fundos da casa. À medida que se aproximava do quintal o som ia se tornando mais claro. Agora não tinha dúvidas, era a voz de Ana, que cantarolava. Sim, agora estava reconhecendo a canção, ouvia as beatas cantando nas novenas organizadas por sua mãe e pelo padre Lemos na mansão dos Amaral. Porém o tom de Ana era mais baixo e doce, acalentador, como uma cantiga de ninar.

— Mãezinha do céu, eu não sei rezar... Eu só sei dizer quero lhe amar. Azul é o seu manto, branco é o seu véu. Mãezinha, eu quero te ver lá no céu. Mãezinha, eu quero te ver lá no céu.

Carlos começou a tremer. Avistou Ana sentada de costas para a porta da cozinha, numa cadeira de balanço. A índia balançava calmamente a cadeira e reiniciava a mesma canção como um disco arranhado.

— Bom dia, Ana. Sou eu, Carlos. Quero apenas conversar com você, sem brigas. — "Pobre mulher enlouquecida", ele pensou.

— Estávamos esperando por você.

— Estávamos?

O suor de Carlos começou a empapar a camisa. Estava tenso. "Será que essa maluca está embalando um cadáver?"

Ana se levantou e virou-se na direção de Carlos Roberto.

— Venha conhecer sua filha, doutor.

Carlos olhava incrédulo para os braços de Ana. Aninhada, numa mantinha cor-de-rosa, um pequeno bebê movimentava ativamente os braços e as perninhas. Sem dúvida, a criança estava viva. O médico caiu de joelhos aos pés da índia. Não sabia se ria, se chorava ou gritava.

— Não sei se você é uma espécie de bruxa ou de santa, mas... mas eu nunca vou ter como lhe agradecer o suficiente.

— Não precisa agradecer, doutor, não fiz isso por você. Venha segurar Sophia.

Carlos deu alguns passos cambaleantes. Ainda não compreendia bem o que havia acontecido. Segurou o pequeno bebê meio desajeitado e afastou a mantinha que recobria o rosto da criança. Não conseguiu conter uma exclamação de espanto e contentamento:

— Ah, minha pequena princesa Sophia! Tão linda como a mãe!

— Ela se parece bastante com você, não nega a semente dos Amaral.

Sophia tinha a pele clara, mas não era tão alva como a mãe. A lanugem fina que lhe recobria o couro cabeludo era castanho-clara com reflexos dourados, e os olhos muito abertos e vivos tinham tons de mel, ainda indefinidos.

— Mas como... você conseguiu? Margô tentou de tudo. Garantiu que ela...

— Talvez não estivesse realmente... como você ou a dra. Margareth pensavam.

— Ana, preciso levar Sophia para uma avaliação médica rigorosa e detalhada. Não sabemos se ela ficou com alguma... sequela neurológica. Já lhe disse que não tenho como lhe agradecer.

— Tenho certeza que Sophia não tem nada, mas faça como quiser. Só não leve a minha neta para longe de mim por muito tempo.

— Não, claro. E depois você pode ir à nossa casa sempre que quiser.

— Nunca fui bem-vinda na sua casa, doutor...

— Estamos vivendo outros tempos, dona Ana. Vamos tentar nos dar bem. Por Luzia e... por Sophia.

Ana olhou fundo nos olhos de Carlos Roberto. Quem sabe a dor não houvesse finalmente domado e amansado o espírito egocêntrico daquele homem?

— Vou confiar em você. Pela minha neta, eu estive em lugares que você nunca acreditaria que existissem. Estive nas entranhas da terra e praticamente arranquei Sophia dos braços da morte, portanto, seja justo e cumpra a sua palavra. Sophia nasceu do ventre de Luzia, mas renasceu desse solo sagrado. Fiz um juramento, e Sophia deve voltar a esta casa.

— Claro, claro. Assim que fizer todos os exames, trago a menina de volta e vamos conversar. Está bem assim? — concordou Carlos sem querer saber os detalhes e as verdades contidas nas palavras da índia.

O velho Amaral estranhou quando Carlos entrou na caminhonete segurando um embrulhinho cor-de-rosa.

— Deu para brincar de boneca agora, Carlinhos?

— Acho melhor trocar o grau dos seus óculos, Rei do Gado. Está preparado, ou é melhor tocar logo para o Amaralzão?

— Mas o que aconteceu? Que brincadeira é essa?

— Essa brincadeira chama-se Sophia, seu velho tonto!

— Como assim, Carlinhos? Não brinca comigo, filho!

— Além de cego, também ficou surdo, velho Amaral?

— Mas, filho, essa criança não estava...

— Morta? Ela me parece bem viva agora.

— Será que a dona Ana é mesmo...

— Não sei o que ela é ou deixa de ser. Seja o que ela for, trouxe a minha filha de volta, e isso é o suficiente para mim.

— Meu Deus, isso é um milagre! Então ela é uma santa!

— Pelo bem de Sophia, isso não deve ser espalhado por aí.

— Mas no hospital várias pessoas viram a menina nascer morta, Carlos! Como pretende esconder isso?

— O que importa é que minha filha está viva. A sua neta está viva e é linda! Agora segure a menina para mim, seu velho rabugento, que eu tenho que fazer umas ligações rápidas.

Carlos Roberto pegou o celular e acessou a agenda. Rapidamente surgiu a foto de uma mulher de cabelos loiros e boca encarnada.

— Margareth? Arrume suas coisas. Preciso de você sem muitas perguntas. Vamos para Cuiabá no primeiro voo. Preciso dos seus contatos com o neonatologista no Hospital das Clínicas de Cuiabá. Isso mesmo. Depois eu te explico. Beijo.

— Melhor ligar para o aeroclube e deixar o piloto de sobreaviso no hangar. Sabe que só uso o nosso jato quando quero sobrevoar as nossas fazendas, e o homem não está esperando um voo nessas circunstâncias.

A tela do celular mostrou então a imagem de um aeroplano branco e vermelho

— Bom dia. Aqui é o dr. Carlos Roberto Pontes do Amaral. Poderia, por favor, verificar se o piloto André Gonçalves encontra-se no hangar? Sim. O.k., eu espero.

— Ele deve estar conferindo os mapas de voo desta semana. Resolvi fretar o avião para os pequenos proprietários da região. Sabe como é, gasto muito alto de manutenção. Eles usam para aspergir os pesticidas sobre as lavouras de soja. Hoje em dia, o que mais se vê por aqui é a mata do cerrado dando lugar à monocultura da soja ou sendo transformada em pasto.

— E assim as encostas do Roncador vão perdendo as características nativas — comentou Carlos, voltando-se novamente para o celular. — Sim, sim, sou eu, André. Aqui quem fala é Carlos do Amaral. Preciso que você prepare o avião para um voo de urgência para Cuiabá daqui a algumas horas. Não, não aconteceu nada com o velho Amaral. Esse aí continua forte como um touro e teimoso como uma mula. — O médico soltou uma gargalhada.

— Carlinhos, vê se me respeita! — reclamou o velho.

— Não vamos pernoitar, não. Voltamos hoje ainda. Sim, são dois adultos e um bebê. É isso mesmo que você ouviu, e não me faça mais perguntas. — E com isso Carlos desligou o celular: — Eita povo mais curioso!

— Acho bom você começar a pensar numa mentira bem convincente — aconselhou o fazendeiro.

— Margô tem ótimos contatos em Cuiabá. Quero um check-up completo de Sophia para tentar entender o que aconteceu.

— Milagres acontecem, meu filho.

— Milagre ou não, quero saber se está tudo bem com Sophia.

— Pois se apresse porque ela fez xixi, Carlinhos. Veja só, estou eu aqui, velho desse jeito, e todo mijado!

Os dois soltaram uma grande gargalhada e partiram em direção à fazenda dos Amaral.

23 DE JANEIRO DE 2000
FAZENDA DO ZÉ COXO, BARRA DO GARÇAS, MATO GROSSO

ANA OLHOU SEU PRÓPRIO REFLEXO nas águas do riacho. Envelhecera uns dez anos naqueles dois últimos dias. As rugas pareciam mais pronunciadas e os olhos mais fundos. Os cabelos adquiriram algumas mechas brancas, que lhe caíam sobre a testa como reflexos prateados. Despiu-se e entrou no lago, deixando-se submergir por inteiro numa espécie de novo batismo. Queria livrar-se das lembranças recentes, mas sabia que isso seria impossível. Não fizera nada de que pudesse se envergonhar. Exercera apenas o seu papel de guardiã. Era a grande protetora das mulheres da sua família, e estaria sempre disposta a dar a vida por elas. Agiu por impulso e por intuição, guiada pelos espíritos da mata e de seus antepassados. Na verdade, não se lembrava de muita coisa. Após o ritual aos quatro elementos e a entoação dos cânticos, entrou num transe profundo do qual só despertou no dia seguinte, sentindo o movimento das pernas e dos braços de Sophia, que tentava se desvencilhar dos panos nos quais havia sido envolta. Ana lavou a menina na água corrente do riacho e manteve-a bem aquecida com as roupinhas que Luzia havia deixado ali e que faziam parte do enxoval. Alimentou-a com o leite das cabras do quintal até aquele dia. Tinha a sensação de ter estado em lugares estranhos, mas tudo era muito nebuloso. Não havia clareza no seu pensamento, como se tivesse passado uma parte do tempo acordada e a outra parte dormindo.

Gostava de mergulhar no riacho para colocar as ideias em ordem. Lembrava-se apenas da sensação de queda livre e, depois de flutuar, para voltar a cair logo em seguida, e assim sucessivamente até atingir um lugar onde ficou por mais tempo, onde se sentiu mais estável, como numa plataforma, ou, quem sabe, a sala de visitas de alguém que já esperava por ela. Havia uma espécie de luz mais fraca, como se fosse um pequeno sol. Não fazia frio, nem calor. Ana não sabe quanto tempo permaneceu flutuando naquele lugar, nem se era dia ou noite. Finalmente, uma voz começou a falar dentro de sua cabeça em um jorro de palavras embaralhadas. De repente, em meio a tantas dúvidas, Ana teve uma certeza: aquela voz era Dele, do mestre de Luzia. Disso ela conseguia se lembrar. Ele falava com uma voz tão terna que mais parecia uma música para os ouvidos, aveludando a alma. Trazia um bebê no colo. Ana observou a formação de um grande círculo de luz em volta do vulto do mestre e da criança, e essa luminosidade foi se tornando mais intensa até dar origem a uma enorme explosão, em que o mestre e a criança se fundiram num único fluxo de energia e luz.

23 DE JANEIRO DE 2000
FAZENDA AMARAL, BARRA DO GARÇAS, MATO GROSSO

— Você FICOU MALUCO, CARLOS ROBERTO! E os meus plantões? Você esqueceu que eu sou a responsável pela neonatologia do seu hospital?

— O assunto é urgente demais. Você vai entender do que se trata assim que chegar aqui em casa, Margô. Por favor, não demore!

Carlos Roberto desligou o telefone e olhou para o carrinho. Sophia dormia calmamente. Era difícil acreditar que aquela criança que nascera morta agora dormia ali tão tranquila, rosadinha e aparentemente sem nenhuma sequela.

— Bendita Feiticeira do Roncador! Acho que vou contratá-la para a equipe de neonatologia do hospital — ele pensou alto.

Cerca de vinte minutos depois, a médica estacionava a sua Toyota Hilux no pátio da fazenda. Margô era uma grande especialista em recém-nascidos. Filha de fazendeiros da região, assim como Carlos Roberto, após concluir o mestrado e o doutorado em Londres, e depois de dois casamentos malsucedidos, ela retornou à Barra do Garças para viver com os pais já idosos. Tinha trinta e quatro anos, era alta, loira, dona de um corpo curvilíneo de medidas proporcionais e trabalhado no pilates e na musculação. Era inteligente e tinha vários artigos publicados em revistas médicas conceituadas sobre a síndrome da membrana hialina, mais conhecida como a síndrome da angústia respiratória do recém-nascido. Dra. Margareth Albuquerque Maldonato havia transformado o serviço de neonatologia do Hospital das Clínicas Nossa Senhora do Amparo numa unidade de referência no tratamento de bebês prematuros, que, por imaturidade pulmonar, desenvolviam problemas respiratórios em função dessa síndrome.

— E então, doutor? Qual é a emergência?

— Esta! — Carlos apontou para o carrinho.

— Que criança linda! Não me diga que resolveu adotar um bebê?

— Você não a reconhece?

— Sinceramente? Não.

— Olhe bem para essa criança, Margareth!

— É filha de algum de seus empregados? Está doentinha? Tem febre?

— Não a reconhece mesmo?

— Já disse que não! Você quer que eu dê uma olhada nela, é isso? Posso tirar a roupinha e examiná-la com mais cuidado?

— Por favor, deve!

Margareth levou o bebê para o cômodo decorado para ser o quarto da pequena Sophia e Carlos a acompanhou. Despiu a criança completamente. Examinou-a, atentando para cada detalhe. Diante da insistência do médico, com certeza a criança já deveria ter passado pelas suas mãos, afinal era a neonatologista mais requisitada na região. Atentou para os reflexos, a distribuição dos fâneros, a implantação das orelhas, a audição e a visão, auscultou o tórax, apalpou o abdômen e finalmente um detalhe importante lhe chamou à atenção.

— Mas não pode ser!

— O que foi?

— Esta é Sophia! — concluiu por fim a médica.

— Tem certeza?

— Absoluta!

— Como você pode estar assim tão convicta? Até alguns minutos atrás você disse que não a conhecia.

— Em meio à correria e às manobras de reanimação, uma coisa não pôde passar sem ser notada: sua filha tem uma marca de nascença inconfundível bem aqui, consegue ver? — Margô apontou para um sinal acastanhado de forma estranha bem na altura da omoplata esquerda da criança, próxima ao ombro.

— Será que é perigoso? — preocupou-se Carlos Roberto.

— É um nevo congênito, um sinal que deve ser mais bem avaliado e acompanhado por um dermatologista. Agora quem faz as perguntas sou eu. Como é que essa criança está viva, se eu mesma atestei seu óbito? Como tudo isso é possível se essa criança nasceu morta?

— Eu disse a você que o caso era sério.

— Sério? Não sei que nome dar a isso!

— Que tal milagre?

— Nossa Senhora do Amparo? — arriscou a médica.

— Antes fosse, pelo menos isso daria mais mídia para o Amaralzão.

— Você não está falando da sua sogra!? A que saiu correndo com a menina?

— Isso mesmo.

— A que você chama de Feiticeira do Roncador na frente de todo mundo?

— A própria!

— Preciso me sentar. Pode me dar um pouco de água? Que loucura! O que vamos fazer?

— Agora? Nada. Ela já fez tudo! Pelo menos o mais importante. Mas quero que você vá comigo para Cuiabá para uma avaliação completa feita pelos especialistas em neuropediatria e ortopedia que você conhece, para ver se está tudo bem. Não vou fazer nada aqui para não criar alarde. Com a junta médica de Cuiabá podemos chegar a alguma conclusão mais científica do que possa ter acontecido, se é que há uma explicação. Não quero que Sophia vire objeto da curiosidade dos colegas daqui.

— Concordo com você. E quanto ao atestado de óbito?

— Não cheguei a registrá-lo no cartório. Rasguei a cópia que eu tinha. Depois corrigimos no livro do hospital.

— Não é que ela parece com você, Carlos? Acho que é o formato dos olhos.

— Sophia é minha filha. Você queria que parecesse com quem, oras?

— Já vi que o seu humor voltou ao normal, então melhor nos apressarmos. Você disse que o jatinho sairá em algumas horas. — A mulher se voltou para a criança. — Vem com a tia Margô, minha lindinha! Você comprou leite e fraldas?

— Sim, já está tudo arrumado.

— Então, Cuiabá, aqui vamos nós!

23 DE JANEIRO DE 2000
CACHOEIRA DO ZÉ COXO, BARRA DO GARÇAS, MATO GROSSO

ANA SAIU DA CACHOEIRA E PAROU para se secar um pouco. Entrou na gruta onde havia deixado o diário de Luzia e o guardou na caixa de metal que lhe fora reservada. A caixa seria uma proteção a mais, uma vez que só aquele que estivesse devidamente preparado conseguiria ler os ensinamentos ocultos do mestre de Luzia. As páginas estavam criptografadas em uma língua que Ana desconhecia. A índia fechou a caixa e a trancou definitivamente. Assim, até mesmo Sophia só teria acesso ao conteúdo do diário quando fosse capaz de abrir aquela caixa, o que seria um sinal de que estaria preparada para o seu conteúdo. A caixa foi escondida atrás de uma pedra solta numa pequena reentrância na parede da gruta. Ana deslizou rapidamente para fora da caverna e tentou aproveitar o resto do sol do início da tarde. Deitou sobre a areia entre as pedras e deixou-se ficar ali. Merecia um pouco de descanso. Merecia um pouco de paz, merecia voltar-se para si mesma. Começaria com Sophia uma nova fase de sua vida. Agora que Carlos Roberto tinha um entendimento maior, tudo seria mais fácil. Finalmente seria recebida na casa do médico de uma maneira digna e decente.

Luzia sempre se absteve de qualquer assunto que se referisse ao relacionamento entre Carlos e Ana. Tentou por diversas vezes uma aproximação, mas havia uma estranha animosidade desde o início, de ambas as partes.

Luzia mantinha-se neutra, mas não admitia obviamente o tratamento desrespeitoso do marido para com a sogra. Ana, para não constranger a filha, preferia ficar na fazenda, e nunca frequentava a propriedade dos Amaral. Agora, a chegada de Sophia vinha para amansar os ânimos de todos. "Quem sabe finalmente ela não possa até selar a união entre as famílias", pensava a índia entre uma cochilada e outra. Ana adormeceu, mas teve um sono agitado. Sonhou que a prendiam e começou a sentir-se sufocada. Acordou com a sensação de estar sendo amordaçada. Não, não era uma simples sensação. Ana olhou para cima e viu um vulto deitado sobre ela. Tentou se desvencilhar, mas o homem havia prendido suas mãos atrás das costas, imobilizando-a. Tentava gritar, mas a boca havia sido amordaçada com um pedaço de cipó. O homem tinha duas vezes o tamanho da índia. Era muito alvo e corpulento. Esfregava-se em Ana e contorcia-se de prazer, com o membro rijo forçando passagem. Ana movimentava-se desesperadamente sob o corpo do homem, que ficava cada vez mais excitado com a tentativa de fuga da índia.

— Olha pra mim! É assim que eu gosto! Tá com medinho, é?

Ana grunhia feito animal ferido, esfolando a pele das costas na areia. As lágrimas rolavam pelos olhos fundos de tanto chorar, como duas azeitonas pretas e murchas querendo saltar das órbitas.

— Adoro essa sua pele morena e esse seu cheiro de fruta da terra, índia! Sempre quis você, sempre segui você com os olhos naquela sorveteria. Desde a época daquele seu marido coxo, no armazém do Naldo. Quando você ia levar a menina no grupo escolar, eu ficava olhando, de longe. Aquele seu marido manco não servia para você. E nunca me enganei sobre aquela menina. Não podia ser mesmo filha daquele velho.

Ana olhou para o homem e se lembrou de um funcionário do bar do Naldo, um homem forte, alourado e de olhos azuis que vivia olhando para ela. Tinha vindo lá das terras do Sul, e Naldo lhe dera um emprego no bar. Mas isso já fazia muito tempo. Luzia ainda não era nem nascida. Não comentara nada com José Peixoto para não criar intriga. Mas o que ele sabia a respeito de Luzia?

— Você vai ser minha hoje. Sei que você me quer também. A menina pode ser minha, não pode? Vai negar? Não lembra daquela vez que o coxo viajou? Pois é, dona índia, você já quis o papai bem aqui. — O homem apontou para seus órgãos genitais.

Ana sentiu um hálito forte de cachaça que embrulhou seu estômago. Urrava sob a barriga do homem, que a mantinha imóvel, presa sob seu corpo, apertando o seu seio esquerdo. Sugava-lhe o mamilo, ordenhando-o, deliciado, enquanto a mão direita abria o zíper da calça num desespero frenético. Ana, mesmo amordaçada, tentava morder o estuprador, e conseguiu arrancar-lhe um pedaço do lóbulo da orelha. Alcoolizado, ele não sentiu dor, apenas viu o sangue jorrar, o que o deixou ainda mais excitado. Num movimento rápido, inverteu a posição e virou-a de bruços:

— Assim você vai dificultar as coisas pro papai aqui. Fica quietinha, minha onça-pintada.

O estuprador pegou Ana pelos cabelos e, com o membro intumescido, penetrou-a por trás. Ao sentir o homem dentro dela, Ana gritou o mais alto que pode, enquanto as lágrimas escorriam dos seus olhos, embaçando sua visão.

Subitamente, entretanto, o movimento cessou e o homem foi arrastado para dentro da floresta. Ana não viu o que aconteceu, pois se manteve de bruços, mas ouvia os gritos desesperados do abusador sendo levado para cada vez mais longe, mata adentro. Levantou-se toda rasgada e arranhada. Tentou se recompor, mas não conseguiu. Suas roupas estavam em trapos. Sua alma estava em trapos. Não bastasse toda a tortura por que passara nos últimos dias, agora ainda teria que lidar com aquilo. As palavras ressoavam em seus ouvidos e doíam muito mais do que o abuso físico. Depois de tanto tempo, de novo aquela insinuação maliciosa de que Luzia pudesse ser filha de outro homem. Ana deu alguns passos até a cachoeira com as pernas ainda trêmulas. Com o resto de dignidade que lhe restava, se deixou ficar imersa até se sentir com a alma completamente lavada.

23 DE JANEIRO DE 2000
Hospital das Clínicas de Cuaiabá, Mato Grosso

Carlos e Margô desembarcaram em Cuiabá e foram diretamente para o Hospital das Clínicas, onde a médica tinha vários contatos na área de pediatria. Margareth contatou especialistas na área de ortopedia, neurologia e cardiologia. Adiantou os exames de imagem, de forma que a pequena Sophia foi vasculhada de cima a baixo em busca de qualquer malformação ou sequela, antes de passar pelos especialistas. Deram entrada no setor de internação no início da tarde e foram conduzidos para o quarto 312. Tudo foi muito rápido. A tomografia não revelou nenhuma malformação congênita e nenhuma sequela neurológica isquêmica de pós-parto. No final da tarde, Carlos, Margô e a equipe médica reuniram-se com todos os exames em mãos para discutir o caso. O dr. Alfredo Palhares, especialista em cardiopediatria e diretor médico do Hospital das Clínicas de Cuiabá, tomou a palavra:

— Estamos aqui com toda documentação médica da recém-nascida Sophia, filha do nosso ilustre colega dr. Carlos Roberto Pontes do Amaral. Resolvi chamar os colegas de outras especialidades a pedido do próprio Carlos e da nossa colega, dra. Margareth. Sei que não preciso lhes pedir sigilo, mas nunca é demais lembrar.

— A história é um pouco constrangedora porque mexe com aspectos religiosos da minha família — explicou Carlos.

— Quer nos contar a história? — sugeriu Palhares

— Claro. No dia 21, ou seja, anteontem, minha esposa Luzia entrou em trabalho de parto após uma gravidez de risco com sinais de pré-eclampsia. Foi submetida a uma cesariana de urgência, porém... o quadro evoluiu para uma eclampsia com parada cardíaca.

Vendo que Carlos estava visivelmente abatido e emocionado com as últimas lembranças, Margareth continuou:

— Eu era a neonatologista naquele dia. O obstetra de Luzia chegou no meio do parto que Carlos havia iniciado. Quando retirou Sophia, seu índice de Apgar no primeiro minuto era zero. Estava completamente arroxeada e sem movimentos respiratórios. Tentei aspirá-la e reanimá-la, mas após os primeiros cinco minutos seu Apgar continuava inalterado. Cheguei a constatar o óbito quando a sala foi invadida pela sogra de Carlos, a avó da criança, uma espécie de feiticeira ou xamã da região.

— Nossa! Como assim?! — exclamou um dos médicos presentes.

— Pois é. A mulher estava enlouquecida e simplesmente pegou a criança que estava enrolada em uns lençóis e saiu correndo mata adentro. Dois dias depois, Carlos foi até a casa da mulher e encontrou a criança viva nos braços da avó.

— Que história mais maluca! — concordou Palhares.

— Gostaria que os colegas nos ajudassem com alguma explicação lógica para o fato, já que os exames de imagem e a bioquímica do sangue foram normais, como vocês mesmos podem ver — concluiu Margô.

— A lógica nem sempre é o caminho mais lógico, doutora — argumentou William Breginski, o neuropediatra.

— A tal feiticeira... Carlos, me desculpe, a sua sogra, deu algum detalhe do que aconteceu? — quis saber Palhares.

— Ela costuma fazer uns rituais, dentro de uma caverna localizada atrás de uma das cachoeiras da região. — Carlos não quis acrescentar que Luzia também frequentava a gruta da cachoeira.

— Sei. E você não sabe o que é usado nesses rituais?

— Não faço a menor ideia.

— Se a pobre velha por acaso fez um ritual xamânico desses de ressuscitação, pedindo pela vida da neta — especulou William —, o que vocês acham que ela usaria?

— Isso é uma junta médica, William! Você está mesmo querendo ver alguma racionalidade nesse tipo de crendice? — argumentou Palhares.

— Tem alguma uma ideia melhor? Estou tentando reproduzir o ambiente, o microcosmo do que pode ter acontecido.

— Deixa ele continuar, Palhares! — pediu Margareth.

— O William sempre foi chegado num ocultismo, Margareth! Lembre--se que na faculdade volta e meia ia pro Chile tomar chá de ayahuasca para, como ele costumava dizer, expandir a mente — insistiu Palhares.

— Os povos antigos — continuou William, ignorando os comentários — sempre envolviam os quatro elementos em seus rituais pagãos. E sabemos que a velha senhora tinha à sua disposição a água da cachoeira, não é mesmo, Carlos?

— Sim, sem dúvida.

— O elemento terra poderia ser a própria caverna, talvez as pedras, o subsolo — acrescentou Margô.

— Isso mesmo, Margareth. E seria só acender uma fogueira dentro da caverna, e eis que temos o elemento fogo. Imaginem só uma enorme gruta úmida, com o fogo alimentando continuamente a vaporização dessas partículas de água.

— Como se fosse um nebulizador gigante, você quer dizer? — Margareth começava a entender aonde o colega queria chegar.

— Exatamente!

— William, você é brilhante!

— Gente, se vocês entenderam alguma coisa, me expliquem porque estou boiando — interviu Carlos.

— O que o William quis dizer, Carlos, é que a gruta poderia ter funcionado como um grande nebulizador, fluidificando as secreções respiratórias e drenando-as, facilitando assim a respiração de Sophia.

— Isso se a Sophia estivesse viva, não é, Margô? Mas você mesma atestou o óbito! — Carlos estava incrédulo diante daquelas especulações.

— Sim, ela estava morta quando nasceu. Tenho certeza.

— Carlos, sua esposa estava fazendo uso de alguma medicação durante a gestação? — perguntou William.

— Alfa-metildopa para o controle da hipertensão, e nas últimas semanas vinha recebendo injeções de cortisona para a maturação do pulmão fetal, já que havia a possibilidade de um parto prematuro.

— Nenhum ansiolítico, antialérgico ou antidepressivo?

— No início da gestação chegou a fazer uso de um indutor do sono para se livrar das crises de sonambulismo, mas foi melhorando ao longo da gravidez e abandonou a medicação.

— Tem certeza?

— Bem, acho que sim. Espere! Andei mexendo numas gavetas da cômoda esta semana e realmente havia umas caixas desse mesmo remédio para dormir.

— Esses medicamentos podem provocar um estado de profunda depressão cardiorrespiratória no neonato.

— Está me dizendo que não percebi que Sophia estava viva? — questionou Margareth, indignada.

— Estamos lidando com todas as possibilidades, Margareth! Lembre-se que o centro cirúrgico estava um caos. Tentávamos ressuscitar mãe e filha ao mesmo tempo. Você fez tudo o que estava ao seu alcance. Pode ter conseguido reanimar Sophia e não ter se dado conta — contemporizou Carlos.

— E, depois, a própria corrida da avó com a menina aninhada nos braços pode ter contribuído para essa drenagem postural da secreção respiratória e para a estimulação cardiovascular. Você concorda comigo, Palhares? — William pediu o apoio do diretor do hospital.

— Olhando por essa perspectiva do excesso de sedação, sim. Então, senhores, acho que podemos dar por encerrada a nossa sessão clínica. Está satisfeito com as respostas, dr. Carlos?

— Acho que, pensando de uma maneira mais lógica, tudo se encaixa, não é mesmo?

— Nem tudo, dr. Carlos!

A voz veio do fundo da sala. Um homem corpulento levantou-se apoiado em suas muletas. Caminhou com dificuldade até onde estavam os médicos e parou, olhando bem fundo nos olhos de Carlos.

— O fato de sua filha estar viva, ilesa e sem sequelas, é um milagre! Não concebo outro nome para o que presenciei aqui. Se existe ou não um fundamento científico para tudo isso, é o que menos importa. Pegue a sua filha, o seu milagre, e faça a sua vida valer a pena!

O homem dirigiu-se para a porta principal e saiu, batendo-a atrás de si, sem olhar para trás.

23 DE JANEIRO DE 2000
FAZENDA DO ZÉ COXO, BARRA DO GARÇAS, MATO GROSSO

A CASA AINDA EXALAVA O CHEIRINHO de Sophia. Ana arrumou as roupinhas e o pequeno berço que Luzia havia comprado para os momentos em que o bebê ficaria com a mãe. Tentava se distrair para não pensar no estupro. Não procurara a polícia temendo o constrangimento e o escândalo. O nascimento de Sophia já era suficiente para ocupar o pensamento malicioso das pessoas da região. Enquanto dobrava as roupas, pensava nas palavras do abusador: "A menina pode ser minha, não pode?".

— Não, não pode! — respondeu alto para si mesma.

Abriu um velho baú de madeira que ficava aos pés da sua cama, onde guardava o enxoval de Sophia. O cheiro do sândalo invadiu o quarto. Revirou algumas mantas e lençóis, e puxou do fundo de tudo um envelope de papel pardo. Imediatamente algumas lembranças do passado vieram à tona.

Ela estava no armazém do Naldo, quando o telefone tocou. Reginaldo lhe estendeu o fone e Ana atendeu.

— É a sra. Ana Peixoto? — perguntou a voz do outro lado da linha. — É que o seu marido esteve aqui conosco para realizar alguns exames, e eles já ficaram prontos há mais de um mês. Tentamos entrar várias vezes em contato com ele e não obtivemos retorno. Ah, lamento muito, meus sentimentos, senhora.

Só depois daquele estranho telefonema Ana vasculhou mais uma vez o saco que lhe entregaram no IML de Goiânia, com os pertences de José Peixoto. Ali encontrou um pequeno papel com o protocolo de retirada dos exames. Até então, Ana não compreendera o que aquilo significava. José nunca comentara com ela que estava doente, e muito menos que havia procurado um médico. Entendeu então que o marido havia ido a Goiânia para buscar os resultados daqueles exames quando o acidente ocorreu. Combinou uma ida à capital com o Naldo do armazém para por fim descobrir o que havia afligido o falecido marido. O amigo respeitou a privacidade de Ana e nada perguntou. Em casa, sozinha, abriu o envelope e encontrou dois exames. Um deles era uma ultrassonografia da bolsa escrotal e o outro, um espermograma. Leu os resultados, mas não conseguiu compreender direito os termos empregados.

"Será que o meu Zé estava doente da próstata?", pensou. Guardou cuidadosamente aqueles exames durante todos esses anos sem jamais ter mostrado a ninguém. Nunca comentara nada com Luzia. Agora, depois do ocorrido na cachoeira, intuitivamente resolveu remexer naqueles papéis. No fundo, sabia que talvez as palavras do agressor pudessem ser esclarecidas através do resultado daqueles exames que agora ardiam em suas mãos. Não poderia perguntar a Carlos Eduardo, não seria muito aconselhável. Levaria os exames no dia seguinte, quando fosse reabrir a sorveteria, e perguntaria a algum médico do posto. Não, não podia fazer aquelas perguntas para os médicos dali, pois todos a conheciam. Iria até a reserva indígena de Meruri, lá havia médicos e poderia conversar com a velha índia que a recebera da última vez. Estava perdida em meio aos seus pensamentos quando bateram na sua porta. Ana abriu e reconheceu a figura do delegado de Barra do Garças.

— Desculpe atrapalhar o seu luto, dona Ana, mas gostaríamos de saber se a senhora tem visto uma onça-pintada com frequência por essas bandas?

— Não, senhor delegado, realmente não tenho visto.

— Alguns fazendeiros têm se queixado da presença de uma onça por essas bandas. Relataram inclusive que ela anda abocanhando animais nos pastos de suas propriedades.

— Aqui ela não pegou nenhuma de minhas cabras.

— A senhora tenha muito cuidado. Sei que gosta de andar sozinha por essas matas.

— Os bichos da mata não me assustam, delegado Adamastor. É do bicho homem que devemos ter muito medo.

— Algum motivo pessoal para fazer esse comentário, dona Ana? Alguém tem perturbado ou molestado a senhora?

— Vivo em paz com Deus, no meu canto.

— Pois bem, se souber de alguma coisa, nos avise. Evite sair sozinha e tranque bem todas as portas e janelas.

— Sim, não se preocupe. Sei cuidar de mim mesma.

O delegado se encaminhou para a porta, jogou fora o cigarro que havia começado a fumar e comentou:

— Sabe o Russo? Aquele funcionário antigo do bar do Naldo? Foi encontrado no meio da mata, perto daqui. Só restou dele a cabeça e o tronco para contar a história.

23 DE JANEIRO DE 2000
FAZENDA AMARAL, BARRA DO GARÇAS, MATO GROSSO

CARLOS E MARGÔ RETORNARAM para a fazenda dos Amaral no início da noite. Estavam cansados, mas Carlos parecia satisfeito com tudo o que ouvira. Margareth manteve-se calada durante toda a viagem. Não admitia a possibilidade de ter cometido um erro, de ter subestimado suas próprias tentativas de reanimação e não ter percebido o estado clínico real de Sophia quando nasceu.

— Vai ficar calada assim até quando? — perguntou Carlos.

— Até entender o que aconteceu.

— Não se culpe. Você fez o que estava ao seu alcance.

— Juro que ela estava morta!

— Acho, sinceramente, que isso já não importa mais, Margô. Tudo é muito recente e doloroso para mim. Você sabe que eu amava muito a Luzia, apesar de todos os problemas, e vou precisar da sua ajuda e da sua... amizade.

— Sabe que me tem. Carlos... como amiga. Mas ainda estou abalada com tudo isso.

— Posso contar com você ao meu lado?

— Sempre! Só preciso de um tempo para elaborar melhor isso tudo.

— Combinado.

— O que pretende fazer?

— Em relação a quê?

— Em relação a Sophia. Como pretende cuidar dela. E a avó, vai deixar a menina com ela?

— Vou contratar uma babá com muita experiência. E conversar com Ana. Apesar das nossas desavenças, seria desumano deixá-la fora disso tudo. Ela, de alguma forma, trouxe Sophia para nós.

— Ora, ora, nem tudo está perdido. Nem acredito que essas palavras saíram da sua boca, Carlos do Amaral. Enfim, talvez este, sim, seja um verdadeiro milagre!

— Quem sabe, Margô, quem sabe...

25 DE FEVEREIRO DE 2000
RESERVA INDÍGENA SAGRADO CORAÇÃO DE MERURI, BARRA DO GARÇAS, MATO GROSSO

A RESERVA DO SAGRADO CORAÇÃO DE MERURI havia mudado muito desde a última vez que Ana e Luzia haviam estado lá. A missão salesiana tinha melhorado e restringido o atendimento local apenas aos índios bororos. Ana foi até lá sozinha, dirigindo a sua picape. Procurou por Aline na recepção:

— Bom dia. Por gentileza, a Aline ainda trabalha aqui?

Dessa vez, quem a atendeu foi um rapaz de cerca de vinte anos com traços indígenas marcantes.

— Desculpe, mas a senhora sabe o sobrenome dela?

— Estive aqui há cerca de quinze anos, e quem me atendeu foi uma pessoa chamada Aline. Ela era neta de uma das senhoras mais idosas da reserva, uma das índias anciãs.

— Ah, a senhora deve estar se referindo à dra. Aline Mendonça.

— Doutora?

— Isso mesmo! A dra. Aline trabalhou durante um tempo aqui na administração, antes de ir para a faculdade de medicina. Ela se formou em Goiânia e retornou para trabalhar no programa de saúde da família aqui na reserva.

— Que coisa maravilhosa! Onde posso encontrá-la?

— Ela deve estar atendendo no posto médico. Posso acompanhar a senhora até lá.

O rapaz entrou na caminhonete e Ana dirigiu por alguns metros até pararem diante do posto de atendimento.

— A senhora pode me esperar aqui enquanto falo com a enfermeira.

— Sim, claro, sem problemas.

Alguns minutos depois, o atendente retornou até a janela do carro.

— A dra. Aline vai atendê-la assim que terminar uma consulta. Vou retornar à recepção. Se a senhora precisar de mais alguma coisa, é só falar.

— Muito obrigada.

O posto médico era simples, mas extremamente funcional. Contava com alguns poucos consultórios, com macas e mesas para atendimento, além de uma sala de imunização para a vacinação de toda a aldeia, uma sala de curativos e uma pequena sala de cirurgia para procedimentos simples. O movimento estava intenso naquela manhã. Alguns curumins choravam na frente da sala de imunização.

— Dona Ana, pode entrar. A dra. Aline a está aguardando.

Ana pegou o envelope de papel pardo e dirigiu-se ao primeiro consultório. Aline a recebeu com alegria:

— Como vai a senhora, dona Ana? Que prazer imenso revê-la.

— O prazer e a surpresa são todos meus em encontrá-la aqui de novo, e ainda por cima médica! Benza Deus!

— E sua filha, Luzia? Não é esse o nome dela?

— Infelizmente ela se foi faz um mês, mas nos deixou uma menina linda chamada Sophia.

— Nossa. Desculpe, não esperava por essa notícia. Devia ser tão jovem e tão bonita. Parecia um facho de luz quando esteve aqui da última vez.

— E sua avó?

— Vovó faleceu alguns anos atrás, com cento e seis anos.

— Que felicidade para ela ter vivido tanto tempo. Lembro de que era tão lúcida.

— E assim ela continuou. Por alguns anos, vovó sofreu com a falta de visão, mas há quinze anos ganhou um presente muito especial. Na verdade, foi um pouco depois da visita de vocês.

— É mesmo? E o que ela ganhou, Aline?

— Vovó voltou a enxergar tudo!

— Mas como foi isso?

— Talvez a senhora possa me explicar.

— Eu? Como assim?

— Ela tinha certeza de que o retorno da visão estava relacionado à visita de Luzia. Nunca entrou em detalhes, mas dizia que devia essa graça à sua filha.

As lágrimas rolaram pelo rosto de Ana.

— Desculpe-me, dona Ana, por despertar essas lembranças num momento assim tão doloroso para a senhora. Mas é que isso foi muito especial para nós.

— Minha filha Luzia era uma pessoa muito especial, um presente do céu. Não pertencia a esse mundo, e por isso foi levada tão cedo. Deus tem suas razões. Ficam as lembranças de momentos tão significativos como esses.

Aline pegou as mãos da índia entre as suas num gesto afetuoso.

— Como posso ajudá-la?

— Na realidade, não sabia que era médica. Ia justamente pedir que me ajudasse a encontrar alguém que pudesse me auxiliar a tirar uma dúvida. E quando chego aqui...

— Pois bem, pode tirar todas as suas dúvidas.

— Talvez pareça esquisito levantar essas questões neste momento, depois de tanto tempo, e logo agora que Luzia não está mais entre nós, mas talvez isso possa influenciar de alguma forma a vida de Sophia, e por ela eu resolvi enfrentar essa situação.

Ana entregou o envelope a Aline.

— Gostaria que olhasse esses exames e me dissesse o que significam essas palavras.

Aline abriu o exame de ultrassonografia e leu com atenção o laudo do radiologista. Em seguida avaliou o resultado do espermograma.

— Suponho que o sr. José Peixoto seja o pai de Luzia, certo?

— Sim — respondeu Ana, apreensiva.

— E ele chegou a ver o resultado desses exames?

— Não. Na verdade, ele foi atropelado no dia em que foi buscá-los.

— Bem, dona Ana, o ultrassom mostra que o sr. José Peixoto tinha uma lesão no cordão espermático do testículo direito, uma espécie de cicatriz ou fibrose.

— Ele sofreu um acidente muito sério antes de me conhecer, e por isso era coxo. O meu Zé puxava da perna direita.

— Talvez a fratura ou o próprio acidente possa ter traumatizado esse testículo. O outro testículo, o esquerdo, apresenta uma série de dilatações dos vasos que nós chamamos de varicocele.

— E isso é grave?

— Não, mas poderia comprometer em muito sua fertilidade.

— E o outro exame?

— O espermograma diz que o sr. José tinha azoespermia.

— E o que é isso?

— Ausência de espermatozoides no esperma.

— Então isso significa que...

— Sim, o sr. José Peixoto era estéril.

— Mas, então, a Luzia...

— Isso não deveria ser uma surpresa para a senhora. Lembro perfeitamente, embora estivesse no quarto com Luzia, que minha avó contou uma história para a senhora a respeito de um certo visitante das estrelas.

— O *Waparuá*!

— Sim. A senhora tinha dúvidas a esse respeito?

— Sim, mas a senhora é doutora! Também acredita nisso?

— Não estou aqui para julgar ninguém, dona Ana. O que importa realmente é o que ela representou em vida, o que fez em benefício dos outros. E a tirar pelo que fez à minha avó ainda tão criança, deve ter sido um ser humano espetacular.

— E o meu Zé morreu sem saber de nada.

— O que talvez tenha sido bem melhor para ele. Pai é quem cria, dona Ana!

— Sim, e ele foi o melhor pai que Luzia poderia ter.

Aline chamou um dos meninos da aldeia e pediu que fosse até sua casa e pegasse uma pequena caixinha de papelão que estava na estante. Alguns minutos depois, o curumim retornou com a tal caixinha em mãos.

— Acho que isto é seu. Minha avó me entregou antes de morrer, como se fosse a relíquia mais preciosa que havia guardado durante toda a vida. Talvez achasse que você voltaria algum dia, com as mesmas dúvidas que a trouxe até aqui naquela ocasião. Mas não abra agora. O seu coração vai lhe dizer qual é o momento certo.

— Muito obrigada, minha filha. Que a luz esteja sempre com você.

— Obrigada, dona Ana! Que a luz esteja sempre com a senhora.

Ana chegou em casa ainda mais atormentada. As palavras do estuprador ecoavam nos seus ouvidos, insinuando... Sempre fora fiel ao marido, mas ficava muito tempo sozinha. Zé estava sempre cansado da lida, e ela ainda era tão nova. Diversas vezes acordava afogueada no meio da noite, procurando o seu homem e tendo que se conter e refrear os seus desejos indo se banhar nas águas geladas da cachoeira. Já havia percebido o olhar malicioso dos homens quando ia ao armazém do Naldo. Olhares de cobiça! Tentava se impor e exigia o respeito de todos, pois afinal era casada. E todos a respeitavam, menos o forasteiro que tinha vindo do Sul. O homem sempre arrastava um olhar comprido para a morena cor de canela dos cabelos pretos que cheiravam a acácia. Numa dessas idas ao armazém, o homem se ofereceu para ajudar Ana a levar os mantimentos. Ana recusou educadamente. Estava acostumada a lidar com a carroça.

— Aceite a ajuda, dona Ana! O Russo é meu funcionário de confiança — disse Naldo.

Ana aceitou a oferta. Esperou o moço carregar a carroça e, ao final, meio a contragosto, permitiu que se incumbisse dos arreios, visto que suas mãos estavam machucadas de debulhar várias espigas de milho na véspera para fazer as pamonhas que seriam vendidas no armazém.

O homem falava pouco. Era forte e tinha o peito largo e sem pelos. Os olhos eram de um azul profundo e profano. Luzia olhava os braços fortes e as mãos de dedos largos segurando as rédeas dos cavalos. O suor escorria pelo pescoço de Ana, que prendeu os cabelos no alto da cabeça, deixando à mostra um pescoço bem torneado e o colo ofegante. Ana sentiu o maxilar do homem se contrair. O calor sufocante ia aos poucos encharcando a blusa fina, deixando-a colada ao corpo e revelando seios rijos e perfeitos. O homem dos cabelos cor de trigo e olhos cor do céu mantinha-se impassível, com o olhar fixo no caminho. As respirações fortes se somavam, e era o único barulho que se ouvia pela trilha no meio do cerrado.

A alguns metros de casa, algo assustou os cavalos, que começaram a relinchar, erguendo-se sobre as patas traseiras. Ana se desequilibrou e caiu da carroça. O homem rapidamente tratou de ajudar a índia. Ofereceu uma das mãos, puxando Ana de encontro a ele. O gesto não foi premeditado, mas aproximou os dois corpos, que se tocaram por alguns instantes. Ana sentiu a mão forte em sua cintura e o toque dos lábios macios e carnudos no seu pescoço. Colocou as mãos espalmadas sobre o peito musculoso, tentando inutilmente manter uma distância segura. O ar quente da respiração no seu pescoço causava-lhe um misto de espanto e prazer. Fechou os olhos e por um momento pensou apenas em ser feliz. Sentiu o toque dos dedos macios desabotoando sua blusa e tocando a sua pele quente. A boca, de início resistente, foi se tornando suplicante e sedenta, permitindo-se penetrar. Ana deixava-se possuir aos poucos, num frenesi de excitação e prazer como nunca havia sentido antes. Seus dedos agarravam-se nos cabelos dourados enquanto as pernas roliças e morenas buscavam o contraste do contato macio com a pele alva.

Recostou-se num tronco e sentiu a pressão do corpo dele sobre o seu. O cheiro do suor se misturou ao hálito febril das salivas trocadas. Sentiu-se tocada na sua intimidade, despertando aos poucos e exigindo cada vez mais dos dedos que a invadiam sem nenhum pudor. Estava totalmente entregue. O homem a deitou delicadamente sobre as folhas e, afastando suas pernas, a penetrou, fazendo com que gemesse baixinho. E a cada movimento do quadril, um novo gemido. Os movimentos inicialmente débeis foram se tornando mais intensos e vigorosos, pedindo o gozo. Ana olhou no fundo daquele oceano azul e percebeu que iria se afogar. Tentou parar, mas o homem estava enlouquecido de prazer. Tentou se desvencilhar, mas era difícil. O Russo era um homem grande e pesado. Sem entender o que se passava, o homem aos poucos foi recobrando a respiração normal e afrouxou a pressão sobre Ana, permitindo que ela saísse. Ana tentou se recompor como podia e saiu correndo pelo meio da mata. Estavam a poucos metros de casa.

— Espere, senhora! Não precisa correr. Eu a deixo em casa, em segurança — gritou o homem inutilmente.

Ana correu pela mata sem ouvir mais nada. Queria fugir dali, fugir de si mesma, dos seus desejos. Não podia fazer isso com o marido! A culpa lhe remoía, fazendo doer os músculos e as articulações. Entrou em casa com os braços feridos pelos galhos. Trancou a porta e se atirou na cama, aos prantos. Quando José Peixoto chegou naquela noite, a carroça estava atrelada a um tronco e as compras haviam sido descarregadas e empilhadas próximo à porta. Encontrou Ana dormindo com a roupa que chegara, ardendo em febre. A índia delirou durante a madrugada inteira, gritando e falando palavras sem sentido. José fez compressas, mas nada abaixava a febre da mulher. Com os primeiros raios da manhã, a febre foi embora e Ana só acordou no início da tarde.

José atribuiu o ocorrido a uma provável virose ou indisposição de mulher naqueles dias, e não falou mais sobre o assunto. Ana apagou aquele momento da sua vida como algo que não poderia ser jamais lembrado. Escondeu os fatos ocorridos tão profundamente dentro de si mesma que chegava a duvidar que aquilo tudo houvesse mesmo ocorrido. Até o maldito episódio da cachoeira, que trouxe tudo aquilo à tona num momento tão inoportuno. Olhou para a pequena caixinha de papelão que colocara sobre a cômoda do quarto. Estava muito cansada, e tudo de que precisava era dormir um pouco. O sono não ajudou muito. Teve uma noite agitada, acordando várias vezes durante a madrugada. Sonhava com a imagem do "anjo" que se deitara sobre ela na cachoeira, que não lhe permitia ver o rosto, tamanha era sua luminosidade, mas cujo farfalhar das asas era inconfundível e, subitamente, a imagem do anjo era substituída pela figura de um enorme homem de cabelos loiros e olhos profundos e azuis, que gritava desesperadamente enquanto era devorado por uma onça-pintada. Ana acordou e olhou novamente para a caixinha de papelão.

Horizonte vertical *147*

— Deus, me dê apenas um sinal. Eu não posso ficar com essa dúvida pelo resto da minha vida.

Levantou-se e agarrou carinhosamente o medalhão no seu pescoço. Deu alguns passos em direção à cômoda e segurou a pequena caixinha com todo o cuidado. Abriu a pequena relíquia indígena e, surpresa, deixou escapar um grito:

— *Waparuá!*

Dentro da caixa havia um grande cacho de cabelos dourados. Lembrou-se da história contada pela velha índia e entendeu que foram protagonistas do mesmo milagre.

15 DE MAIO DE 2009
CUIABÁ, MATO GROSSO

CARLOS ROBERTO E MARGARETH CASARAM-SE no civil dois anos após a morte de Luzia. Resolveram se mudar para a capital, onde Margareth assumiu a chefia do serviço de neonatologia do Hospital das Clínicas de Cuiabá, e Carlos Roberto, a direção-geral da mesma instituição e a chefia médica do serviço de cirurgia geral. Iam a Barra do Garças duas vezes por semana para prestar atendimento no Hospital das Clínicas Nossa Senhora do Amparo, onde Carlos continuava como sócio majoritário. E viajavam para congressos no exterior todos os anos.

Carlos Roberto manteve a palavra e permitia que Ana tivesse livre acesso à neta. Com o tempo e os estudos, as idas à fazenda da avó foram ficando mais espaçadas, limitando-se ao período das férias e dos feriados prolongados. Sophia recebia uma educação tradicional num colégio de freiras, e tinha aulas de inglês e francês. Aos nove anos já falava espanhol fluentemente, porém o que mais amava eram as aulas de equitação, recebidas na fazenda-sede dos Amaral, em Cuiabá. Adorava trotar livre sobre os cavalos, deixando-se levar. Nesses momentos, era como se ela e o animal fossem um único ser, separados apenas por uma sela. Gostava de conversar com os cavalos, especialmente o que ganhara do velho Amaral em seu último aniversário, o Ventania, um manga-larga marchador marrom, malhado. Desde pequena

Sophia habituara-se a andar nos cavalos da fazenda do avô. Era extremamente ágil e dominava o animal sem nenhuma dificuldade. Sentia como se o animal fosse uma extensão de si mesma.

Carlos optara por morar num apartamento mais funcional em Cuiabá, um tríplex espaçoso com varandas em todos as quatro suítes, uma sala de jantar requintada, onde recebiam amigos para jantares eventuais, e dois escritórios com prateleiras abarrotadas com vários livros e periódicos de medicina, onde Carlos e Margô trabalhavam quando estavam em casa. O apartamento contava ainda com uma sala de estar, um pequeno hall de entrada, uma imensa copa-cozinha e quartos para os empregados. No primeiro pavimento, além das salas de jantar e estar, havia um home theater, um salão de jogos e um lavabo. O segundo andar contava com as quatro suítes, duas delas convertidas em escritórios e que serviam eventualmente de quartos para hóspedes. O último pavimento era dividido em um imenso terraço com uma área coberta e um solário. Contava ainda com um ofurô, uma banheira de hidromassagem para seis pessoas, sauna, churrasqueira com forno a lenha e um lindo canteiro que era artesanalmente cuidado pelo jardineiro. Espécies variadas de plantas ornamentais davam ao terraço um toque colorido e o tornavam o lugar mais agradável da casa. Sophia tinha uma babá que acabava atuando mais como uma dama de companhia, já que o pai e a madrasta passavam a maior parte do tempo fora.

— Sarah, a próxima vez que eu for à fazenda da vovó, vou te levar. Você vai amar as cachoeiras. E depois tem a sorveteria da vó Ana, o melhor sorvete do cerrado. — A menina soltou uma gargalhada gostosa.

— Sabe que sua vó prefere ficar a sós com você — argumentou a babá.

— É porque a vovó é muito simples, talvez tenha vergonha de receber mais gente. Mas vou falar com ela.

O quarto de Sophia era típico das meninas da sua idade, a não ser pelas inúmeras fotos de cavalos espalhadas pela estante. Na mesa de cabeceira, havia um porta-retratos maior, com uma moldura de prata e a foto de uma mulher de cabelos loiros e intensos olhos azuis.

— Queria que minha mãe estivesse aqui comigo.

— Tenho certeza que ela também gostaria disso. Quem sabe ela não está? Apenas não conseguimos vê-la.

— Vó Ana diz que ela está comigo o tempo todo.

— Pois então. Acredite na sua avó, porque aquela sim sabe tudo.

— Papai não gosta muito de falar sobre isso. E fica muito irritado quando falo sobre a casa da vovó.

— Talvez ele ainda sinta muitas saudades da sua mãe e essas lembranças o aborreçam. Agora, mocinha, vamos dormir porque está muito tarde.

Sarah estava com Sophia desde o seu nascimento. Fora muito bem indicada por uma das amigas de Margô. Era jovem, alegre e discreta, condição obrigatória para trabalhar na casa de Carlos Roberto. Porém era inevitável ouvir alguns comentários trocados entre o patrão e a esposa quando ajudava a copeira após o jantar. Não era muito difícil perceber que o médico tinha muitas ressalvas em relação à sogra, a quem de vez em quando se referia como a "Feiticeira do Roncador" à mesa ou no escritório, quando estava sozinho com Margô. Sarah fora trazida de Barra do Garças e conhecia várias histórias contadas na região envolvendo os Amaral e os Peixoto. Até aqueles dias ainda se comentava que uma onça-pintada sequestrara Sophia morta nas barbas do pai e a levara para a avó feiticeira, que ressuscitara a menina. Esse assunto era tabu na casa dos Amaral. Sarah acompanhou poucas vezes Sophia quando ia de férias para a casa da avó, embora Carlos Roberto fizesse questão da presença da dama de companhia, como se não confiasse na sogra. Com o tempo, Ana conquistou o direito de ficar sozinha com a neta e passaram a dar férias à babá nesse período.

Sophia era uma aluna dedicada e gostava de aprender coisas novas. Curiosa, pesquisava sobre tudo nos sites de busca da internet. O computador sobre a escrivaninha de estudos aos poucos foi relegado e substituído por um celular, que lhe permitia acessar a rede através de toques na tela. O pai lhe trouxera o telefone de presente do último congresso de que participara em Nova York. Sophia estava maravilhada com o aparelho. O pai a proibia de levá-lo para a escola, ordem que frequentemente ignorava. Foi então que certo dia Sarah entrou no quarto da menina e percebeu em Sophia certo distanciamento. A menina olhava fixamente para o celular, como se observasse algo através da tela. Sarah chamou-a pelo nome várias vezes sem obter resposta. Começou a ficar assustada e a sacudir Sophia. Após alguns minutos, Sophia respondeu aos sacolejos, estranhando o comportamento da babá. Não se lembrava do período em que parecera estar alheia a tudo. Sarah, a princípio, não quis alarmar os patrões e decidiu observar se o estranho comportamento se repetiria.

— Já está arrumada, querida? — perguntou Margô da porta do quarto.

— Quase pronta!

— Você tem dez minutos pra tomar o seu leite. Seu pai tem um monte de cirurgias marcadas para hoje e quer chegar bem cedo no Hospital das Clínicas.

— Posso levar meu iPhone?

— Não!

Sophia pegou o celular e enfiou na mochila antes que a madrasta percebesse. Olhou o porta-retratos e deu uma piscada para a mãe antes de sair.

— Não conte nada para ninguém. Este é um segredo só nosso. — Desceu correndo as escadas e saiu mordiscando uma maçã.

— Ei, mocinha, aonde pensa que vai? Beba o seu leite — Margareth ordenou enquanto comia o seu preparado de grãos, mel e frutas.

— Não vai dar tempo, Margô!

—Ah, vai sim. Seu pai espera!

— Mas eu posso comer a maçã no caminho.

— Tome o leite e leve a maçã.

Muito a contragosto, Sophia sentou-se e começou a tomar o leite com cara de nojo.

— Sem fazer careta, moça! — Margareth voltou então os olhos para o pescoço da menina. — Onde está a medalhinha que a sua vó te deu?

— O fecho arrebentou e eu guardei no meu porta-joias.

— Deveria ter me falado. Vou mandar para o conserto.

Sophia terminou o leite e saiu correndo, enquanto o pai buzinava, impaciente. Margô terminou a refeição e dirigiu-se ao quarto da menina. Iria à cidade e aproveitaria para levar o cordão da enteada ao ourives. O presente havia sido dado por dona Candinha, a mãe de Carlos Roberto, alguns anos antes da sua morte. Num de seus raros momentos de lucidez, Candinha deu de presente a Sophia um cordão de ouro com uma medalhinha de santa Sofia. A joia tinha a imagem da santa com três mulheres ao redor. Era de ouro e toda contornada por pequenos brilhantes. A matriarca dos Amaral falecera havia dois anos por complicações do mal de Alzheimer. Margô pegou o cordão e verificou que o conserto deveria ser simples, pois realmente bastaria a troca do fecho. Uma lufada de vento entrou pela janela aberta, balançando as cortinas e derrubando o porta-retratos. Margô sentiu uma espécie de arrepio. Ajeitou a moldura com a foto de Luzia, fechou a janela e saiu logo em seguida.

Sophia tivera um dia agitado. Depois da escola, teve aula de inglês e o motorista a levou no final da tarde para praticar equitação na fazenda do avô. O velho Amaral a recebeu todo festivo, pois adorava a companhia da neta.

— O Ventania está ansioso à sua espera.

Sophia se pendurou no pescoço do avô, beijando-lhe o rosto todo.

— Ai, minha menina, que assim vai matar este teu velho aqui. E como está aquele filho desalmado, que nunca vem por esses lados?

— Trabalhando no hospital. Dia e noite, noite e dia.

Amaral sentiu uma ponta de tristeza na voz da menina e tentou distraí-la.

— O que vamos dar para o Ventania hoje?

— Podemos dar torrões de açúcar, vô?

— Você sabe mesmo o gosto do seu cavalo.

Amaral pegou alguns torrões de açúcar mascavo, enfiou no bolso e caminhou de mãos dadas com a neta até as baias dos cavalos. Ventania sentiu o cheiro da menina à distância e começou a agitar as patas.

— Calma, meu amigo, já estou aqui com o seu lanchinho.

Sophia amava aquele cavalo mais que tudo na vida. Gostava de acariciar a crina macia enquanto dizia palavras doces no ouvido do animal.

— Você vai ser sempre o meu melhor amigo! Você e o André.

Naquela tarde, Sophia galopou sozinha quase até a divisa da propriedade. Quando retornou, seu instrutor lhe chamou a atenção:

— Você não pode montar sozinha além das terras do ribeirão. Já lhe avisei que próximo dali os animais gostam de beber água no açude. Além disso, tem muitos restos da pedreira desativada e as cobras gostam de se esconder por ali.

— Não se preocupe, Airton! O meu Ventania sabe muito bem se defender!

— Ah, o Ventania sabe mesmo, mas você não. E a sua mãe me odiaria se acontecesse qualquer coisa com você.

— Você gostava muito da minha mãe, não é?

— Sua mãe foi a coisa mais preciosa que eu já conheci. Era um anjo que cuidava de todos nós.

— O papai não gosta muito de falar sobre ela. A minha avó disse que ela gostava muito de cuidar das pessoas.

— Ela fazia mais do que isso. Vi muita gente ficar curada nas mãos dela. Sua avó Ana também é boa nisso, com as ervas. Mas igual à sua mãe, tá pra nascer.

— Mas como ela fazia isso?

— Ninguém sabe ao certo, mas ela tinha esse dom. Talvez você também tenha.

Sophia soltou uma grande gargalhada

— Não, não. Quero cuidar dos bichos quando eu crescer. Meu pai e a tia Margô já cuidam das pessoas.

— Acho que seu pai vai querer que você seja médica.

— Eu vou ser médica de bichos.

— Está bem então, dona médica de bichos. Vamos parar por hoje porque o seu cavalo tem que descansar.

Sophia despediu-se de Ventania e do instrutor e chegou em casa no fim da tarde. Margareth a esperava com o cordão já consertado.

— Tome o seu banho e se apronte que seu pai vai jantar conosco.

— Oba! Adoro quando ficamos todos juntos como uma família.

— Nós somos uma família, querida. Vá se arrumar. Sarah já separou a sua roupa. Suba na frente enquanto procuro o seu cordão na minha bolsa.

Sophia subiu as escadas e Sarah a aguardava para ajudá-la no banho.

Margô subiu logo atrás. Ao entrar no quarto, sentiu a mesma sensação de arrepio percorrendo-lhe a espinha. Olhou para a janela, para ver se havia alguma corrente de vento, mas o vidro estava fechado. Abriu o porta-joias para guardar o cordão e notou, surpresa, que o porta-retratos estava caído na mesma posição em que o encontrara pela manhã.

O colégio Nossa Senhora de Lourdes era um dos mais tradicionais em Cuiabá. Sophia era uma das melhores alunas da turma, mas também uma das mais falantes e rebeldes. Adorava incitar as amigas contra as regras rígidas das freiras. Estava sempre liderando as brincadeiras e as religiosas frequentemente a colocavam de castigo. Numa dessas ocasiões em que ficou durante o recreio na sala de aula, a freira reparou que ela usava uma pequena medalha.

— Lindo o seu cordão!

— Obrigada. Foi um presente da minha avó.

— Posso ver de perto? — perguntou a freira.

— Claro! — concordou Sophia, tirando o cordão do pescoço.

— É santa Sofia com suas três filhas — explicou a professora.

— Não sabia que essas mulheres eram filhas da santa! — exclamou Sophia, surpresa.

— Você sabe alguma coisa sobre essa santa?

— Não.

— Santa Sofia tinha três filhas a quem deu os nomes de Fé, Esperança e Caridade. Todas eram muito devotas do menino Jesus. Um dia, um homem poderoso ordenou que Sofia renegasse sua fé em Cristo e, como ela se recusou, esse homem, que era muito mau, acabou ferindo as filhas de Sofia, que morreram.

— Nossa, que história mais triste. E o que aconteceu com Sofia?

— Ela aguentou forte o sofrimento de ter perdido as filhas e continuou acreditando na força do menino Jesus e ajudando as pessoas. Mesmo depois de morta, continuou auxiliando os necessitados e doentes, e por isso virou santa.

— Será que a minha mãe também era santa?

— Por que você pergunta isso?

— Porque as pessoas dizem que ela só fazia o bem e curava as pessoas.

— E qual era a profissão dela?

— Enfermeira.

— Normalmente são os médicos que curam as pessoas.

— Meu pai é médico, mas não é como a minha mãe.

— Como sua mãe se chamava?

— Luzia Peixoto do Amaral.

— Ah, você é neta do Tenório do Amaral?

— Isso mesmo! Conhece meu avô?

— Não, mas já estive internada no hospital dele, em Barra do Garças, alguns anos atrás. Olhe, agora já pode sair do castigo e ir para o recreio, mas tente se comportar, está certo?

— Combinado. Obrigada. — E recolocou o cordão.

A freira esperou Sophia sair e abriu uma gaveta. Retirou de lá uma foto já meio rasgada. A foto mostrava uma mulher magra, de olhos encovados e sem cabelos, ao lado de uma enfermeira risonha de cabelos loiros e olhos azuis. Ela se lembrava muito bem daquele dia. Tinha passado a noite vomitando por causa da quimioterapia. A leucemia havia minado suas defesas. A enfermeira passara a noite ao seu lado e, ao amanhecer, não sentia mais enjoo e nem tontura. Foi sua última sessão de quimioterapia. A partir daquele dia, seus exames de sangue se normalizaram. Não foi necessário o transplante de medula pelo qual esperava havia meses. O hematologista não entendeu como a doença havia sofrido uma remissão em tão pouco tempo. Ainda continuava em acompanhamento, mas estava completamente curada. Não se lembrava exatamente do que havia acontecido. Aos poucos, o mal-estar cedera por completo e fora substituído por uma enorme sensação de bem-estar. Pela manhã, antes da troca do plantão, pediu que a enfermeira tirasse uma foto com ela, pois se sentia muito grata pelo conforto que a moça lhe oferecera. Jamais tirou da cabeça que sua cura devia-se, sem dúvida nenhuma, a Jesus, que usou como instrumento as mãos daquela enfermeira. Guardou a foto na gaveta e fez uma oração de agradecimento a Deus e à alma bondosa daquela mulher que a ajudara.

***

Sophia chegou em casa pensativa. A história da santa que tinha o seu nome havia mexido muito com ela. Jantou calada e pediu para dormir mais cedo.

— Só pode estar doente! — brincou Sarah, mas, ao perceber que a menina estava meio amuada, resolveu respeitar o seu silêncio.

— Quer que eu durma com você hoje?

Sophia olhou para o retrato da mãe com os olhos marejados, e com os lábios trêmulos balbuciou:

— Quero.

Sarah abraçou a menina por alguns minutos e deitou-se com ela até que adormecesse. Acordou no meio da noite e notou que Sophia não estava na cama. Levantou-se mais que depressa e tentou fazer o mínimo de barulho para não acordar as pessoas. Descalça, percorreu todos os cômodos da casa sem encontrar nada. Por último, subiu as escadas em direção ao terraço. Ao entrar, não conseguiu conter um grito de desespero. Sophia estava em pé no parapeito do terraço. Olhava fixamente para o céu como se estivesse procurando por alguma coisa, ou esperando alguém. Sarah gritou várias vezes o seu nome em vão. Acordados pelo barulho, Carlos e Margô subiram rapidamente as escadas até se depararem com a cena.

— Meu Deus, isso de novo não... — gemeu Carlos baixinho, colocando as mãos na cabeça.

As mulheres continuaram estáticas diante do perigo, enquanto Carlos se aproximava lentamente do parapeito. Não conseguia entender como a menina teve a agilidade de subir naquele local enquanto dormia, mas tinha certeza que, se alguma coisa a assustasse, o risco de ela cair daquela murada seria muito grande. Quando estava próximo o suficiente, enlaçou Sophia pela cintura e, num único movimento, a puxou para a segurança do terraço. Com o solavanco, Sophia despertou. Seu olhar era de profundo espanto e medo, parecia não entender o que estava acontecendo. Assustada, agarrou o pescoço do pai e ficou aninhada ali por vários minutos. Carlos a aconchegou e tentou tranquilizá-la:

— O papai está aqui, você está segura agora, minha menininha. Eu não suportaria perder você.

Retornaram para seus respectivos aposentos e Carlos orientou que as portas do terraço deveriam ficar permanentemente fechadas, e Sophia só poderia ter acesso ao local acompanhada.

— A partir de hoje, Sarah, quero você aqui no quarto com a Sophia.

— Sim, claro, dr. Carlos, mas há uma coisa que acho que o senhor deve saber.

Carlos olhou firme para a moça, como se adivinhasse o que iria ouvir.

— Na verdade, não é a primeira vez que isso aconteceu. — Carlos fuzilava a mulher com os olhos, mas, mesmo assim, ela continuou: — Algumas vezes, Sophia parece se desligar completamente da realidade. Fixa o olhar numa parede, ou na tela do seu iPhone, mas é como se olhasse através delas. Depois volta ao normal como se nada tivesse acontecido.

— Por que não me contou isso antes? Uma tragédia podia ter acontecido aqui hoje!

— Dr. Carlos, sinto muito. Não quis preocupá-lo. Na verdade, aconteceu apenas uma ou duas vezes. Achei que fosse uma espécie de distração de Sophia, que estivesse perdida em seus pensamentos. Sabe que jamais colocaria a vida de sua filha em perigo. Estou com ela desde que nasceu. É como se fosse uma filha para mim.

Carlos relevou o ocorrido e no dia seguinte resolveu levar a menina a um especialista em neuropediatria. Escolheu o dr. Ricardo Acherman do Instituto de Neuropsiquiatria Pediátrica de Cuiabá. O dr. Acherman era um senhor simpático de cabelos brancos e olhar compreensivo. Recebeu Carlos Roberto, Margareth e Sophia com calorosos apertos de mão. Carlos descreveu o quadro.

— Existe alguém na família com histórico de doença psiquiátrica, epilepsia, sonambulismo? — perguntou o médico.

— Durante a gravidez, a mãe de Sophia, que faleceu há nove anos, apresentou algumas alterações de comportamento, e também era sonâmbula.

— Você sabe se durante a infância a mãe dela já apresentava alguma alteração? Ou os avós?

— Não faço a mínima ideia.

— Bem, você me disse que Sophia nasceu em um parto difícil e apresentou hipóxia devido a uma grande depressão cardiorrespiratória. Isso poderia justificar essas alterações de comportamento. Talvez ela apresente alguma lesão ou algum foco irritativo no cérebro. Pode ser uma epilepsia de ausência, que é mais leve, e onde não há convulsão, mas apenas algumas crises de ausência temporárias.

— Eu fui a neonatologista da sala de parto da mãe de Sophia. Posso lhe assegurar que fizemos um rastreamento completo após o seu nascimento, e todos os exames foram absolutamente normais — completou Margareth.

— Vou solicitar novos exames de sangue para avaliação hormonal e bioquímica. O eletroencefalograma é fundamental para avaliarmos a existência de um possível foco irritativo. Vou solicitar uma ressonância magnética para detectar alguma alteração anatômica, como tumores e áreas isquêmicas.

— E quanto ao sonambulismo?

— Mantenha Sophia sob vigilância e afaste tudo o que for perigoso do seu alcance. Após os exames, avaliaremos a necessidade de medicação.

19 DE JUNHO DE 2009
FAZENDA DO ZÉ COXO, BARRA DO GARÇAS, MATO GROSSO

ANA ACORDOU MAIS CEDO do que o habitual com as batidas na porta. Abriu o ferrolho e retirou a tábua de madeira que usava para reforçar a segurança da casa. André estava parado na soleira, estático.

— O que houve, meu filho? Sua mãe ou o padre estão doentes?

André continuava imóvel e calado.

— Fala, menino, que já estou ficando agoniada!

O índio entrou sem dizer uma palavra. Estava pálido, mas havia certo ar de revolta e indignação no seu olhar. Sentou-se no pequeno sofá da sala e começou a chorar. Ana estava atônita e sem entender nada. Esperou que o menino se acalmasse. Entre um soluço e outro, André balbuciou:

— Madrinha, posso ficar aqui com a senhora?

Ana franziu as sobrancelhas, preocupada.

— Claro, meu filho! Sua mãe sabe que você está aqui?

— Não! E não pode saber!

— Como assim, não pode saber? Que história é essa, menino?

— Posso morar aqui com a senhora? Eu poderia ajudar a cuidar da fazenda e da casa enquanto a senhora estiver na sorveteria.

— Mas o que o padre Lemos e a sua mãe vão achar disso tudo?

André fez uma expressão de raiva e respondeu entre dentes:

— Tenho certeza de que eles têm coisas mais interessantes para fazer.

Ana não quis insistir. Colocou a mesa para o café e deixou que o menino se servisse à vontade. Iria para a sorveteria mais tarde e passaria na paróquia do padre Lemos para conversar e tranquilizar a todos. André comeu pouco e logo pediu licença para ir cuidar das cabras no quintal. Ana deixou o almoço pronto para o afilhado. Arrumou-se e foi para a cidade. André estava com doze anos. Enfrentava o estirão do crescimento e já estava mais alto do que Ana. A voz começava a querer mostrar que o homem já estava a caminho. Estava no sexto ano do ensino fundamental, mas não tinha feito grandes amizades. Na verdade, sua única e grande companheira de brincadeiras era Sophia. Sentia muito a falta da menina desde que ela se mudara definitivamente para a capital. Só a via nas férias, e isso não era suficiente. Contava os dias e as horas para estar de novo com a amiga.

André ordenhou as cabras e separou o apojo para que a madrinha fizesse a manteiga e o queijo. Limpou a horta e recolheu algumas frutas maduras do quintal para as compotas. Ana não tinha muito tempo para cuidar da fazenda, já que tinha que se dedicar à venda dos produtos na sorveteria. Certamente a ajuda do menino era muito bem-vinda. Enquanto separava as frutas, veio o pensamento que tentava o tempo todo afastar. Não queria mais voltar para casa e nem para a escola. Já havia algum tempo se sentia incomodado com os comentários dos colegas. Os cochichos entre os meninos eram frequentes. Até que um dia, numa das brincadeiras de corrida, um dos alunos gritou:

— O último a chegar é a mulher do padre!

Todos correram, mas André tropeçou num pedregulho e caiu, esfolando o joelho. O mesmo aluno começou a dar gargalhadas apontando para o índio e gritando:

— O André não é a mulher, mas é o filho do padre!

E todos passaram a rir e a apontar o dedo para o menino.

— Vai pra casa, pra barra da batina do papai!

André se levantou e quis esmurrar o menino provocador. Os inspetores, vendo a movimentação, impediram a briga e deram uma suspensão de uma semana para os dois. Desde então, aquelas palavras não lhe saíam da cabeça.

Sabia que a mãe havia sido acolhida pelo padre que, em troca, a deixara criar o filho na casa paroquial. Lurdes fazia todo o trabalho de limpeza e de organização da igreja e da casa, onde viviam. Padre Lemos sempre o tratara com carinho, mas sem grandes demonstrações de afeto. Preocupava-se com sua frequência na escola, se fazia os deveres de casa e se rezava. Além disso, André era coroinha. Certo dia, o menino passou a perceber os olhares trocados entre as mulheres, principalmente quando a mãe estava presente, ajudando no ofertório. Colocavam o dinheiro na cesta de doações, mas cochichavam durante a maior parte da missa, a ponto de o padre interromper a homilia por causa das conversas paralelas. André pediu ao sacerdote que o liberasse das responsabilidades na missa, pois sentia-se mal em permanecer durante tanto tempo em pé e em jejum. O pároco achou que era frescura e manteve o menino no posto de coroinha, até que um dia André desmaiou em plena comunhão, obrigando o padre a dispensá-lo das atividades litúrgicas. Jamais percebera nada de estranho entre a mãe e o homem que a acolhera que justificasse o falatório do povo, e nunca indagara à mãe sobre o assunto, que lhe era profundamente constrangedor.

Uma noite, pediu para se retirar mais cedo da mesa do jantar, pois estava com dor de cabeça. Acordou no meio da madrugada com o estômago roncando, pois mal havia tocado na comida. Levantou-se para pegar um copo de leite na cozinha e estranhou o fato de a mãe não estar na cama ao lado da sua. Passou pelo quarto do padre, que estava com a porta fechada como de costume. Por certo a mãe deveria estar no banheiro. Retornou segurando o copo com leite e alguns biscoitos num pratinho e percebeu que a porta do banheiro estava aberta e a luz apagada. No corredor, ao passar pela porta do quarto do pároco, ouviu um barulho esquisito. Ficou tão quieto que sua respiração era quase imperceptível. Logo o som retornou. Gemidos abafados sugeriam a presença de mais de uma pessoa no quarto. Os gemidos ficavam mais fortes à medida que os estalos das molas tornavam-se mais e mais frequentes. Suas mãos começaram a tremer, deixando pingar o leite pelo chão. Sua respiração ficou mais forte e o coração passou a bater mais rápido dentro do peito, como se quisesse sair. Imaginou a mãe nua na cama com o padre, e o pensamento lhe trouxe um misto de excitação e terror. Por último, a velha cama com estrado de madeira e colchão de molas deu o seu último e grande estalido, como quem recebe o peso de corpos satisfeitos de prazer. André, em pânico, deixou o prato cair no chão, espatifando-se.

André correu para o quarto e trancou-se. Imediatamente ouviu o ranger das dobradiças enferrujadas e o som de passos sobre os farelos de biscoito e os cacos de vidro. A maçaneta do quarto que o menino compartilhava com a mãe girou, mas a porta não cedeu. Lurdes começou a bater na madeira carcomida pelo tempo, desesperada, implorando para que ele a abrisse. André mantinha-se imóvel sob as cobertas, chorando convulsivamente. Não podia admitir que tudo aquilo era verdade. As fofocas, os boatos... Como aquele padre velho e nojento ousava colocar as mãos em sua mãe? Será que agora os padres podiam ter mulheres e filhos? Mas e os votos que padre Lemos fizera? Sempre ouvira as beatas falar que os padres não podiam se casar porque faziam uma promessa, um tal de voto de castidade, que servir a Deus exigia o sacrifício da carne. Lurdes continuava a bater na porta, aflita, chamando pelo nome do filho, que ele abrisse a porta, pelo amor de Deus. O que aqueles dois podiam entender sobre o amor de Deus? Como o padre podia jurar amor a Deus, oferecer o corpo e o sangue do Cristo crucificado durante a missa e gemer daquele jeito na cama, como se fosse um bicho selvagem da mata, sobre a sua mãe? Não podia suportar essa ideia. Fechava os olhos, mas não conseguia dormir. O som abafado dos gemidos reverberava em seus ouvidos. Quando abriu os olhos já era dia. Não pensou em mais nada a não ser em ir para a casa da madrinha. Saiu do quarto e não viu ninguém. A porta do padre estava fechada. Na sala, sua mãe dormia sobre o braço da poltrona. Caminhou silencioso, abriu a porta, sorrateiro, e partiu com a certeza de nunca mais voltar.

23 DE JULHO DE 2009
INSTITUTO DE NEUROPSIQUIATRIA PEDIÁTRICA, CUIABÁ, MATO GROSSO

— ENTÃO, CARLOS, COMO VAI a minha paciente preferida? — perguntou o neurologista.

Sophia deu um enorme sorriso e estendeu a mão ao médico, cumprimentando-o e agradecendo-lhe pelo carinho.

Carlos olhou para Sophia e respondeu com certo desânimo:

— Ainda na mesma. Sarah, a babá, ainda vem observando esses episódios de ausência. Quanto ao sonambulismo, agora está mais frequente do que nunca.

— Você se lembra de alguma coisa, Sophia? — perguntou o médico.

— Acho engraçado quando as pessoas falam, porque não lembro de nada.

— Você ouve ou vê alguma coisa durante o sono?

— Não, não ouço e nem vejo nada. Não que eu me lembre.

— Você já ficou mocinha? Não precisa ficar envergonhada. Tenho duas netas da sua idade. Isso é muito natural, Sophia.

A menina ficou vermelha e se mexeu incomodada na cadeira. Margareth respondeu:

— Não, dr. Ricardo. Ela só tem nove anos!

Sophia mordeu nervosamente o canto do lábio inferior e adiantou-se:

— Na verdade, sim. Há alguns poucos meses.

Carlos e Margareth se entreolharam com estranheza.

— Como assim? Por que não contou para a gente, querida? — Margareth parecia ressentida.

— Sim, Sophia. Teríamos lhe comprado um bonito presente, filha — completou o pai.

— Já tenho tudo do que eu preciso. Não quero presentes — balbuciou Sophia.

— Por que a Sarah não nos avisou? — insistiu Margareth.

— Não briguem com ela por minha causa. Ela também não sabe.

— Hoje em dia as crianças estão entrando cada vez mais cedo na adolescência. Existe um apelo erótico muito forte nas músicas e na mídia de uma forma geral. O sistema neuroendócrino responde a essas estimulações, o que acaba gerando uma maturidade sexual precoce — explicou o neurologista.

— Isso tem a ver com essas alterações do sono, Ricardo? — perguntou Carlos, apreensivo.

— Na minha opinião, existe uma combinação de fatores: as peculiaridades de uma gestação de risco e o parto complicado com um nascimento quase milagroso de Sophia, as alterações hormonais recentes que aparecem de forma explosiva, trazendo à tona questões físicas que a cabeça ainda imatura não consegue entender e assimilar, e a questão genética, que não podemos esquecer.

— Que eu saiba, o sonambulismo de Luzia só começou na época da gravidez — retrucou Carlos.

— Não exatamente, doutor — discordou Ricardo Acherman.

Margareth e Carlos trocaram olhares confusos. Sophia, por sua vez, prestava atenção em tudo o que o especialista dizia.

— Eu sou muito bom para guardar nomes, principalmente quando são pacientes mais peculiares. Também tenho um arquivo morto que de vez em quando "ressuscita", por assim dizer, e me traz informações importantes.

— Continuo sem entender — declarou Carlos, ansioso.

Ricardo levantou-se e puxou uma ficha de uma das gavetas do seu arquivo.

— Não gosto muito de usar o computador para catalogar meus pacientes. Ainda acredito na velha e boa ficha pautada, resistente às quedas de voltagem e aos problemas de armazenamento do hardware. Sou meio jurássico mesmo. — O médico deu um sorriso, justificando-se.

— Tudo bem — assentiu Carlos, já prestes a perder a paciência.

— Há muitos anos, atendi uma menina de sete anos. Os pais eram muito simples, um casal de trabalhadores rurais, se não me engano. Vieram encaminhados por uma pediatra de Barra do Garças.

Carlos sentiu um frio lhe percorrendo a espinha. O médico continuou:

— A criança era de uma beleza espantosa, como nunca vi igual. Muito calma, doce e meiga. Os pais a trouxeram porque a menina estava com problemas de isolamento social na escola e sentia uma necessidade de distanciamento. Além de apresentar crises de ausência com movimentos repetitivos do corpo, a menina também era sonâmbula.

Percebendo a ansiedade do marido, Margareth apertou a mão de Carlos. Sophia nem piscava de tanto interesse.

— Pois bem. Na ocasião, fiquei em dúvida e não consegui fechar um diagnóstico. Todos os exames foram normais. Achei que podia ser um autismo meio atípico, já que segundo os pais a menina não tinha essas alterações desde o início da infância. Por outro lado, eles poderiam apenas não ter percebido. Pensei também em esquizofrenia porque a menina ouvia umas vozes que dizia virem de "dentro da cabeça", e que a mandavam fazer determinadas coisas. Para encurtar a história, a menina chamava-se Luzia Peixoto.

— Minha mãe? — Sophia arregalou os olhos.

— Será possível? — perguntou Margô, ainda incrédula.

— Com toda a certeza! — concordou Carlos, aborrecido.

Ricardo parecia adivinhar as dúvidas do colega.

— Acompanhei a criança por algum tempo e abandonei o diagnóstico de autismo porque ela interagia bem com os pais e comigo durante as consultas. Sempre fora um bebê ativo e observador, segundo a mãe. Era amorosa e afetiva. Entendi a necessidade de isolamento mais como timidez ou uma fobia social. Como continuava a ouvir vozes, prescrevi um antipsicótico e achei que deveria insistir na possibilidade da esquizofrenia. Fazia uso de um indutor do sono para as crises de sonambulismo. Com os anos, deixaram de comparecer às consultas. Achei que tivessem procurado outro profissional, mais próximo de Barra do Garças.

— Aquela maldita louca do Roncador! — Carlos deixou escapar.

— Quem é louca, papai? — perguntou Sophia.

Margareth apertou a coxa de Carlos para que se controlasse.

— Ninguém, meu bem — contemporizou Margareth.

— Mas então existe a possibilidade de Sophia herdar a esquizofrenia da mãe, é isso que o senhor quer dizer? — retrucou Carlos.

— Querida, tenho certeza que toda essa conversa está sendo muito cansativa para você — interrompeu Ricardo, dirigindo-se para Sophia.

— Não, na realidade estou achando tudo muito interessante — respondeu Sophia com um ar adulto.

— O.k., mas gostaria que você me ajudasse e pedisse a Catarina, minha secretária, que fizesse um chocolate quente que só ela sabe fazer. Pode ser?

Sophia concordou e se dirigiu à recepção.

— Como já havia falado antes por e-mail, os exames de Sophia são todos normais, inclusive o eletroencefalograma, o que, a princípio, afasta o diagnóstico de epilepsia do tipo crise de ausência. Não vejo motivo para preocupação ou pânico. No momento não há nenhum indício para o diagnóstico de esquizofrenia. A minha sugestão é acompanhá-la para podermos aos poucos caracterizar melhor esses episódios de ausência. Talvez seja apenas uma espécie de transtorno de déficit de atenção, que muitos confundem com uma mera distração. Pelo que me contou, Sophia é hiperativa, faz várias atividades o dia inteiro. Nunca para para relaxar de fato. Toda essa agitação pode estar influenciando o distúrbio do sono e as alterações que têm ocorrido durante a vigília, ou seja, quando está desperta.

— O que podemos fazer então? Outro dia acordamos com ela no parapeito do terraço — lembrou Margô.

— Acho que devem diminuir a pressão e as cobranças sobre Sophia. Sei como determinadas questões são difíceis para os pais, mas talvez esteja na hora de abrir mão de alguns compromissos profissionais para ficar mais perto de sua filha.

— Acha que ela está nos testando, para chamar a nossa atenção? — Carlos pareceu relaxar.

— Não creio que Sophia esteja fazendo isso intencionalmente, mas sem dúvida existe um desejo inconsciente de puni-los pelos longos períodos de distanciamento que passam sem uma interação real, em família. Programe alguns passeios e procure ficar mais com ela. Cultive um interesse pelo universo de sua filha, seus gostos, suas fragilidades. Você vai se surpreender com o resultado.

Carlos parecia mais convencido de que talvez o neurologista estivesse certo, afinal.

— Algum medicamento? — indagou Margareth.

— Vou passar algo para que Sophia fique mais focada, mais concentrada. Como as crises de sonambulismo são frequentes e afetam a qualidade do sono, vamos tentar algo que possa conciliá-lo, sem prejudicar as outras atividades.

A porta do consultório se abriu e Sophia entrou desajeitada, carregando dois copos de chocolate quente. Catarina veio logo atrás com mais dois.

— Eu ajudei a fazer os chocolates, dr. Ricardo! — informou Sophia, contente.

— Devem ter ficado maravilhosos, não é, Catarina? — Ricardo piscou para a assistente.

— Sim, ela é uma ótima aprendiz — confirmou Catarina com um sorriso.

19 DE JUNHO DE 2009
Casa Paroquial, Barra do Garças, Mato Grosso

Ana fechou a sorveteria mais cedo. Pediu que avisassem a Lurdes que André estava na fazenda e que mais tarde passaria na casa paroquial para conversar com a amiga. Não imaginava o que poderia ter causado tamanho aborrecimento ao menino. Lurdes sempre foi uma mãe carinhosa e preocupada, e o padre tinha por André uma afeição profunda, como por alguém da família. Ana aproveitou para levar dois potes de sorvete dos sabores preferidos do afilhado. A casa paroquial ficava na praça a poucos metros da sorveteria. Ana bateu na porta e Lurdes logo atendeu. Estava com os olhos inchados de tanto chorar.

— Ele está bem, Ana? — perguntou ela, aflita.

— Na verdade, estive com André só pela manhã porque eu tinha que abrir a sorveteria, mas ele estava bastante atormentado e aborrecido. O que aconteceu com aquele menino para ele ter ficado daquele jeito?

— Ele não lhe contou? — perguntou Lurdes com certo constrangimento.

— Não quis nem tocar no assunto. Perguntou se podia fica lá, morando comigo.

— Ai, meu Deus! Vou perder meu filho! — E recomeçou a chorar.

— Deixe de besteira! O menino só está aborrecido. Isso logo passa.

—Acho que dessa vez não passa, não, amiga. — Lurdes esfregou os olhos.

— E o padre Lemos?

— Está que não diz uma palavra. Desde cedo está trancado no quarto. Rezou as missas e voltou a se trancar.

— Mas o que aconteceu afinal, Lurdes?

— Você não faz a menor ideia, não é mesmo?

— Nem passa pela minha cabeça.

— Você sabe que moramos aqui há muitos anos.

— Claro. Eu mesma fiz o seu parto.

— Lembra o que o povo falava na época?

— O povo sempre fala demais.

— Mas você lembra?

— Claro, as beatas estavam revoltadas porque o padre tinha acolhido você. Achavam que não era certo estarem debaixo do mesmo teto.

— Isso! Você lembra que falavam que André poderia ser filho do padre?

— Que besteira, Lurdes! — Só então Ana reparou no olhar envergonhado da amiga, e completou: — Ou será que... Você está tentando me dizer que André é filho do padre?

— Não, o André não é filho do padre — Lurdes afirmou com firmeza.

— Nossa, que susto que você me deu agora! Ufa!

— Mas, poderia ser...— completou sem graça, enrolando a ponta do avental com os olhos fixos no chão.

— O que você disse?

—André poderia ser filho do padre Lemos.

— Você quer dizer que você e o padre...

— Ele é homem, Ana, de carne e osso. Com todas as vontades e fraquezas de qualquer ser humano.

Ana estava perplexa, depois de todos aqueles anos jamais poderia imaginar que os boatos tinham um fundo de verdade.

— Quem sou eu para julgar alguém, ainda mais o padre — disse Ana.

— Eu estava grávida quando o padre me ajudou. Ele me deu uma casa, recebeu meu filho, me deu de comer e a ele também. Acabei me afeiçoando. Desculpe se estou afligindo você.

— De forma alguma, só estou um pouco surpresa. E André descobriu como?

— Da pior maneira possível.

— Você quer dizer que ele pegou vocês dois...

— Ontem à noite.

— Agora entendo o desespero desse menino.

— Pobre do meu filho. — E recomeçou a chorar.

— Comadre, chorar não vai adiantar nada. O leite já levantou fervura e derramou. Agora é esperar os ânimos se acalmarem.

— Conheço meu menino, Ana. Ele é turrão. Nunca vai aceitar.

— O que é bem compreensível por sinal, comadre. Vamos fazer de conta que você não me contou nada. Deixe o menino comigo por uns tempos. Estou mesmo muito sozinha depois que a Sophia foi para Cuiabá. Quem sabe ele esfria a cabeça?

— E eu tenho outra escolha?

Ana resolveu sair pelos fundos para encurtar o caminho. Não conseguiu evitar um pensamento malicioso ao observar as batinas e ceroulas do padre balançando no varal. "Quem diria!" Chegou em casa à noitinha. Apesar das melhorias na propriedade, mantinha o velho fogão a lenha. Várias fazendas ao redor tinham luz elétrica, mas ela gostava mesmo era dos lampiões de querosene. A geladeira funcionava ligada a um bujão de gás. A televisão e as baterias do telefone eram recarregadas com as placas de energia solar. Não parecia ter entrado no século XXI. André estava sentado na rede, com o olhar perdido no céu.

— Oi, meu filho! Sabe o que a madrinha trouxe para você?

— O quê, madrinha? — perguntou André com pouco interesse.

— Seus sorvetes prediletos, coco e...

— Maracujá?

— Isso! — respondeu Ana, já pegando duas cumbucas e sentando com o menino na rede.

— Sabe, madrinha, fico olhando para o céu e lembrando da chuva de prata de Sophia.

— Vocês gostam de caçar estrelas cadentes, não é mesmo? — Ana sorriu.

— Sim. Quando a Sophia está aqui tudo parece ter mais vida. Tudo é mais engraçado.

Ana fez um carinho na cabeça do índio.

— Eu também sinto muito a falta dela.

— Às vezes, à noite, eu peço à estrela mais brilhante que traga ela de volta.

— E a estrela responde?

— Sim, ela fica muito mais iluminada. E então eu sei que a Sophia vai voltar.

Ana abraçou o menino e disse com firmeza:

— Pode ficar aqui o tempo que quiser, meu filho. Só tem que prometer que vai continuar indo à escola e a fazer todos os seus trabalhos.

— Combinado, madrinha. Afinal de contas, a senhora não pode ficar sozinha. De agora em diante, sou o homem da casa — completou, estufando o peito.

Ana soltou uma sonora gargalhada e concordou com o seu mais novo e fiel guardião.

7 DE SETEMBRO DE 2015
FAZENDA DO ZÉ COXO, BARRA DO GARÇAS, MATO GROSSO

SOPHIA DESCEU CORRENDO DO CARRO e se enveredou pelos fundos da casa de Ana. André estava concertando a bomba de água e, compenetrado, não percebeu a aproximação da amiga. Sophia vendou os olhos dele com as mãos. André imediatamente colocou as dele sobre as de Sophia e esboçou um enorme sorriso. Virou-se e encarou a menina com os olhos pretos radiantes de felicidade.

— Poxa, como você demorou! — reclamou André.

— O último a chegar na cachoeira lava a louça do jantar — desafiou Sophia, já correndo na frente.

O prenúncio da chegada da primavera deixava o cerrado em festa. As árvores frutíferas carregadas exalavam seus odores pelo caminho. Tudo parecia mais vivo e exuberante do que de costume.

Carlos havia deixado Sophia e desceu do carro muito a contragosto, apenas para ajudar Sarah a descarregar a bagagem. Não queria nenhum contato com Ana, e foi direto para a fazenda dos Amaral com Margareth. O velho Amaral andava muito adoentado, e Carlos passou a visitar o pai com mais regularidade. Ana não estava em casa, uma vez que o movimento da sorveteria sempre aumentava muito nos feriados.

Sarah entrou na casa e foi organizar as roupas no quarto em que Sophia costumava ficar. Abriu as portas de um velho armário em estilo colonial de madeira maciça e começou a organizar tudo que haviam levado. Num canto do armário, as roupas usadas em anos anteriores denunciavam o quanto Sophia havia crescido. Certamente não era mais a mesma menina que costumava subir nas árvores do pomar da avó para comer as jabuticabas no pé. Aos quinze anos, era a promessa de uma linda mulher. Os cabelos castanhos e compridos emolduravam um rosto afilado de traços delicados. Os olhos cor de mel eram vivos e expressivos. As sobrancelhas levemente arqueadas assumiam com frequência uma angulação mais interrogativa, revelando uma personalidade questionadora e crítica. O pai e a madrasta haviam programado uma grande festa para o seu aniversário. Sophia recusou o evento e exigiu que o pai revertesse parte do dinheiro para a organização Médicos Sem Fronteiras. Já era ativista de várias ONGs para a preservação da vida de animais em extinção. Ela mesma se encarregava de recolher doações mensais dos amigos da escola para o canil municipal. Ocupava-se nas redes sociais com campanhas para a adoção e o abrigo de cães e gatos abandonados, enquanto a maior parte das amigas da sua idade dedicava-se aos vlogs e tutoriais de beleza.

Ana havia deixado a mesa pronta para quem tivesse fome. Sarah sentou-se e serviu-se de bolo de milho-verde e de uma xícara de café preto. Observou curiosa a decoração simples, ainda tão impregnada da cultura indígena, com muitos vasos e potes de barro. Peneiras trançadas de palha pintadas à mão ocupavam as paredes ao lado de um grande mural com a figura de um índio que dizia, em letras garrafais: "Tudo o que acontecer à Terra acontecerá aos filhos da Terra". Sarah admirava Ana, por todas as histórias que já ouvira a seu respeito. Carlos sempre a orientava a prestar muita atenção em tudo para lhe contar os pormenores de qualquer coisa que considerasse estranha e atípica. Tinha medo da influência que Ana pudesse ter sobre Sophia. Queria a filha bem longe das histórias fantásticas que envolviam a Fazenda do Zé Coxo e a Feiticeira do Roncador. Entretanto, Sarah nunca vira nada de diferente no lugar. Imaginou a mãe de Sophia vivendo ali, naquele local tão simples em contraposição à ostentação da casa dos Amaral em Cuiabá. Talvez Luzia tenha sido a única pessoa a ter tocado o coração narcisista do dr. Carlos Roberto do Amaral. Ainda hoje era patente o sofrimento da perda em seu olhar sempre que se referia à primeira esposa.

André e Sophia chegaram algumas horas depois, ensopados pelo banho no poção da cachoeira e tiritando de frio. Ana voltou para casa minutos mais tarde e deu um longo abraço na neta, cobrindo-a de beijos.

— Assim você vai ficar toda molhada, vó! — reclamou Sophia, mas Ana continuava beijando a neta, alheia às reclamações.

— Vá vestir uma roupa quente — sugeriu Sarah.

— Você também, André — completou Ana.

Os dois foram se trocar e as mulheres permaneceram sentadas à mesa.

— E como vai a minha neta? — perguntou Ana à dama de companhia.

— Sophia é uma menina alegre e feliz. Sente muito a falta da senhora e do André, mas é muito ativa e preocupada, apesar da pouca idade, com as questões sociais. Isso a mantém ocupada e longe da tristeza.

— Fico feliz que seja dessa forma. E as crises de sonambulismo?

— Estão relativamente controladas com as medicações do dr. Ricardo.

Ana lembrava-se bem da última discussão que tivera com Carlos Roberto anos antes. Quase romperam definitivamente as relações. Carlos havia levado Sophia para a consulta com o neuropediatra em Cuiabá e ligara para ela logo depois. Lembrava-se muito bem do diálogo que tivera com o médico:

— Ana? Aqui é o Carlos Roberto. Acabei de descobrir numa consulta médica com o dr. Ricardo Acherman que Luzia era esquizofrênica. Por que você nunca me contou a respeito?

— Ora, porque a Luzia não era esquizofrênica! — justificou Ana.

— Você também faz diagnósticos psiquiátricos? — ironizou o genro.

— O dr. Ricardo nunca chegou a fechar um diagnóstico concreto sobre o caso da minha Luzia — Ana se defendeu.

— Claro! Você parou de levá-la ao médico! Como pôde ser tão irresponsável a ponto de deixar uma criança sem o tratamento adequado? Não lhe ocorreu que a gravidez possa ter mexido com Luzia a ponto de provocar o reaparecimento dos surtos? Talvez, se ela estivesse sendo acompanhada, não teríamos vivido todo aquele inferno.

— Luzia nunca se deu com a medicação. Vivia dopada, sonolenta, e as crises persistiam. Chegamos a levá-la diversas vezes ao médico, apesar da nossa dificuldade financeira. O dr. Ricardo trocou o medicamento várias vezes, e nada. Até que...

— Até que o quê?

— Você não vai gostar do que vai ouvir.

— O que aconteceu, afinal?

— Luzia começou a receber umas orientações.

— De outro médico?

— Não, de um amigo dela.

— Que tipo de amigo?

— Uma espécie de mestre.

— E você o conhecia? Chegou a conversar com ele??

— Somente Luzia era capaz de ouvir a voz do mestre.

— Isso é esquizofrenia, Ana! — Carlos agora berrava ao telefone.

— Mas as crises de sonambulismo cessaram. Luzia sempre me pareceu muito lúcida. Sempre falava com tranquilidade desses encontros com o mestre. Contava detalhes de suas orientações. Era um conhecimento sobre coisas sobre as quais ela nunca teria acesso sozinha.

— Que tipo de conhecimento?

— Coisas sobre as quais você tem desprezo, mas nós acreditamos.

— Ana, acredito e prezo o conhecimento. Não acredito em crendices, superstições, espíritos do outro mundo e charlatanice.

— Você nunca conheceu Luzia de verdade. Recusava-se a enxergar a pessoa que ela realmente era. Como era especial.

— Eu conhecia perfeitamente bem a minha mulher. Era uma profissional competente e que gostava do que fazia.

— Luzia sempre escondeu de você o que ela era de verdade. Sabia que você nunca a aceitaria se soubesse.

— Do que você está falando? Dessa baboseira que o povo sempre falou? Ora, Ana, francamente, você quer me convencer que Luzia era um anjo?

— Não exatamente, mas talvez ela fosse filha de um.

— Você é mais louca do que eu pensava! Só falta me dizer que Luzia era filha de um ser intergaláctico e que tinha DNA extraterrestre!

— É você quem está dizendo...

— Acho que prefiro o diagnóstico de esquizofrenia!

— Se você se sente melhor assim, quem sou eu para dizer o contrário? Entenda de uma vez por todas: as mulheres da minha família têm uma ligação profunda com este lugar. Estamos aqui há várias gerações e encarnações, até mesmo quando o mar ainda ocupava as entranhas da serra do Roncador. Só nos sentimos bem aqui. Aqui é a nossa casa, é o nosso lugar. E só aqui estaremos protegidas de verdade! E com Sophia não vai ser diferente!

— Ah, vai sim! Porque, se depender de mim, Sophia não coloca mais os pés aí, sua feiticeira maldita!

Depois desse último contato, ficaram sem se falar durante anos. Carlos proibiu a filha de manter contato com a avó, mas Sophia e Ana se falavam constantemente por e-mail. Até um dia em que Sophia caiu gravemente doente, com uma febre que ninguém conseguia diagnosticar. Carlos levou a menina aos maiores especialistas que conhecia, mas não chegavam a nenhuma conclusão diagnóstica. Por fim, Sophia implorou ao pai que a levasse de volta para a casa da avó, pois sentia muito a falta de Ana, e somente a avó a curaria. Carlos relutou enquanto pôde, mas, vendo a menina definhar dia após dia, não teve outra escolha. Sophia retornou plenamente recuperada após uma estadia de três meses com a avó. Depois disso, Carlos desistiu de afastar Sophia do Roncador, mas não dirigia mais nenhuma palavra a Ana.

— Sophia e André, venham logo para a mesa lanchar! Depois vocês matam a saudade.

Os dois vieram, se juntaram às mulheres e conversaram animadamente até o sol desaparecer no horizonte.

Pela manhã, saíram bem cedo, antes mesmo que Sarah acordasse. André selou dois cavalos e preparou uma mochila com geleia, pães, frutas e queijo de cabra. Levou ainda uma lanterna, um canivete multifuncional e garrafas com água. Avisou a Ana que iriam até um complexo de cachoeiras a alguns metros dali. Ana a princípio não concordou muito com a ideia, pois sabia que Sarah tinha a orientação de nunca permitir que a menina ficasse sozinha, mas Sophia e André acabaram convencendo a velha índia que seria só daquela vez. Saíram galopando pela estrada até a entrada da fazenda mais próxima para pegarem a trilha pela mata. Ao longo da via pavimentada podiam observar enormes cupinzeiros formando esculturas de tamanho gigantesco. André apontava para os cupinzeiros:

— Sophia, olha ali, tá vendo, entre os cupinzeiros?

— Onde? Ali? Gente, mas é um tamanduá! Que lindo!

— Estão em extinção, mas a gente ainda consegue ver um ou outro atrás de uma das suas refeições prediletas.

Passaram pela porteira de uma fazenda e seguiram em direção à trilha que André conhecia como a palma da mão. No caminho, ele ia mostrando para a amiga as variedades de plantas que havia aprendido naqueles anos com a madrinha. Jamais conseguiu voltar para a casa do padre. Perdoara a mãe, mas só a via quando ela o visitava. Quanto ao padre, só queria distância dele.

— Consegue ver ali no meio dos galhos daquela árvore seca? — André apontou para um carvoeiro.

— Um tucano!

— Psiu! Tente falar mais baixo pra não espantá-lo.

Seguiram em frente a cavalo até a mata ficar mais íngreme e densa. O tempo estava firme, sem o menor sinal de chuva.

— Vamos deixar os cavalos aqui e seguir a pé.

Sophia concordou. Amarraram os animais num tronco de árvore e seguiram a pé. A trilha era marcada por algumas cordas deixadas intencionalmente, que serviam como uma espécie de corrimão para facilitar a subida. Andaram por cerca de trinta minutos até alcançarem o primeiro platô. O Poço dos Gnomos era uma cachoeira singular. A água ficava represada num pequeno lago de água cristalina que permitia ver o fundo sem dificuldade. A sensação ao pisar na areia fina era a de estar pisando num tapete macio e aveludado. Ao menor movimento, a areia fina do fundo entrava em suspensão, misturando-se à água e turvando um pouco o pequeno lago. Sophia tirou a legging e a blusa de malha, atirando-se na água. Um maiô com estampa floral lhe reforçava a silhueta e lhe dava mais liberdade de movimentos. André pulou logo atrás, fazendo estardalhaço e jogando água para todos os lados. Ficaram ali cerca de uma hora. Algumas nuvens começaram a tingir de branco o céu azul. Vestiram as roupas e continuaram a caminhada de subida em direção à segunda queda-d'água.

O Caldeirão da Bruxa era uma espécie de grande fosso cercado por um enorme paredão de pedras. Desceram cautelosamente pelas escarpas, segurando nas pedras com cuidado para não escorregar no limo. Sophia de vez em quando derrapava, e André segurava com firmeza a mão da moça, impedindo que caísse. Sophia começou a perceber que gostava do toque da mão forte do índio sobre a sua. Na verdade, o toque da pele morena roçando sua pele clara lhe despertava uma sensação estranha de calor, fazendo o seu coração bater acelerado. Passou a olhar para André de uma forma diferente. Sempre brincaram juntos desde muito pequenos e nunca havia se sentido assim em relação ao amigo. André, com dezessete anos, era uma mistura brasileira típica e que, sem dúvida, havia dado muito certo. Era bem mais alto que Sophia, magro, mas com braços e pernas fortes pela lida diária na fazenda. Tinha o tronco largo e sem pelos, rosto magro de feições delicadas com sobrancelhas bem desenhadas e uma vasta cabeleira negra que lhe emprestavam uma aparência bem masculina, mas que não negava a sua ancestralidade xavante.

— Bem, chegamos! — disse André, despertando Sophia de seus pensamentos.

— Vamos colocar as mochilas ali e aproveitar para encher nossas garrafinhas com água fresca. — Sophia apontou para um grupamento de rochas maiores e mais planas.

André concordou e logo estavam na água de novo. Brincavam como crianças procurando por pedras de formatos curiosos. O reflexo do sol nos cabelos castanhos de Sophia criavam mechas douradas e deixavam seus olhos cor de mel ainda mais claros. André olhava para Sophia com adoração. Sempre nutrira pela amiga de infância uma afeição especial. Tinha necessidade de compartilhar tudo com ela, desde as pequenas coisas do dia a dia até seus segredos mais íntimos. Sophia era a sua única amiga e confidente. A cachoeira do Caldeirão da Bruxa era uma queda-d'água de impacto, com cerca de sessenta metros e um grande volume de água. Era difícil se aproximar ou permanecer sob o seu turbilhão durante muito tempo. A cachoeira formava um grande fosso de água com áreas mais rasas e outras mais profundas. André conseguiu escalar com facilidade o paredão de pedra, como se tivesse ventosas nas mãos, e mergulhou de uma altura de cerca de cinco metros. Sophia o estimulava, batendo palmas e gritando a cada novo salto.

As nuvens passaram a encobrir o sol e aos poucos foram adquirindo uma tonalidade mais acinzentada, um prenúncio de chuva. André, atento à mudança rápida do tempo, sugeriu que recolhessem as mochilas e iniciassem a caminhada de volta. A chuva deixava tudo mais perigoso, aumentando rapidamente o volume das cachoeiras e tornando o caminho lamacento e escorregadio. Sophia atendeu de imediato as orientações de segurança do amigo. A chuva os pegou no caminho. As gotas inicialmente fracas foram se intensificando, e logo eles estavam no meio de um temporal. Os pés começaram a afundar na lama, deixando a caminhada perigosa e difícil. André, que frequentava o lugar desde menino, resolveu procurar abrigo no meio da mata em uma gruta que só ele conhecia.

Sophia parecia aflita e com medo. Tremia de frio com a roupa toda ensopada. Entraram na caverna e André logo juntou uns gravetos e acendeu uma fogueira para se esquentarem. Tirou a blusa molhada, torceu-a para retirar o excesso de água e a estendeu sobre as pedras próximas à fogueira. Sophia imitou o amigo. Apenas de maiô, a menina tiritava de frio, já com as mãos e os lábios azulados. André a pegou pela mão e sentaram-se recostados nas mochilas. Passou o braço em volta dos seus ombros e aconchegou Sophia junto ao peito. O calor do índio era algo extremamente confortador, e ela aceitou aquela proximidade de bom grado. Nunca havia experimentado tanta intimidade com alguém. André com delicadeza fez um carinho nos seus cabelos.

— Está melhor agora?

— Sim, bem melhor!

Um silêncio denunciador se fez em seguida, e por alguns minutos só era possível ouvir o barulho da chuva e o crepitar do fogo. André deslizou os dedos pelo rosto de Sophia. Roçou levemente as sobrancelhas, o nariz afilado e bem desenhado e os lábios carnudos, como se tatuasse mentalmente todos os traços da menina. Com o polegar e o indicador, passou a brincar com um dos lóbulos da orelha. Sophia mantinha-se de olhos fechados, com uma certa tensão de quem ansiava pelo novo, mas temia o desconhecido. Não encontrando resistência, André a puxou mais fortemente em direção ao peito. Com uma das mãos, ergueu delicadamente seu queixo, até que pudesse ver o seu rosto. O índio pousou então os lábios na boca que timidamente o convidava. O toque macio dos seus lábios fez Sophia soltar um discreto gemido de quem consente o carinho, e instintivamente entreabriu a boca. Seus corações cavalgavam ritmados no galope das emoções. André introduziu a língua molhada na boca que o convidava. Tímido, mas curioso, o órgão macio explorava a cavidade que nunca penetrara. Tocava com a ponta o céu da boca, os dentes, até finalmente encontrar a sua cara-metade, igualmente macia e molhada. A entrega do beijo despertou um rodamoinho de sensações. Sophia, inicialmente contida, moveu-se segurando o rosto de André entre as mãos. Suas línguas se abraçavam e se entrelaçavam, desejando-se num frenesi de quem esperava por aquilo havia muito tempo. Enterrou os dedos nos cabelos do índio, puxando a sua nuca e exigindo uma proximidade maior. Seus corpos ardiam, suplicando uma intimidade que ambos desconheciam. Sophia abriu os olhos e encarou o olhar amendoado de André.

— Amo você! — declarou com seriedade.

André arregalou os olhos como se não esperasse por aquela confissão.

— Também amo você. Desde sempre.

Beijaram-se longamente. André levantou e abriu a mochila. Retirou lá de dentro uma pulseira, feita com palha trançada e com uma incrustação de madeira bem no centro.

— Fiz pra você!

Sophia arregalou os olhos, surpresa.

— Nossa, é linda! Você esculpiu o Ventania!

— Achei que gostaria...

— Gostar? Eu amei! É o presente mais precioso que já ganhei até hoje!

Sophia pulou no pescoço do índio, cobrindo-lhe o rosto com uma explosão de beijos.

— Não está com fome? — perguntou André.

— Para falar a verdade, estou morrendo. — Ela soltou uma gargalhada.

André tirou da mochila uma toalha e forrou o chão. Colocou sobre ela o farnel que havia preparado: sanduíches de queijo e presunto, maçãs, suco, barras de cereal e chocolates. Havia colocado tudo em um saco plástico grosso, de forma que os alimentos se mantiveram secos.

— Você pensa mesmo em tudo! — Sophia deu uma piscadela.

— Alguém tem que fazer isso! — disse André, retribuindo a piscada.

Enquanto comiam, observavam a gruta. Não era muito grande, mas tinha a mesma estrutura de todas as outras grutas e cavernas da serra do Roncador, feita de arenito e calcário.

— E pensar que tudo isso já esteve submerso pelo oceano um dia! — comentou André

— Sim, chega a dar um certo medo — confessou Sophia.

— Mas do que você tem medo?

— Você acredita que nós talvez não estejamos totalmente sós? Que existem pessoas morando em cidades debaixo dos nossos pés?

André respondeu cantarolando uma canção de Pádua, um compositor goiano:

— "Um índio me falou que o portador da luz mora lá na serra do Roncador, que de vez em quando voa pra outro planeta, feito borboleta. Luz de toda cor. Sabe cabala, bendita fala, e o teu segredo está debaixo do seu nariz."

— Que música linda! — Sophia ficou surpresa com a voz afinada de André.

— Como você nunca ouviu, Sophia? É muito antiga! Minha mãe vivia cantarolando em casa — explicou André com uma certa tristeza na voz pelas lembranças que a música lhe trazia. Sophia, percebendo a melancolia na voz do índio, tratou de mudar a direção de seu pensamento.

— André, você lembra da chuva de meteoros quando eu fiz sete anos? Lembra que alguma coisa ficou pairando sobre as nossas cabeças?

— Nunca vou esquecer daquela coisa luminosa, totalmente diferente das estrelas cadentes.

— Você acha que era um ovni? — perguntou Sophia.

— Uma borboleta azul é que não era. — A voz de André tinha certo ar de ironia. — Você sabe que muitas dessas cavernas aqui no Roncador têm umas pinturas estranhas, e são sítios arqueológicos. Dizem que existem pegadas alienígenas por aqui deixadas por povos milenares que viveram por esses lados e que nos dão fortes indícios de que sempre fomos visitados por seres das estrelas.

— E não é só aqui, mas por todo o Mato Grosso, e por Goiás também — acrescentou Sophia.

— Acho que só sendo cego, surdo e mudo para não acreditar. — André levou as mãos aos olhos, ouvidos e boca para ilustrar o que dizia.

A chuva deu uma trégua e os dois resolveram recolher todo o lixo para descartá-lo em casa. Ana e Sarah deviam estar preocupadas, e por isso se apressaram no retorno. A trilha enlameada não ajudava em nada, mas André seguiu firme, puxando Sophia pela mão até o local onde haviam deixado os cavalos. Montaram e galoparam de volta à segurança da Fazenda do Zé Coxo sem perceber que olhos atentos e brilhantes os seguiam o tempo todo.

15 DE DEZEMBRO DE 2015
CUIABÁ

LOGO PELA MANHÃ, Sophia acordou com o alvoroço dentro da casa. Margareth subiu as escadas correndo com uma carta na mão. O envelope vinha timbrado com a chancela da Universidade da Califórnia, em Los Angeles. Carlos Roberto havia ficado em casa naquela manhã para resolver uns problemas burocráticos do hospital. Margô entrou no escritório gritando e pulando de felicidade.

— E então? Chegou o que estávamos esperando? — perguntou Carlos, colocando os óculos de leitura.

— Sim! Finalmente você teve o seu valor reconhecido. Vamos embora desta terra tupiniquim!

Havia alguns meses Carlos Roberto tinha recebido um e-mail da UCLA convidando-o para fazer parte do corpo docente da Faculdade de Medicina. O namoro com a universidade já existia havia muitos anos, e frequentemente Carlos era chamado para participar de workshops e simpósios sobre as modificações que introduzira nas técnicas de videolaparoscopia. Sua presença ao vivo ou através de videoconferência consolidou seu nome como um dos colaboradores mais importantes da Faculdade de Medicina. Inicialmente, Carlos ficou em dúvida, pois tinha muitos cargos de responsabilidade, acumulando funções em Barra do Garças e Cuiabá, porém aquela seria uma oportunidade ímpar para a sua carreira e para alavancar a carreira de Margareth. Sophia poderia concluir o ensino médio em outro país e obviamente tentar uma formação universitária com acesso a uma tecnologia que jamais teria no Brasil. Sabia que a menina alimentava o sonho da medicina veterinária, mas estava convencido de que, com os argumentos certos, poderia conduzir esse sonho para a área médica. O documento que acabara de receber pelo correio era uma maneira de formalizar o compromisso.

Sophia entrou no escritório do pai, esfregando os olhos e sem entender o motivo do alvoroço.

— Posso saber o motivo do carnaval matinal? — perguntou, sentando no colo do pai.

Carlos ainda não havia comentado nada com a filha. Aquele era um projeto que se concretizou mais rápido do que imaginara. Sabia o quanto Sophia amava o lugar onde viviam. E teria que enfrentar a reação de Ana. Entretanto, seria a oportunidade perfeita para afastar definitivamente a menina da influência da avó. Odiava o curandeirismo que a índia ainda praticava com suas ervas e mezinhas em pleno século XXI. Seria uma forma de levar Sophia para longe daquilo tudo. E para longe dos mistérios que envolviam o seu nascimento e a história conturbada da vida de Luzia, chamada de santa por alguns, até com milagres atribuídos a ela. Não, definitivamente tinha que sair do país. Em nenhum lugar do Brasil teria a sua intimidade preservada. Ter a sua imagem associada à de uma santa era a última coisa que precisava para a sua carreira. Isso destruiria a sua credibilidade como médico e tornaria a vida de Sophia um inferno.

E ainda tinha aquele mestiço para completar a história. Era patente a afeição que a menina tinha pelo índio André. Percebeu que Sophia voltara diferente das últimas visitas na fazenda da avó. Cheia de mistérios e segredinhos com a dama de companhia. Margareth dizia que era besteira, que ele não devia dar tanta importância ao fato, mas Carlos conhecia bem a filha, e sabia que o rapaz tinha realmente mexido com ela. Deu uma dura em Sarah, que acabou entregando tudo. Redobrou a vigilância sobre a menina, exigindo ser informado de todos os seus passos. Mesmo assim, Sophia mantinha um contato diário com André através das redes sociais. Todos os dias, depois da aula, André passava na sorveteria de Ana para entrar na internet, uma vez que na fazenda não tinham nenhum tipo de acesso, coisa que Ana fazia questão de manter como estava. Ao contrário de Carlos, a índia via com muito bons olhos o relacionamento entre a neta e André. Sabia intuitivamente que o jovem índio seria o eterno guardião da neta. O elo definitivo de Sophia com a serra do Roncador.

— Querida, temos uma novidade maravilhosa! — adiantou-se Margô.

Carlos olhou para Margareth como que pedindo cautela. Sabia que estava pisando num terreno difícil.

— Filha, recebi um convite para trabalhar numa universidade em Los Angeles.

Sophia recebeu a notícia como um soco no estômago. A cara de sono foi rapidamente substituída por uma grande interrogação.

— E isso significa exatamente o quê?

— Que estamos de mudança para a Califórnia — Carlos falou com franqueza.

— Mas e a minha vida? Os meus... amigos? A minha avó e o vô Amaral? — a voz da menina estava repleta de aflição.

— Você irá a uma nova escola, fará novos amigos! Você vai gostar muito, Sophia! — contemporizou Margareth.

— Quanto a Ana, poderá visitá-la sempre que quiser. Posso mandar buscá-la sem nenhum problema — completou Carlos Roberto.

— Vocês sabem muito bem que a minha avó nunca deixaria Barra do Garças. E meu avô Amaral está muito velhinho. Como pode deixá-lo para trás assim?

— Não estamos deixando ninguém para trás! Não se trata disso, Sophia! — Carlos elevou a voz.

— E o todo-poderoso decidiu com certeza o que é melhor para todos! — debochou Sophia.

— É uma oportunidade de trabalho que não tenho como recusar — ponderou o médico.

— E certamente eu não tenho nenhuma escolha.

— Sua escolha é ficar feliz por ter a oportunidade de sair deste país para buscar uma formação universitária mais digna, longe das nossas faculdades sucateadas por um governo que trata a educação e a saúde de forma irresponsável.

— Mas não vamos melhorar o país se fugirmos daqui! Podemos lutar pra mudar esta situação! Aqui é a minha casa! Você pode fazer muito pelo povo, trabalhando como sempre fez — Sophia tentava convencer o pai, em vão.

— Posso fazer muito mais pelo Brasil trabalhando fora do país. — Carlos foi categórico.

— Vou ficar aqui, morando com a minha avó! — Sophia declarou, decidida.

— Isso está totalmente fora de cogitação — respondeu Carlos, tentando manter uma tranquilidade forçada na voz.

— Então vou morar na fazenda do meu avô!

— Nem pensar. Seu avô está doente, precisando de cuidados especiais. Você seria uma responsabilidade a mais e um grande transtorno — Margareth entrou na conversa.

— Mais um motivo para eu ficar! Vou cuidar do meu avô!

— Você não sentiria a nossa falta? — perguntou Carlos, claramente decepcionado.

— Não é isso, pai! Você sempre trabalhou demais. Veja bem, não encare isso como uma crítica, mas a verdade é que você sempre me deixou muito sozinha. Não estou disposta a passar por isso num lugar estranho, num país estranho. E, além disso, você pode vir aqui sempre que quiser.

— Estou pasmo com a sua frieza em relação a mim e a Margareth. Em como não significamos nada para você.

— Não faz drama, pai. De boa? Acho que vai ser muito melhor pra todo mundo.

Carlos Roberto prometeu pensar na situação com carinho, mas obviamente já tinha uma opinião formada e não iria recuar. Não queria bater de frente com a filha. Sabia que Sophia era teimosa, tinha opiniões próprias, difíceis de serem demovidas. Teria que ser político e articulador para convencer a menina.

Sophia trancou-se no quarto. Não se sentia disposta para ir à escola naquele dia, apesar de estar no período das provas finais. Sua cabeça doía, cheia de pensamentos. Pediu ao pai que a deixasse na fazenda do avô para que pudesse cavalgar um pouco. Somente Ventania poderia entendê-la nesse momento. Sophia dirigiu-se às baias com uma maçã na mão. Enquanto Ventania se deliciava com a fruta, ela conversava com o animal. Ventania balançava a cabeça como se concordasse com as aflições da dona.

— Como eu poderia viver longe da fazenda? Nunca deixaria o André e a vó Ana para trás, isso é certo. Nem que eu precise fugir e me esconder!

Atormentada, montou no cavalo e saiu a galope. Ventania corria livre, com as rédeas praticamente soltas. Sophia, perdida em pensamentos, deixava-se conduzir. Ventania foi em direção ao velho açude para beber água, parando próximo à velha pedreira desativada com suas montanhas de blocos de mármore rosado. Ventania estava sedento, e a água fresca era um convite certo. Sophia continuava confabulando consigo mesma e não reparou em um discreto movimento no meio das pedras. O ser rastejante começou a se esgueirar entre uma pedra e outra, até chegar bem próximo às patas do cavalo, e tudo aconteceu numa fração de segundos. A cascavel anunciou o bote com um movimento ritmado da cauda, balançando nervosamente os guizos. Ventania, percebendo enfim a presença do perigo, passou a relinchar, erguendo-se sobre as patas traseiras num movimento instintivo de defesa. Sophia, distraída, foi pega de surpresa e não conseguiu se equilibrar sobre o cavalo, caindo de mau jeito e batendo a cabeça no chão. Ventania, agitado, batia nervosamente com os cascos no chão, atingindo a cobra e escapando da picada fatal. Sapateou sobre o réptil até que estivesse totalmente imóvel. Sophia permanecia desacordada às margens do açude. Como que obedecendo a um comando invisível, Ventania galopou de volta às baias e começou a relinchar para chamar a atenção. Airton logo veio saber o que estava acontecendo. Quando viu o cavalo agitado sem a amazona, logo deduziu que algo anormal devia ter acontecido.

— Valha-me Cristo! O que será que essa menina aprontou dessa vez? Aposto que teimou e foi pras bandas do açude.

Airton montou o próprio Ventania e saiu em disparada na direção da pedreira. Avistou Sophia caída no chão e levou as mãos à cabeça. Viu a cascavel morta e entendeu tudo. Procurou não mover Sophia. Observou que não havia marcas das presas da cobra na pele da menina. Uma poça de sangue começou a se formar sob sua cabeça, tingindo a água de vermelho. Airton aproximou o rosto das narinas da menina e percebeu que ela estava respirando. Pegou o celular e discou imediatamente para Carlos Roberto, que acabara de chegar ao Hospital das Clínicas. Imediatamente o médico acionou uma UTI móvel e deslocou-se para a fazenda. Sophia foi hospitalizada e conduzida ao CTI. Estava inconsciente e sem reflexos. O neurologista de plantão evidenciou um grande corte no couro cabeludo, aparentemente sem fratura, de acordo com o exame físico. Sophia foi conduzida para o centro de imagens, enquanto Carlos Roberto, aos berros, repetia incessantemente que queria o cavalo morto.

Tudo estava extremamente silencioso. Na verdade, Sophia não sabia em que direção seguir. Via alguns vultos distantes que não conseguia identificar. Aos poucos foi se habituando à luminosidade do lugar. Viu um ponto de luz intensa e brilhante que lhe ofuscava os olhos e resolveu seguir naquela direção. Tentou andar e percebeu que levitava no meio do nada. A sensação era maravilhosa, como se não houvesse peso, nem gravidade. Deslocou-se até o ponto mais brilhante até sair em um lugar familiar. Percebeu que estava na entrada da gruta da cachoeira, na fazenda de sua avó. Só que tudo parecia muito mais intenso e bonito. A vegetação era mais verde do que de costume. Conseguia sentir o perfume de cada flor e a textura de cada folha. Próximo à entrada, havia uma mulher cujas feições lhe eram extremamente familiares e com o sorriso mais encantador que já vira. A mulher lhe estendeu a mão de pele extremamente alva, pedindo que a seguisse.

Sophia atendeu ao convite e flutuou sobre o riacho, entrando atrás da cachoeira. A aparição estava sentada no meio da gruta, de olhos fechados. Sophia aproximou-se, tentando tocar seu ombro. Imediatamente ela abriu os olhos e Sophia encarou o olhar mais azul e terno que já havia visto. Ela fez menção para que Sophia sentasse ao seu lado. Havia uma espécie de calor à sua volta, e, embora Sophia não conseguisse tocá-la, era capaz de sentir todas as vibrações que emanavam do seu corpo. Sem

saber por quê, começou a chorar. As lágrimas caíam uma a uma, embaçando sua visão, sem que conseguisse contê-las. Mesmo assim, não se
sentia triste, muito pelo contrário, sentia-se invadida por uma maravilhosa sensação de felicidade.

— Não chore. Estou sempre com você! — se manifestou a aparição
telepaticamente.

— Você é... a minha mãe? — a menina perguntou, apesar de ter certeza de qual seria a resposta.

A aparição balançou a cabeça num movimento afirmativo e completou:

— Sim, querida, mas aqui, onde estamos agora, todos somos irmãos.

— Como assim?

— A grande verdade é que todos nós viemos do mesmo lugar, da mesma
origem, compartilhando da mesma essência e de um princípio único. Somos,
portanto, irmãos. Consegue entender?

— Acho que sim. O padre Lemos sempre disse que nós todos somos
filhos de um Deus único, mas achei que você seria minha mãe. Para sempre!

— Sim, você é a minha filha muito amada! Acontece que todos nós nascemos com um propósito, e para que ele se realize, precisamos desempenhar
determinados papéis, como os personagens de uma grande novela. Esses
papéis podem e devem ser trocados ao longo de toda a nossa existência, porque a nossa essência é imortal. Até que um dia, depois de termos aprendido
e ensinado o suficiente, podemos retornar definitivamente para o lugar de
onde viemos, para o nosso verdadeiro lar. É como brincar de casinha, só que
num dia eu sou a mãe e no outro eu também posso ser a filha, ou o pai, ou
a avó e por aí vai.

— Parece divertido!

— É para ser assim, bom e divertido, porque nascemos para sermos
livres e felizes. Só que nem sempre acontece dessa forma.

— Por quê?

— Porque cada um é livre para fazer o próprio destino e, às vezes, as
nossas escolhas podem afetar a vida e as escolhas de outras pessoas.

— E às vezes as nossas escolhas podem não ser boas para as outras
pessoas.

— Agora parece que você começou a entender. O segredo é pensar no outro como em nós mesmos. Nunca fazer ao outro o que não gostaríamos que fizessem conosco.

Sophia esboçou certa angústia no olhar.

— Por que precisou me deixar? Sinto tanto a sua falta.

— Porque, mesmo fazendo as nossas escolhas, nem tudo pode ser exatamente do jeito que sonhamos. Esse é o grande mistério da vida. Nunca quis deixá-la, mas foi preciso. Porém isso tudo é temporário, e um dia estaremos juntas de novo.

— Com a vó Ana também?

— Claro.

— E se eu quiser ficar aqui, morando com você?

— Ainda não seria o momento certo.

— E quando será esse momento? — Sophia insistia num tom de súplica.

— Quando você terminar o que veio fazer na Terra.

— E o que vim fazer?

— Você vai descobrir sozinha.

— Não vai me ajudar?

— Sempre! Mas terá que caminhar com as próprias pernas, e eu sei que você é capaz.

— Como pode saber? E se eu não conseguir?

— Sei que vai conseguir. Conheço a sua essência, já estivemos juntas, e sei que é plenamente capaz.

— Já estivemos juntas... antes do meu nascimento?

— Com toda a certeza.

— Brincando de casinha?

— Não exatamente A brincadeira era outra.

— E qual era a brincadeira?

— Uma espécie de "O que seu mestre mandar".

— Não me lembro!

— Não é para se lembrar.

— Mas por quê?

— Porque é assim que a brincadeira funciona. De outra forma não daria certo. Porém, há uma coisa da qual você terá que se lembrar...

— O quê?

— Que o amor e o conhecimento não se perdem nunca. São as únicas coisas que levamos ao longo de nossas vidas. As únicas coisas que nos são permitidas colocar nas nossas malas.

— Você quer dizer que eu posso ter acesso a tudo que aprendi nessas outras brincadeiras?

— Sim, e isso vai ser muito importante para você um dia. Já observou como algumas pessoas têm uma facilidade imensa com coisas que dizem nunca ter aprendido?

— Sim, como crianças que já nascem com habilidades especiais.

— Isso, na verdade, é um conhecimento que já existe, e que era tão forte que essas pessoas já o trazem nas suas malas. Outras, só perderam a chave da mala e precisam aprender a abrir sua bagagem para ter acesso a esse conhecimento. Ele existe e está ali, guardadinho, esperando o momento certo.

— Isso tudo é pra me dizer que eu já sei de muitas coisas?

— Sim.

— Só que eu não me lembro.

— Exatamente.

— Mas que, se eu quiser de verdade, posso me lembrar.

— Muito bem, querida!

— E eu vou saber fazer isso?

— Com certeza! Vou sempre estar por perto, para lembrá-la de que isso é possível.

— E isso é muito importante? Eu não esquecer que tenho que lembrar?

A presença iluminada abriu um grande sorriso.

— Sim, querida. Agora, você precisa voltar.

— Tenho que ir mesmo?

— Sabe que sim, mas antes preciso lhe mostrar uma coisa.

— O quê?

— Vê ali, no meio das pedras, na parede da gruta?

— Sim.

— Ali existe um livro, uma espécie de diário. Escrevi alguns meses antes de você nascer. Eu o escrevi para você.

— Mas o que há nele?

— Você vai descobrir na hora certa. Esse livro não pode cair nas mãos de qualquer pessoa. Existe um conhecimento milenar ali e do qual você vai precisar muito, no momento certo. Essas informações podem causar um grande estrago nas mãos de pessoas mal-intencionadas, mas pode trazer grandes benefícios à humanidade nas mãos das pessoas certas. Esse conhecimento foi passado de geração em geração desde o início de tudo. Muitas pessoas perderam a vida para protegê-lo, até que o homem estivesse realmente preparado para ter acesso a ele. A humanidade tem sofrido muito, e há muito tempo. Precisa tomar ciência dessas verdades antes que o grande dia se aproxime, e ele está cada vez mais próximo. Entretanto, para ter direito ao seu conteúdo, você terá que se mostrar digna dele.

Sophia ouvia com muita atenção, sem compreender exatamente o sentido daquilo tudo. Sabia intuitivamente que o assunto era muito sério e que, por algum motivo, fora escolhida para estar ali. Aos poucos, aquela voz dentro da sua mente foi se tornando mais fraca e distante. Queria ficar ali, mas começou a ser tragada para o túnel novamente. Via o ponto luminoso se afastar, ficando cada vez menor, até cair de novo na mais completa escuridão.

3 DE JANEIRO DE 2016
CENTRO MÉDICO RONALD REAGAN, UCLA, LOS ANGELES

— NA VERDADE, DR. CARLOS ROBERTO, não vemos motivo para a persistência do coma de Sophia — explicava com formalidade o médico assistente do departamento de neurocirurgia, dr. Michael Kovalick, único brasileiro da equipe.

— Mas ela está desacordada há quase três semanas, Mick — desabafou Carlos, forçando uma intimidade.

—Apesar do traumatismo craniano, as tomografias seriadas e a ressonância magnética não mostram nenhuma lesão do córtex cerebral. Sophia sofreu uma concussão com edema na região do lobo temporal esquerdo, que vem regredindo dia após dia com o uso do corticoide e do manitol. Já deveria ter recobrado a consciência. Estamos mantendo uma sedação leve para observar as alterações do seu nível de consciência, mas, se não conseguirmos extubá-la ainda esta semana, vamos ter que fazer a traqueostomia. Na realidade, protelamos ao máximo esse procedimento porque estávamos apostando na superficialização do coma.

— Não consigo entender.

— E você? Já assumiu o seu cargo na equipe de videolaparoscopia? — o neurocirurgião tentou mudar o foco da conversa.

— Tudo aconteceu tão rápido: a indicação, o acidente de Sophia, nossa mudança às pressas… Mas devo iniciar as aulas na Faculdade de Medicina nas próximas semanas.

— Por que não ficou no Brasil, até a recuperação total de Sophia? Tenho certeza de que o departamento de cirurgia seria flexível diante de uma situação como essa. A questão é que transportá-la para cá nessas condições foi muito arriscado.

— Tive meus motivos. Entretanto, esperei que o quadro se estabilizasse para transportá-la, e assumi todos os riscos. Margareth também me condenou no início, mas acabou concordando e resolvemos que seria o melhor para todos.

— Entendo. Tenho uma cirurgia em meia hora, vamos tomar um café? — convidou o médico amistosamente.

— Claro.

Localizado no número 757 da Westwood Plaza, no campus da Universidade da Califórnia, o Centro Médico Ronald Reagan é o principal hospital universitário da Escola de Medicina David Geffen, pertencente à UCLA. Considerado como o melhor hospital da Costa Oeste dos Estados Unidos, recebe com frequência celebridades, como Britney Spears e Michael Jackson, que deu entrada após a parada cardíaca que o levou à morte em 2009. O departamento de emergência do hospital tinha a certificação máxima conferida pelo Colégio Americano de Cirurgiões para os atendimentos traumatológicos de alta complexidade, dirigidos a crianças e adultos. Sophia estava internada na UTI do departamento de pediatria. Carlos e Michael dirigiram-se ao hall de elevadores e caminharam em direção ao pátio, no andar térreo. O complexo hospitalar era cercado por várias áreas arborizadas e agradáveis, algumas extremamente convidativas, como o Jardim da Paz, com seu chafariz e diversas árvores, que ofereciam uma sombra agradável. Caminharam alguns metros e sentaram ao redor de uma das mesas disponíveis. Uma brisa fria soprava, denunciando que, embora ensolarada, aquela era uma típica manhã de inverno.

— Acha que ela pode voltar do coma com sequelas? Seja sincero — pediu Carlos, tomando um grande gole de chocolate quente em vez de café.

O neurocirurgião ajeitou os óculos, tossiu para se livrar de um incômodo pigarro, e sentenciou:

— Apesar de não termos detectado nenhuma lesão específica, quanto maior o tempo do coma, maior a possibilidade de sequelas. Mas você melhor do que ninguém sabe que medicina não é uma ciência exata. Estamos fazendo o melhor, dentro de um dos melhores hospitais do mundo.

— Sophia já nasceu desafiando os paradigmas da medicina.

Foram interrompidos pelo toque do celular de Michael, que atendeu de imediato. Enquanto ouvia com atenção, o médico respondia monossilabicamente, olhando para Carlos:

— Sim, já estou subindo — disse, concluindo a ligação.

— Estão chamando para a cirurgia?

— Não. Era do CTI. Sophia saiu do coma.

20 DE JUNHO DE 2016
FAZENDA DO ZÉ COXO, BARRA DO GARÇAS, MATO GROSSO

ANA ESTAVA ARRASADA DESDE A PARTIDA da neta. A partir do momento que fora avisada do acidente de Sophia, não arredara do hospital dia e noite. Viajara para Cuiabá, deixando André encarregado dos assuntos da fazenda. Só podia entrar nos horários de visita estabelecidos, e mesmo Carlos Roberto sendo o diretor médico do Hospital das Clínicas de Cuiabá, tudo parecia sempre mais difícil para ela. Quando o genro tomou a decisão de transferir a menina em coma, mesmo contra a indicação dos outros colegas, sentiu o chão se abrir como se quisesse tragá-la para as entranhas da terra. Após a partida de Sophia, praticamente não tivera mais notícias. Tentava entrar em contato com Carlos via Skype no computador da sorveteria, coisa que André havia lhe ensinado, mas em vão. Não havia nenhuma ligação, nenhum e-mail. O velho Amaral também era mantido na mais pura ignorância. Estava sozinho e doente. Apenas Airton permanecia ao seu lado na grande fazenda dos Amaral, em Barra do Garças. Após a partida de Carlos, a casa-sede em Cuiabá ficou nas mãos do administrador, e Tenório do Amaral resolveu ficar definitivamente aos pés do Roncador. Cerca de seis meses após a mudança de Carlos e Margareth para a Califórnia, Airton apareceu na fazenda de Ana trazendo o Ventania. O cavalo estava magro e não tinha mais o viço que fizera dele um campeão.

— Tarde, dona Ana!

— Seja bem-vindo, meu filho! Teve notícias da minha neta? Já não me aguento mais de tanta angústia.

— Na verdade, tive, sim, dona Ana. Aquele seu Carlos é mesmo um filho desalmado.

— O que foi que aconteceu?

— O velho Amaral bateu as botas nesta madrugada, dona Ana.

Ana fez o sinal da cruz com expressão de tristeza. Como ao mesmo tempo também estava desesperada por notícias, perguntou:

— E você conseguiu contato com o filho? O Carlos vai voltar para o enterro do pai?

— Que nada, dona Ana. Disse que não pode se ausentar de lá no momento. Que vai mandar um procurador cuidar de tudo aqui.

— E Sophia? Ele deu notícias da minha neta?

— Sim. Disse que a menina Sophia agora está bem. Que ficou muito tempo desacordada, mas que está se recuperando aos poucos.

— Ele não disse quando vai voltar? Eu vendo tudo e vou bater lá atrás da minha Sophia. Ele que não duvide...

— Eu não duvido. Só acho difícil a onça-pintada querer andar de avião.

— Pode ter certeza que a onça chega lá de qualquer maneira.

— Então, dona Ana. Eu trouxe o cavalo da menina Sophia. O bichinho tá definhando dia após dia. Sente a falta dos cuidados dela. Quem sabe aqui ele se ajeita melhor.

André, que vinha entrando, escutou o final da conversa e respondeu logo:

— Pode deixar que eu vou cuidar dele. Quando a Sophia voltar, ele vai estar forte e bonito de novo!

— Acho que você pode ir tirando o Ventania da chuva, porque pra cá ela não volta mais — comunicou Airton em tom decisivo.

— Tenho certeza que ela vai voltar um dia. E eu e o Ventania vamos estar aqui, esperando por ela — disse André em tom profético.

— Obrigada, Airton! Ter o cavalo de Sophia aqui é como ter um pedacinho da minha neta.

— Não tem de quê, dona Ana. A senhora mais do que ninguém merece esse cavalo.

— Avise a hora do enterro do pobre do Amaral, que Deus o tenha.

— Que Deus o tenha. Um bom dia para a senhora.

Tenório do Amaral foi enterrado no dia seguinte no mausoléu da família, próximo ao túmulo de Luzia. Foi o defunto mais celebrado da região. Veio fazendeiro de todas as bandas do Mato Grosso acompanhar o enterro. O velho Amaral foi prestigiado pelos amigos violeiros, que acompanharam o cortejo fúnebre tocando as modas das quais o falecido mais gostava. Padre Lemos fez uma preleção sobre a importância do fazendeiro para o desenvolvimento de Barra do Garças enquanto cidadão benemérito e filho da terra. Mulheres enlutadas aproximavam-se do caixão aos prantos. Algumas traziam pelas mãos filhos que guardavam traços físicos de semelhança com o defunto. Não era surpresa que o velho gostava de um rabo de saia. E assim, enquanto as viúvas não oficiais choravam, inconsoláveis, os homens cantavam e bebiam o cadáver. Todos prestigiaram o enterro do velho Amaral, menos o seu único filho legítimo.

20 DE JUNHO DE 2016
WESTWOOD, LOS ANGELES

SOPHIA FOLHEAVA ENTEDIADA ALGUMAS revistas em Westwood Village, num apart-hotel localizado a alguns minutos do campus da UCLA. Como a mudança para a Califórnia fora precipitada pelo seu acidente, Carlos Roberto e Margareth resolveram alugar um apartamento próximo ao hospital, de forma que pudessem se deslocar com facilidade, sem deixar Sophia sozinha por muito tempo. O apartamento era simples, mas extremamente funcional, todo mobiliado e equipado para atender a uma família pequena. Desde que acordara do coma, Sophia tinha dificuldade de se lembrar de fatos e pessoas que faziam parte da sua história e da sua vida. Praticamente não reconhecera o pai e a madrasta, o que havia deixado Carlos muito preocupado e aflito num primeiro momento. Michael explicara que a concussão e o edema do lobo temporal esquerdo poderiam deixá-la com algumas sequelas. O distúrbio de memória, portanto, era algo comum nesse tipo de quadro. Aos poucos, com paciência e terapia ocupacional apropriada, ela poderia recuperar a memória perdida. O que tirava Sophia do sério eram as crises frequentes de cefaleia, que a deixavam extremamente irritada.

Fora matriculada na Kaplan, uma escola de inglês tradicional para estrangeiros e que ficava a apenas algumas quadras do apart-hotel, de forma que podia fazer o percurso de bicicleta ou a pé. Apesar de já ser formada em inglês e espanhol, Carlos achou melhor que ela fizesse um curso de aprimoramento para garantir uma melhor pontuação no TOEFL, o exame mais reconhecido e exigido para aptidão da língua inglesa nas universidades americanas. Carlos convencera a filha a fazer o ensino médio numa escola em Beverly Hills com alto índice de aprovação nos cursos de medicina. Margareth fora encarregada dos detalhes da compra da casa e da escolha da escola, tarefa que cumpria magistralmente, em especial porque estava interessada em ficar próxima às lojas da Rodeo Drive.

Após a morte do velho Amaral, o patrimônio foi totalmente dilapidado na partilha dos bens, uma vez que os inúmeros filhos bastardos do fazendeiro passaram a exigir a sua parte na herança. Carlos resolveu vender as suas cotas do Amaralzão, a casa em Cuiabá e as fazendas de gado. Não tinha mais planos de voltar ao Brasil. No fim das contas, o acidente da filha, por mais angustiante que tivesse sido, tornara a ida da família para a Califórnia mais fácil. Até mesmo a amnésia temporária de Sophia parecia estar ajudando, pois o que o médico mais queria era afastar a filha definitivamente da influência da avó e do mestiço por quem Sophia afeiçoara-se desde pequena. A menina havia baixado algumas fotos na internet. Carlos havia selecionado umas e feito uma pasta para que Sophia procurasse se lembrar aos poucos de sua história. Fotos de Luzia, dele próprio e da menina. Enterrara definitivamente a índia, espanando da memória da filha qualquer resquício que pudesse ter ligação com a gruta da cachoeira e Ana Peixoto. Dizia que todos os seus avós tinham morrido, tanto os maternos quanto os paternos. Sophia ouvia tudo sem desconfiar, nem duvidar de nada. De vez em quando, observava mais atentamente uma ou outra foto, tentando forçar a memória, mas nada vinha à sua mente a não ser um grande vazio. Carlos Roberto aos poucos ia direcionando a vida de Sophia, coisa que nunca conseguira fazer no Brasil diante do temperamento forte e das opiniões próprias da menina.

Sophia, fragilizada pelos últimos acontecimentos, estava mais flexível e aberta aos conselhos do pai. Sozinha, sem amigos, sem memória e numa terra estranha, não tinha muitas opções. O cirurgião resolveu que seria melhor para todos que o passado fosse enterrado e definitivamente esquecido numa espécie de amnésia coletiva. O dolo seria do destino, que, afinal de contas, parecia estar contribuindo favoravelmente para a causa do médico. E foi assim que Carlos resolveu colocar definitivamente um fim naquela história. Invadia frequentemente a antiga caixa de e-mails de Sophia, de quem tinha todas as senhas. Sarah, a antiga dama de companhia, que ficara no Brasil, passou-lhe não apenas esta como outras informações sobre a vida pessoal da menina, de forma que Carlos sabia todos os passos da filha. Ficou possesso ao saber do interesse que o mestiço André tinha por Sophia. E mais possesso ainda ao perceber que o interesse era recíproco. Deletava todas as mensagens que a filha recebia, caso recuperasse a memória subitamente. E ainda tinha aquela feiticeira alcoviteira, que provavelmente havia estimulado o romance, pensava com frequência. Excluía sistematicamente todos os e-mails encaminhados a Sophia por Ana e André, sem lhes dar resposta.

Até que um dia uma ideia lhe ocorreu. Aproveitou um intervalo durante o trabalho e acessou a caixa de e-mails de Sophia. Lá estavam eles, sempre insistindo. Nunca desistiam da esperança de que a menina respondesse. Diariamente enviavam novos e-mails implorando por uma resposta. "Não consigo esquecer nossas tardes na cachoeira", dizia uma das mensagens de André. "Acho que vou ficar louco, sem você aqui", dizia outro.

— *Bullshit*! Quem esse merdinha pensa que é? — perguntou-se em voz alta.

Excluiu todas as mensagens de André e passou a abrir as mensagens de Ana. A índia não perdia a esperança do contato. Sempre falava muito em Luzia, e que não havia conseguido cumprir o prometido à filha, que não conseguira impedir que Carlos exercesse o seu domínio sobre a neta. Carlos enrugou a testa numa interrogativa. Então Luzia havia pedido em vida que Ana afastasse Sophia dele? Como assim? Luzia pressentia que iria morrer? Cada vez mais irado com as informações, Carlos finalmente quebrou o silêncio e respondeu o e-mail de Ana:

Minha querida vó,

Só agora estou podendo responder aos seus e-mails. Me desculpe o período de silêncio, mas ainda estou tentando me recuperar da queda e de tudo que aconteceu. Sinto dores de cabeça terríveis e tenho muitos lapsos de memória, de forma que estou melhorando aos poucos. Agora estou bem e focada nos meus estudos para tentar correr atrás do tempo perdido. Tenho refletido muito sobre tudo o que aconteceu comigo e cheguei a uma conclusão. Acho que é melhor para todos nós que eu permaneça morando definitivamente aqui. Meu pai tem sido maravilhoso, preocupado e presente como nunca foi. Acho que, se minha mãe estivesse viva, iria se surpreender com a mudança dele. Não quero mais criar problemas para ele, e falar com a senhora e ficar relembrando o passado me trazem grandes tristezas, e a ele também. Por isso, pensei bem e decidi que este será o meu último e-mail. Acho que ficar falando com a senhora, alimentando e remoendo lembranças não vai ser bom para a minha recuperação. Sei que me ama mais do que tudo, e por isso vai tentar me entender e respeitar o meu silêncio. Sinto se a magoo e a decepciono, mas vai ser melhor para todos dessa maneira. Diga ao André que sempre gostei dele como um grande amigo e irmão, e acho que confundimos isso com outro sentimento que não é verdadeiro. Quero que ele siga a vida dele e me esqueça definitivamente. Vai ser melhor assim.

Me desculpe,
Sophia.

21 DE JUNHO DE 2016
BARRA DO GARÇAS, MATO GROSSO

ANA CHEGOU CEDO À SORVETERIA. Havia dormido mal. Passara a noite tendo sonhos incompreensíveis, dos quais se lembrava apenas de algumas partes. Luzia, aflita, andava impaciente em volta do lago da cachoeira. Gesticulava muito e tentava chamar a atenção para alguma coisa que ninguém conseguia ver. Ana correu na direção da filha e olhou para onde ela apontava com tanto desespero. No fundo do lago, Sophia se debatia sem conseguir permanecer à tona. Ana mergulhou e abraçou a menina, tentando manter a cabeça dela fora da água, mas a força da torrente era maior, tragando Sophia para o fundo sem que ela conseguisse ajudá-la. A menina escorregava das suas mãos, e Ana desesperadamente se agarrava aos cabelos dela, para que não afundasse de vez. Um grande rodamoinho se formou no meio do lago, normalmente de águas tépidas e mansas, e Sophia foi sendo engolida pelo grande turbilhão de água, escapulindo por entre os dedos da avó. Ana acordou ensopada de suor. Bebeu um pouco da água, que gostava de manter na cabeceira da cama, sempre fresca, dentro de uma moringa de barro.

Foi até a entrada da casa e viu o sol nascer da soleira da porta. Uma brisa leve soprou, tocando-lhe os cabelos, e ela gostou daquele carinho matinal. E a não ser pelos gemidos de uma onça ao longe, parecia tudo calmo e em paz. Ana trocou de roupa, fez o café e saiu, dando um beijo na testa de André, que ressonava no quarto ao lado do seu. Ela carregou a recém-adquirida Suzuki Jimny, uma 4×4 funcional que passou a substituir a antiga picape e a carroça, com as compotas de doces de murici, buriti, carambola, acerola, jabuticaba e pequi. Os sorvetes eram feitos na própria sorveteria por Ana, com a ajuda de uma auxiliar. Eram exclusivamente artesanais, com ingredientes orgânicos e selecionados. Ana aos poucos ia abandonando o hábito de colher pessoalmente as frutas no seu pomar e na mata. A sorveteria ganhara fama pela qualidade de seus produtos e se transformara num ponto turístico imperdível nas rotas dos guias da região. Ela encomendava a matéria-prima de fornecedores conhecidos e confiáveis quanto à origem e à forma de plantio sem agrotóxicos. Transformara-se numa microempreendedora individual, seguindo os conselhos do Naldo do armazém, e empregara Ana Maria, uma mulata que era sua auxiliar na fabricação do sorvete e seu braço direito nas questões administrativas.

Naquela manhã, chegou mais cedo do que de costume e abriu sozinha a sorveteria. Iria esperar Ana Maria para descarregarem juntas as compotas. Dirigiu-se ao diminuto escritório que havia montado num jirau, e que contava com um pequeno arquivo onde guardava faturas, pagamentos e listas de despesas. Havia ainda um notebook que a mantinha informada e conectada ao resto do mundo, uma vez que não havia sinal de internet na fazenda. Em casa, preferia sempre o isolamento, mantendo o utilitário estritamente necessário e um gerador movido à energia solar. Ainda gostava do cheiro de querosene dos lampiões, que tornavam as suas noites sempre mais bonitas. Mantinha-se fiel às suas origens e não dispensava o seu fogão a lenha, mas, na sorveteria, tinha que estar a par do que acontecia no mundo, e o seu elo com a civilização era o pequeno notebook. Abriu a caixa de e-mails como fazia todas as manhãs, na esperança de notícias de Sophia. Olhou displicentemente para mensagens de fornecedores, um convite para uma violada goiana num novo centro cultural a alguns quilômetros de Barra do Garças e pedidos de algumas empresas de turismo que queriam fazer contato, até perceber um e-mail datado da véspera com o endereço eletrônico de Sophia. Ana sentiu uma tontura e seu coração disparou feito louco dentro do peito. Um misto de alegria e medo a impediu momentaneamente de satisfazer o desejo tão esperado por notícias. Finalmente, o que queria saber estava ali, a poucos centímetros dos seus dedos, porém se sentia imobilizada, numa inércia inexplicável.

Enfim, controlou-se, respirou fundo e clicou para abrir o e-mail. Leu e releu várias vezes, sem entender exatamente o que estava escrito. Não reconhecia a neta naquelas palavras frias e impessoais. Será que a pancada na cabeça havia mexido com o juízo da menina? Será que havia entendido direito? Sophia estava mesmo lhe dando adeus? Nada daquilo fazia o menor sentido. As letras ficaram turvas e Ana começou a abrir e a fechar os olhos, procurando o foco. Tentava reler o texto já mentalmente decorado, mas não conseguia mais enxergar nada. Uma dor aguda e apertada começou a estrangular seu peito como se uma espada varasse o coração de um lado a outro. Tentou se levantar agarrada à pequena escrivaninha do escritório, mas caiu, levando com ela tudo o que estava sobre o tampo. Uma ardência no peito começou a sufocá-la sem que conseguisse respirar. Começou a ouvir uma voz ao longe chamando o seu nome, e o rosto de Ana Maria apareceu, embaçado, próximo ao seu. Sentia-se sendo sacudida, mas não conseguia falar e responder. A imagem de Sophia pequena, no seu colo, imediatamente apareceu na sua mente, e houve um grande lampejo trazendo consigo todas as suas melhores lembranças. Já não sentia mais tanta dor. Sophia corria atrás das galinhas e tentava pegar estrelas cadentes. Os acontecimentos passavam diante dos seus olhos numa velocidade vertiginosa, e viu-se então no meio de um grande rodamoinho de luz, sendo tragada com todas as suas lembranças.

1º DE MAIO DE 2028
SERRA DE ITAIPAVA, RIO DE JANEIRO

A TARDE CORRIA TEDIOSA NUM DIA CHUVOSO DE FERIADO. Sophia acordou tarde. Espreguiçou-se, alongando toda a coluna, e calçou as pantufas de urso panda, presente do último namorado com quem terminara havia alguns meses. A máquina de café expresso já estava pronta, como de costume. Colocou a cápsula do sabor de que mais gostava, forte, encorpado e intenso, com algumas notas de canela e baunilha. Acionou a máquina enquanto escovava os dentes. No banheiro espaçoso da casa na serra fluminense, adorava olhar através da grande janela de vidro com moldura de madeira patinada. Seu pai tivera a ideia de emoldurar a paisagem verde da montanha através da janela, de forma a dar a sensação de uma pintura. "São os Jardins de Sophia", ele anunciava sempre que recebiam alguns raros amigos.

Haviam morado em Los Angeles e eventualmente vinham ao Brasil, mas o pai e a madrasta odiavam ficar em hotéis, e mantinham a casa na serra fluminense impecável, sob os cuidados do caseiro. Sentia saudades do médico, que sofrera com um câncer na próstata e a deixara dois anos antes. Estava terminando a residência médica em imunologia na Universidade da Califórnia quando Carlos Roberto, responsável pela equipe de videolaparoscopia robótica do Hospital Ronald Reagan, começou a demonstrar os primeiros indícios da doença. Depois de dois anos de luta e sofrimento, morreu vítima de metástase pulmonar. Margareth mostrou-se uma companheira devotada, e, apesar do excesso de futilidade, nunca o abandonou, mesmo em suas piores crises de mau humor e depressão. Após a morte do marido, casou-se outra vez na Califórnia e nunca voltou ao Brasil. A última vez que mandou uma mensagem instantânea para Sophia estava fazendo um cruzeiro pelas ilhas gregas.

Sophia sentia-se imensamente sozinha. Nem mesmo os carinhos da cadelinha Zoe, uma bichon frisé de três meses que ganhara de uma vizinha, conseguia minimizar seu sentimento de perda após a morte do pai. O aroma do café fresco inundou toda a casa. Serviu-se de uma xícara e colocou um pouco de creme, coisa que sua silhueta longilínea sempre lhe permitia. Passou de novo pelo banheiro e olhou através da vidraça emoldurada. Alguns saguis pulavam de galho em galho atraídos pelas frutas maduras de algumas árvores próximas. Sophia sorriu para a cena, que lhe pareceu estranhamente familiar. "Déjà-vu?", pensou.

Pegou o iPhone e sentou-se displicentemente numa poltrona da sala de estar para ler os e-mails. A décima nona versão da Apple era um modelo finíssimo, supercompacto e altamente funcional. Era dotado de um sistema de privacidade com acesso apenas por reconhecimento de voz ou biometria digital, tornando-o inviolável em caso de perda ou furto. O modelo vinha com um acessório de pulso extremamente engenhoso. Quando acionado pelo celular, a região central se desprendia, transformando-se num drone, que tirava fotos tridimensionais. Havia um sem-fim de novas mensagens na caixa de entrada. Sophia deletou todas que aparentemente não tinham cunho profissional. Alguns e-mails técnicos da fundação onde trabalhava no setor de pesquisa com vacinas e biológicos chamaram-lhe a atenção. Recebera um convite após o término do mestrado para trabalhar na Fundação Oswaldo Cruz, em Manguinhos, no subúrbio do Rio de Janeiro. Na ocasião, estava iniciando um trabalho científico para o doutorado com doenças tropicais e o convite lhe caiu como uma luva. Voltar ao Brasil depois de tanto tempo para trabalhar com o que mais amava parecia um sonho. Sua posição seria uma espécie de ponte direta entre a Fiocruz e a Universidade da Califórnia.

Depois da morte do pai, não havia mais nada que a prendesse à Cidade dos Anjos, e aceitou prontamente o convite. Lembrava-se muito pouco da sua infância e da mudança feita às pressas. Seu pai, por sua vez, sempre falou com muita reserva de seu passado no Brasil. Sophia tinha crises de cefaleia intensas desde o acidente com o cavalo. Uma espécie de amnésia parcial lhe embotava a memória para fatos passados. O pai e a madrasta ajudaram-na a reconstruir suas memórias com relatos e fotos, mas sempre sentiu Carlos muito reticente em relação às questões que envolviam o seu nascimento. Passou o olhar pelos e-mails, entediada, e pensou: "Hoje não!". O som das notificações e atualizações prosseguiram sem que ela se incomodasse. Alguns contatos nas suas redes sociais a cutucavam com frequência. "Chatos que não têm mais nada pra fazer", ela pensava.

Sophia acessou um aplicativo de mensagens instantâneas. A foto de sua secretária apareceu na tela com uma fluorescência avermelhada, sinalizando urgência. Ana Rosa não lhe deixava em paz nem no feriado. Acionou o controle remoto do celular e o dispositivo em seu pulso emitiu um facho de luz neon, em cujo centro havia a projeção holográfica de uma mulher.

— Doutora, por favor, tente chegar um pouco mais cedo na fundação. Sua agenda está cheia e o dr. Jack Klein parece ter urgência nos resultados da pesquisa.

Sophia acionou o mecanismo de resposta.

— Sim, senhora, estarei aí abrindo os portões da Fiocruz nos primeiros raios da manhã. A propósito, adorei o novo tom das mechas do seu cabelo.

Encerrou a projeção e resolveu então entrar em um site de relacionamentos, cujo perfil tinha sido preenchido por uma amiga que insistia que ela não deveria ficar sozinha por tanto tempo. Resistiu de início a tal ideia. Sophia não tinha sorte nos seus relacionamentos. Era aquariana e tinha um temperamento difícil. Por outro lado, possuía uma espécie de atração magnética por homens de personalidade complexa. Dizia para as amigas que sua antena para homens complicados tinha um longo alcance, e era melhor ficar sozinha mesmo, pois assim o raio de destruição seria menor. Porém, depois de algum tempo, resolveu aceitar a ajuda da amiga, achando que, afinal, até que poderia ser bem divertido. Omitiu algumas informações por segurança, mas manteve seus dados pessoais como idade e preferências. Colocou em letras garrafais: "Cuidado, perigo! Cerca eletrificada. Homens casados ou enrolados, não se aproximem". Logo os pretendentes on-line começaram a fazer suas abordagens. "Aposto como a maioria que se diz solteira ou sem compromisso está mentindo", ela não conseguia deixar de cogitar. Passou rapidamente os olhos, filtrando as informações. Entre os contatos próximos, avistou alguns conhecidos.

— Olha só! Até o seu Almeida da padaria da esquina quer se arranjar por aqui.

Uma notificação em especial despertou a sua curiosidade: "Estou aqui à sua espera, como sempre estive". Acessou o perfil, que não tinha foto. "Sou publicitário e escritor. Tenho cinquenta e dois anos, vários fios de cabelos brancos e uma infinidades de coisas para compartilhar com você." Alguma coisa naquelas palavras incomodou Sophia, embora ela não soubesse exatamente o quê. Talvez fosse aquele tom de intimidade. De qualquer forma, o escritor não estava on-line e a conversa teria que esperar. "Por que eu desejaria compartilhar uma infinidade de coisas com um estranho?", deixou por escrito.

Zoe logo pulou no seu colo e Sophia não teve como recusar:

— Vamos, sua danadinha. Vamos dar uma volta e queimar o creme do café da manhã.

2 DE MAIO DE 2028
FUNDAÇÃO OSWALDO CRUZ, MANGUINHOS, RIO DE JANEIRO

A FUNDAÇÃO OSWALDO CRUZ É UMA DAS INSTITUIÇÕES de pesquisa mais consideradas no Brasil e na América Latina no estudo das doenças tropicais. Localizada na avenida Brasil, porta de entrada da Cidade Maravilhosa, constitui-se num amplo complexo de edificações no bairro de Manguinhos. Sophia descia a serra três vezes por semana para gerenciar os projetos em fase de experimentação no Instituto de Tecnologia em Imunobiológicos Bio-Manguinhos. Fazia um ano vinha desenvolvendo seu trabalho de doutorado em conjunto com a Universidade da Califórnia para o desenvolvimento de uma vacina específica contra o *Mycobacterium leprae*, contribuindo dessa forma para a diminuição da incidência da hanseníase nas áreas endêmicas do país.

O trânsito no final da Via Dutra era sempre constante e os acidentes com carretas e caminhões frequentes. Aos poucos, o imponente castelo da Fundação ia se tornando mais próximo. O estilo arquitetônico neomourisco era inconfundível. Suas varandas revestidas de azulejos portugueses e os pisos de mosaicos franceses davam um toque europeu à construção. A escadaria principal, construída com mármore de Carrara e ferro forjado, lhe emprestava certo ar de elegância aristocrática, e o velho elevador alemão instalado em 1909 ainda estava em pleno funcionamento.

— Bom dia, seu Oswaldo!

— Bom dia, dra. Sophia — respondeu o chefe da segurança.

— E o nosso timão, emplaca ou não emplaca? — perguntou Sophia, descontraída.

— Ah, com a troca do zagueiro, agora o Gigante da Colina vai destroçar.

Sophia gostava de ser simpática com todos. Estava sempre sorrindo e conquistava pelas palavras gentis. Vestia-se de forma simples e prática até porque o jaleco sempre lhe cobria boa parte da roupa. Naquela manhã, colocara uma calça jeans estonada, uma camiseta de malha vermelha e um lenço no pescoço, já que na serra a temperatura era sempre baixa. Estacionou o carro, um modelo popular flex que lhe permitia economizar um pouco com o combustível no final do mês, e seguiu em direção à sua sala no complexo Bio-Manguinhos. Olhou a agenda para verificar os compromissos do dia.

— Bom dia, Aninha. Estou aqui conforme as ordens que recebi. — E bateu continência para a secretária. — Onde é o incêndio que você quer que eu apague?

— O incêndio é na Califórnia e tem nome: dr. Jack Klein. Organizei aqueles seus últimos dados da pesquisa com tatus. Ele quer os primeiros resultados com o uso do suquinho que você injetou nas cobaias com as micobactérias irradiadas e inativadas.

— Não sei o que seria da mim sem você, Ana. Vou me trancar para estudar um pouco e analisar os resultados. Há alguns dados que estão me tirando o sono, simplesmente não encaixam.

— Bem, vou fazer um café fresquinho e já trago.

Ana Rosa era uma funcionária pública dedicada. Trabalhava como auxiliar administrativa no setor de pesquisas. Inicialmente atendia a Sophia e outros cinco pesquisadores do departamento. A empatia esteve presente desde o primeiro momento em que se conheceram. A secretária era formada em biologia, mas não havia conseguido passar para o concurso público dentro da sua área, e sim na função administrativa. Afeiçoara-se à médica e à sua determinação na pesquisa pela vacina. Com o tempo, mostrou-se tão eficiente no entendimento do processo da pesquisa que Sophia conseguira, com o departamento, a contratação da bióloga com vínculo exclusivo para a pesquisa desenvolvida por ela. Precisava de alguém de confiança ali dentro, uma pessoa dotada de discernimento, conhecimento e força de vontade suficientes para ajudá-la na discussão do comportamento biológico do agente envolvido e na tabulação dos dados obtidos. Ana Rosa era ótima com os programas, coisa que Sophia odiava imensamente. Enfim, foi um casamento perfeito.

Sophia passou os olhos pelos e-mails de trabalho que havia arquivado durante o feriado. Teria que fazer um relatório detalhado sobre seus últimos avanços na pesquisa da vacina. Algumas etapas do processo estavam sendo desenvolvidas no Instituto Lauro de Souza Lima, em Bauru, onde contava com uma equipe de colegas tão determinados quanto ela. A liberação de verbas para as pesquisas dependia que seguissem todo o protocolo desenvolvido, respeitando os prazos para a exposição dos primeiros resultados.

Conhecera o dr. Jack Klein durante o seu mestrado na Universidade da Califórnia. Participara com ele do último Congresso Internacional para o Progresso da Ciência, evento em que fora convidado para participar de uma mesa-redonda na qual discutiram o avanço da endemia em países como a Índia e o Brasil. Apesar de ser uma doença de baixa incidência na América do Norte, a hanseníase sempre intrigou o americano, que havia décadas trabalhava em pesquisas sobre o assunto e tinha vários trabalhos publicados na comunidade científica internacional. Sophia fora convidada como palestrante e defendera a necessidade do desenvolvimento de uma vacina específica, uma vez que a única forma de profilaxia existente para a doença era a vacina BCG, utilizada na proteção contra a tuberculose. Segundo suas pesquisas, o fato de as bactérias serem estruturalmente semelhantes não mais justificaria uma atitude passiva da comunidade científica em aceitar a vacina obtida a partir da cultura do agente da tuberculose bovina como a única opção para a prevenção da doença nos contatos familiares dos pacientes acometidos pela enfermidade. Defendera ardorosamente o seu ponto de vista e conquistara a simpatia e o apoio do norte-americano, que lhe ofereceu a possibilidade de desenvolver a vacina em conjunto com a Universidade da Califórnia, onde trabalhava no setor de imunologia.

Sophia abriu a planilha em seu computador e iniciou a comparação dos dados através de gráficos já tabulados por Ana Rosa. Estava empenhada em dois estudos paralelos. Seu objetivo era descobrir uma vacina que induzisse o aparecimento de uma resposta imunológica eficaz, específica e duradoura contra o *Mycobacterium leprae* de efeito protetor significativamente maior do que a oferecida pela BCG. Num dos estudos utilizava uma suspensão de *Mycobacterium leprae* inativadas pelo calor e pela irradiação. Num outro estudo, utilizava apenas algumas proteínas da estrutura da bactéria e injetava na pata das cobaias um pool desses antígenos recombinantes. Cerca de vinte minutos transcorridos da primeira tabulação, percebeu que havia recebido uma nova mensagem do site de relacionamentos: "Não acredita em mim, não é mesmo? Não sabe o quanto procurei e esperei por você. Preciso que me escute, que me procure, que ao menos me responda...".

— Mas será possível? Lá vem aquele escritor de novo.

Abriu uma janela para mensagens rápidas e digitou: "Não desejo compartilhar nada com você. Nem ao menos o conheço!".

Ele estava on-line e prontamente respondeu: "Conhece, sim, apenas não se lembra".

"Você é algum pesquisador?", ela rebateu. "Trabalha com biologia? Já sei, você escreve em uma revista científica."

Ele lhe respondeu com um emoticon gargalhando.

"O que há de engraçado na minha pergunta?"

"Desculpe, sou escritor, sim, mas não escrevo em revistas científicas, prefiro os contos de ficção. Não me tome por alguém abusivo, não costumo falar e muito menos abordar gente que não conheço, a não ser que..."

"A não ser que..."

"Seja extremamente necessário."

"E precisa de mim exatamente para quê?"

"Você vai saber no momento certo."

Sophia estava claramente aborrecida: "Não gosto de momentos que eu não tenha determinado".

"Nem tudo pode ser do jeito que você quer".

"Afinal, quem é você de verdade, qual o seu nome?"

"Sou um escritor que vive na reclusão. Não posso revelar muita coisa ainda. Pode me chamar de Z. Isso é para a nossa própria segurança."

"Recluso, é? Como assim? Você está preso, é isso? Você é um psicopata que está numa prisão de segurança máxima, com a boca amordaçada, mas que por algum motivo pode usar a internet, acertei?"

"O escritor aqui sou eu." E o homem postou mais emoticons gargalhando. "Pertenço a um grupo de escritores que faz da reclusão uma escolha de vida. É uma forma de manter a identidade preservada e aguçar ainda mais a curiosidade do leitor."

"Sei. Então você pode ser um recluso famoso."

"Na verdade, não estou atrás de fama. Prefiro o anonimato. Alguém sem rosto e sem identidade e que não precisa disso para viajar e visitar lugares distantes. Gosto mesmo é de acessar outras dimensões..."

"Você quer dizer que é daqueles que adoram um chazinho alucinógeno para sair do corpo e que ficam por aí flutuando? Você é bem doido mesmo!"

"Na realidade, acho que você tem toda razão. A normalidade é algo muito relativo mesmo. Mas, como eu, existem muitos por aí. A reclusão não é uma exclusividade minha, e essas viagens são plenamente possíveis sem a necessidade desses recursos artificiais."

"Então, sr. Z, viajante do plano astral, você está a fim de dar uma volta de cometa e quer a minha ajuda?"

"É mais ou menos isso."

"E acha que eu vou ajudar você?"

"Acho."

"Porque já me conhece... de outras viagens? Você me visita quando estou dormindo?" Sophia ajeitou instintivamente o sutiã.

O escritor respondeu com várias carinhas de diabinhos sorrindo e completou: "Infelizmente não, mas conheço você e torno a repetir que tenho esperado há muito tempo por esse momento".

"Como me achou?"

"Hoje em dia a privacidade é algo que não existe mais, principalmente depois do Google. Basta jogar qualquer informação na internet e, *voilà*, lá estão os seus dados nos bancos de pesquisa. Por isso sou um Scriblerius."

"Você é um o quê?"

"Procure na internet e vai entender."

"Olha aqui, sr. Z ou Scri não sei mais o quê, tenho mais o que fazer."

Sophia desativou a janela e Ana finalmente trouxe o café.

— Nossa, que demora, Ana!

— É que não tinha pó de café por aqui e fui procurar em outros setores. Você está meio agitada ou é só impressão minha?

— Tem um idiota na internet achando que pode me assustar.

— Cuidado, hein? Esses sites às vezes são como ratoeiras. Eu tenho uma amiga que quase ficou frente a frente com um psicopata.

— Eu sei, eu sei. Mas vamos logo tomar esse café porque daqui a pouco ele vai virar café da tarde. — Sophia tomou um grande gole e voltou a analisar os dados da pesquisa.

Sophia chegou em casa por volta das nove da noite. Aquele havia sido um dia exaustivo, mas conseguira justificar o suficiente os dados mais recentes para manter a pesquisa em andamento. O sucesso para o desenvolvimento da vacina ainda esbarrava em muitas variáveis. O bacilo de Hansen foi a primeira bactéria relacionada à doença humana em 1873, até então o conceito da doença estava intimamente associado à ideia de punição e pecado, no entanto nunca se conseguiu obter o seu cultivo *in vitro*. A melhor forma de combater o inimigo é convidá-lo para entrar e conhecê-lo bem de perto, entender de que forma ele age, a composição detalhada de seus elementos estruturais, saber de que forma se multiplica para elaborar medicamentos e vacinas baseados nos seus pontos fracos. Quando se consegue isolar o agente e cultivá-lo em laboratório, é como se pudesse penetrar na intimidade daquele micro-organismo infeccioso, como se ele lhe desse permissão para frequentar sua sala de visitas para entender melhor o seu comportamento. Isso nunca foi possível. Tudo o que se conhecia até aquele dia partia da observação da inoculação da bactéria na pata de um camundongo ou da tentativa de reproduzir a doença em tatus.

Os animais servem de reservatórios, mas não adoecem de fato. A hanseníase é uma doença exclusiva da espécie humana. O fato de se alojar em regiões de baixa temperatura como o globo ocular, os lóbulos das orelhas, os cotovelos, as pregas dos dedos e os testículos permite inferir que sua multiplicação se dê preferencialmente abaixo de trinta e seis graus Celsius, o que elege o tatu como o animal que mais se enquadra nessas especificações, tornando todo o processo de estudo ainda mais complicado. Outro fato importante é que o bacilo tem uma multiplicação lenta, o que explica os longos períodos de incubação da doença. O paciente infectado pode permanecer com a doença incubada de três até dez anos, com uma média de cinco anos para o aparecimento dos primeiros sinais e sintomas. Todas essas características fazem dessa bactéria um dos modelos estruturais mais antigos que parasitam a espécie humana ao longo dos séculos.

Enquanto organizava seus pensamentos, Sophia tirou a roupa e mergulhou na banheira para relaxar. Colocou algumas gotas de óleo almiscarado para perfumar a água e deixou-se ficar ali. O vapor quente embaçou os espelhos, e ela naturalmente fechou os olhos. As pernas longas brincavam com a espuma, fazendo pequenos turbilhões. A pele branca aos poucos adquiria um rosado saudável pela vasodilatação, e os músculos foram se libertando dos pontos de tensão. Um farfalhar de folhas lhe chamou a atenção. Inicialmente não conseguiu identificar a origem. Pouco a pouco foi percebendo um movimento vindo em sua direção. Os olhos abertos e as pupilas dilatadas não escondiam o quanto ela parecia assustada. Permaneceu estática, sem mexer um músculo sequer. Procurou acomodar a visão e percebeu um vulto todo coberto por uma vestimenta estranha. A cabeça também mantinha-se oculta por uma espécie de saco feito do mesmo material. Na mão carregava um chocalho grande revestido de miçangas. O corpo rodopiava, aproximando-se e afastando-se de forma ritmada, e Sophia percebeu que o farfalhar vinha da vestimenta toda confeccionada em palha.

Aquela figura enigmática dançando freneticamente e o roçar da palha a cada movimento eram algo que não esqueceria jamais. De repente, a aparição se aproximou de Sophia e segurou uma de suas mãos, convidando-a para que dançasse com ela. Sophia no início resistiu ao convite. O personagem resolveu então revelar a sua identidade, retirando a palhoça da cabeça. Era uma índia de pele bem morena com os cabelos brancos e escorridos. Tinha uma aparência cansada e um olhar muito triste. Ao longe, um galo cacarejou, tirando-a daquele transe, e Sophia abriu os olhos num susto. Havia dormido na banheira. Levantou-se tiritando de frio e se enrolou na toalha. Lançou um olhar rápido para o espelho. Abaixou um pouco a toalha e tentou enxergar por sobre o ombro esquerdo a imagem refletida em um dos espelhos. Um pouco acima da sua omoplata havia um sinal de nascença acastanhado, com um formato um tanto bizarro. Por diversas vezes havia sido indagada sobre essa sua "tatuagem" em forma de chave, e sempre achou graça da situação, mas desta vez sentiu algo diferente, como se o sinal estivesse ali por algum motivo muito especial, algo que não conseguia explicar. Era uma pesquisadora e só acreditava em tudo o que a ciência podia comprovar. "Que sonho mais maluco", ela pensou. Jogou a toalha no canto do banheiro, vestiu uma blusa canelada de malha, cobriu-se com um pesado cobertor de lã e dormiu até o dia seguinte.

20 DE AGOSTO DE 1925
SERRA DO RONCADOR, MATO GROSSO

A EXPEDIÇÃO DO CORONEL PETER, alguns meses depois da sua partida de Cuiabá, finalmente chegou a Barra do Garças, principal acesso à serra do Roncador. Várias outras expedições já haviam tentado o mesmo feito antes, mas com resultados inconsistentes e duvidosos. A selva amazônica podia ser implacável com quem tentasse invadir os seus domínios sem o conhecimento necessário, e algumas regiões nem mesmo os índios se aventuravam em penetrar.

Peter reunira alguns índios e seguira com o filho Samuel e o amigo inseparável, Jeremy Smith, em direção ao Alto Xingu. Mantinha um pequeno bloco de anotações sempre à mão, onde escreveu:

> A natureza foi generosa com este país. Nunca imaginei encontrar tantas espécies de pássaros com plumagem tão majestosa. Os dias parecem não ter fim, e as noites são curtas demais para o nosso cansaço. Mantemo-nos alertas o tempo todo, pois a selva tanto pode ser generosa quanto ser perigosa e fatal. As cobras e os lagartos são frequentes, e os mosquitos, insuportáveis. Meu filho Samuel caiu doente com uma espécie de febre que de três em três dias aparece, causando-lhe tremores e calafrios. Está fraco e muito pálido, de forma que o levamos deitado

na rede a maior parte do tempo. Os índios prepararam uma bebida amarga à base de quinino e o obrigam a tomar várias vezes ao dia. Temo pelo que possa vir a acontecer com ele e conosco. Que Deus se apiede de nós e nos mostre o melhor caminho.

Os kalapalos eram índios reservados, e naquele local eram os donos da terra. Demoraram a confiar em Peter e em seus homens. Sabiam o quanto o homem branco podia ser destrutivo. Aos poucos, Peter foi ganhando a confiança do chefe kalapalo. A primeira tentativa de aproximação foi a troca do cachimbo real, presente de Sua Majestade pelos anos de serviço prestado ao Exército britânico, por uma zarabatana confeccionada com bambu, cordas e penas. O bambu era vazado e, quando soprado adequadamente, era capaz de atirar à distância longos espinhos de tucum embebidos em veneno, causando a paralisia da caça. Quanto mais Peter os conhecia, mais os respeitava. Ao mesmo tempo, havia o ciúme de alguns que não aprovavam essa aproximação. Irerê, filho do cacique, era um dos insatisfeitos que não via com bons olhos essa relação com o homem branco. Não gostava da admiração que nascera entre os dois homens. Por outro lado, via naquele estranho a possibilidade de aprender táticas de combate. Ouvia atentamente as histórias do coronel quando acendiam a fogueira e se reuniam para contar seus feitos contra os inimigos. Bebiam nessas ocasiões uma mistura de mel com a água da mandioca fermentada, o que afugentava a inibição e permitia que a descontração facilitasse as representações teatrais de caça e de luta.

A expedição à serra do Roncador fora adiada por alguns dias até que Samuel se recuperasse da malária. A febre terçã, ainda frequente, deixava-o cada vez mais pálido e fraco. Quanto a Jeremy Smith, não havia problema. Estava habituado aos ambientes mais áridos e inóspitos. Era uma espécie de faz-tudo do coronel e o conhecia profundamente. Não tinha família e não pensou duas vezes quando Peter o convidou a se juntar ao grupo. No início achava as ideias do coronel completamente loucas. Procurar uma cidade perdida no meio da selva amazônica era algo fantasioso demais. Peter uma vez lhe mostrara a tal estatueta de pedra escura com uns dizeres esquisitos, e garantia que ela viera da tal civilização desconhecida. Já havia estado no

Brasil outras vezes em manobras do Exército inglês e ouvira muitas histórias de índios sobre a existência de lugares sagrados nunca pisados pelo homem. Jeremy acompanhou toda a estratégia para aquela última vinda ao Brasil. Catalogou informações, ajudou a traçar as rotas da expedição e a confeccionar os mapas. Reuniu munição, armamentos e mantimentos, pois seguiria o amigo até o fim do mundo se assim fosse preciso. Apenas uma coisa o preocupava: o fato de Peter confiar demais em Sir Laurence Campbell a ponto de deixar todos os seus bens sob sua administração. Nem mesmo Nancy, a mulher de Peter, conhecia todos os detalhes das transações financeiras do marido, e muito menos até onde iam as aspirações arqueológicas dele. O último contato que fizera com o marido fora através de uma carta que ele enviara pouco antes de se embrenhar na selva, orientando-a a não tentar organizar nenhuma expedição de resgate caso não voltasse.

Em uma noite de lua cheia, com o cerrado todo iluminado, o coronel e os homens da tribo kalapalo reuniram-se em volta de uma grande fogueira e compartilharam seus cachimbos e a bebida fermentada que tanto apreciavam. O vento cortante atravessava as paredes da serra do Roncador a alguns quilômetros dali, provocando sons guturais. O cacique Akanawã naquela noite estava mais falante do que de costume. A onça-pintada que costumava ameaçar a tribo e afastar a caça da região finalmente caíra na armadilha que haviam preparado com as sugestões de Jeremy. Um alçapão preparado e recoberto com folhas e a isca certa para um predador faminto garantiram a captura do animal. No dia seguinte, o feiticeiro da tribo faria uma iguaria com o coração da onça, e todos os guerreiros que comessem não temeriam mais seus inimigos, pois o coração da onça dentro deles os protegeria. Lambuzariam o rosto com o sangue do animal para ficarem fortes e dançariam envoltos em sua pele para que nada pudesse atingi-los.

— Homem branco ajudar tribo. Homem branco amigo.

— Amigo sempre ajuda amigo — completou Peter.

— Akanawã ajudar homem branco. Dar quinino Samuel. Ajudar caminho na mata fechada.

— Akanawã sabe encontrar cidade embaixo da terra? — Peter apontou para o solo. — Pode me ajudar a achar a passagem?

— Cidade dentro da terra não ter passagem para homem branco. Homem branco ser de cima da terra, brigar por terra, matar índio e querer ficar com terra só para ele.

— Nem todos são assim, Akanawã. Há o homem bom e o homem mau. Há o índio bom e o índio mau. Quando Akanawã mata onça, não é mau?

— Onça-pintada ser grande guerreira. Chefe kalapalo respeitar tudo que Tupã criar. Akanawã pedir permissão Tupã. Chefe kalapalo falar Tupã. Tupã aparecer na mata. Fogo sair fundo da água e passar rápido no meio das árvores. Tupã falar: "Akanawã, cuidar criança e cuidar mulher. Ensinar guerreiros cuidar solo sagrado. Proteger caminho de Tupã. Pés de homem branco destruir tudo". Grande onça sair da mata e invadir aldeia para caçar índio. Índio invadir mata, caçar onça. Índio proteger tribo.

— Ele fala sempre com você?

O cacique deu uma grande baforada no cachimbo com que fora presenteado, ignorando a pergunta.

— E essas águas são perto daqui?

— Solo sagrado. Homem branco não poder pisar.

— Mas nem com você?

— Solo sagrado. Homem branco não poder pisar.

— Pode me levar aonde a serra começa?

— Homem branco ouvir barulho? Ouvir pedra que ronca? Tupã zangado. Tupã fazer vento gemer e espantar índio. Índio sempre ouvir Tupã. Sempre obedecer. Homem branco nunca ouvir Tupã.

— Pode ao menos me mostrar o caminho?

— Coronel Peter homem branco bom. Ouvir Tupã dentro do peito e cabeça saber caminho.

Há alguns metros dali, Jeremy fazia algumas mágicas provocando grandes gargalhadas. Irerê o observava com curiosidade, embora não perdesse a animosidade. Peter se levantou e se dirigiu à rede de Samuel. Olhou para o filho. Havia emagrecido muito nos últimos meses e parecia mais velho. O jovem estava de olhos fechados. Peter segurou as mãos esqueléticas de Samuel. Estavam geladas. Uma das palmas semiabertas do rapaz deixou cair um pequeno crucifixo que a mãe havia lhe dado no dia de sua partida. Encostou o ouvido no peito do filho e não conseguiu escutar os batimentos cardíacos. Pegou um pequeno espelho que trazia na mochila e o encostou junto às narinas dele. Não havia nenhum movimento respiratório. Deixou-se cair de joelhos aos pés do rapaz, chorando e lamentando a própria sorte. Num gesto desesperado, levantou os braços para o céu e gritou:

— Tupã, recebe meu filho em teus braços, pois eu já não posso mais carregá-lo. Deixa com que entre na tua casa, no teu solo sagrado, pois tudo o que ele fez foi seguir os meus passos. Não o julgue pelos meus erros, e permita que ele conheça os caminhos que levam a ti.

Ao amanhecer, o corpo de Samuel foi envolvido na própria rede e sepultado. Com ele, todos os seus pertences, segundo o ritual da tribo kalapalo. Uma vez que a doença de Samuel atrasara a expedição, Peter estava disposto a seguir em frente rumo ao Roncador com ou sem a ajuda dos índios.

— Irerê levar homem branco. Tupã permitir. Não poder entrar caverna. Muito bicho morar lá. Índio-morcego guardar caverna. Tupã avisar: quem entrar não voltar — advertiu-os Akanawã.

— Iremos então apenas eu, Jeremy e o índio Irerê.

— Irerê conhecer trilha. Chegar rápido. Voltar em quatro luas.

Levaram o mínimo necessário. O coronel enfiou na mochila apenas uma muda de roupa, uma faca, a zarabatana dada pelo cacique e um cantil. O pequeno bloco de anotações estava, como sempre, no bolso da calça. Jeremy mantinha a espingarda sempre preparada para qualquer imprevisto.

— *Pexagatokepewopexeawo!* — despediu-se Akanawã, querendo dizer: "Cuidem-se bem por onde forem".

Peter inclinou a cabeça retribuindo a saudação e o grupo partiu abrindo caminho pela mata cerrada. O facão era um instrumento indispensável no desbravamento da floresta. Caminharam durante dias e só paravam à noite, quando acendiam uma pequena fogueira para espantar os animais. Comiam as frutas que encontravam pelo caminho e diariamente ingeriam um pouco de quinino para evitar a maldita malária. Estavam exaustos, e só se atreviam a caçar o que lhes parecesse mais fácil. Irerê ia sempre à frente, abrindo caminho e seguindo a trilha de seus ancestrais.

— Como encontrar chefe kalapalo? — quis saber Irerê.

— Na verdade, faz muito tempo que trabalho neste campo — Peter respondeu.

— Homem branco querer achar ouro? Todos querer riqueza escondida solo sagrado. Matar e morrer por elas.

— Estudo essas terras há muito tempo. Acredito que exista vida embaixo deste solo. Bem lá no fundo, existem cidades escondidas. Eu tenho um objeto guardado comigo há muito tempo, sabe? Tenho certeza que veio de lá, de uma dessas cidades. Deixei muito bem guardado e trouxe comigo esta chave. — E apontou para um cordão no pescoço.

Irerê voltou-se para ver o objeto. Era uma pequena chave feita de um metal estranho.

— Conhece isso?

— Não saber. Para que servir?

— Só ela é capaz de abrir a caixa onde guardei a estatueta. É a única prova que tenho da existência desse povo.

De repente, Irerê saltou instintivamente para o lado. Uma serpente com anéis vermelhos e pretos saltou de dentro das folhas, cravando os dentes no homem que vinha logo atrás. Irerê pegou o facão e rapidamente cortou a cabeça da cobra. Jeremy urrava de dor e se contorcia no chão. Peter se abaixou e retirou a bota do amigo. Próxima ao tornozelo havia uma marca com dois pequenos orifícios.

— A maldita conseguiu atravessar a bota.

— Cobra-coral, muito venenosa.

Irerê cortou um pedaço do tecido da calça de Jeremy e fez um torniquete um pouco acima da lesão. Com uma faca menor, fez vários pequenos orifícios em volta da picada e tentou sugar um pouco do sangue, cuspindo no chão logo em seguida. Pegou algumas folhas lisas e colocou sobre elas uma pasta feita com a sua saliva e a polpa de algumas frutas. Aplicou as folhas diretamente sobre a ferida.

— Esperar. Se veneno sair todo, ele viver. Pedir para o seu Deus curar ele.

— Talvez o seu seja melhor do que o meu.

Esperaram por algumas horas. De tempos em tempos o índio afrouxava o torniquete para permitir que o sangue circulasse e o membro não necrosasse. No cair da noite, Irerê fez uma fogueira maior. Mergulhou os dedos na polpa madura de uma fruta vermelha e fez dois riscos paralelos nas bochechas. Pegou dois pedaços de madeira e os entregou a Peter.

— Fazer barulho, bater madeira uma na outra. Espantar o espírito da cobra.

Irerê dançou em volta de Jeremy, batendo os tocos de madeira. Aspirava a fumaça do seu cachimbo e soprava sobre o homem, que já ardia em febre. Jeremy pronunciava coisas desconexas:

— Eles estão chegando, coronel! Acho que vão me levar! Você não consegue ver? Eles estão bem aqui. Não quero ir, não quero. — E Jeremy apontava para o nada, delirando.

O dia clareava quando Irerê deu por encerrada a pajelança. Jeremy estava em torpor. O terço inferior de sua perna pouco a pouco ia adquirindo uma coloração púrpura com pontos mais enegrecidos pela necrose. Várias petéquias começavam a aparecer pelo corpo todo. Seu nariz sangrava, e nos pontos de apoio surgiram várias equimoses. O veneno se espalhara e provocara um distúrbio da coagulação. Jeremy sangrava por todos os poros. A febre era alta e não cessava. Seu esforço respiratório era cada vez maior, e seu nível de consciência estava cada vez mais comprometido. Peter mantinha-se imóvel, com os olhos vidrados. Apesar de já ter passado por tantas experiências como aquela no Exército inglês, desta vez era diferente. Sentia-se responsável pelo amigo.

— Acho que daqui sigo sozinho, amigo kalapalo.

— Não. Eu prometer para Akanawã.

— Agradeço sua ajuda, mas aqui é o ponto onde nos separamos. Não posso mais colocar em risco a vida de ninguém. De agora em diante, vou só. Já estamos praticamente aos pés da serra do Roncador.

— Eu grande guerreiro kalapalo. Nunca ter medo.

— Tenho certeza disso. Minha confiança é tanta que quero que leve isso com você. — Peter retirou o cordão com a chave e o pendurou no pescoço do índio.

— Proteger índio?

— Sim, guarde-o com você como guarda o solo sagrado.

Jeremy começa a gemer.

— Coronel, me desculpe não poder mais seguir com o senhor. Sempre foi uma grande honra para mim fazer parte dessa missão. Ontem, estive lá.

— Lá onde, Jerry?

— Ela existe. Você tinha razão. — Ele aproximou o rosto do de Peter. — Você tem que acreditar de verdade para ver o que sempre esteve diante de nós.

— Jerry, Jerry! — Peter sacudia o amigo pelos braços.

— Ele não estar mais aqui.

Os dois homens cavaram uma cova rasa com as mãos e enterraram Jeremy no final da tarde. Logo cairia a noite e com ela viriam os sons guturais do Roncador. Sabiam que os animais logo achariam a cova e desenterrariam o homem para se alimentar dos seus restos, mas não podiam simplesmente largar o corpo ali. O vento soprou forte naquela noite, gemendo de dor por entre as frestas nas rochas. Despediram-se pela manhã.

— *Exagatokepewoeawo!* — "Cuide-se bem por lá, onde você for."

O coronel do Exército britânico abaixou a cabeça e fez uma reverência como se cumprimentasse o mais nobre membro da família real. Olhou para o alto e iniciou a sua escalada solitária rumo ao desconhecido.

A serra do Roncador é uma cordilheira que se estende como um divisor natural de águas entre os rios Xingu e Araguaia. É uma muralha de cerca de oitocentos quilômetros que tem início no Vale dos Sonhos, em Barra do Garças, Mato Grosso, e termina na serra do Cachimbo, no Pará. Fincada no meio da floresta amazônica, os seus platôs de pedra erguem-se formando um verdadeiro cânion.

O homem de bigodes compridos estava longe de ser o mesmo que havia deixado a cidade de Cuiabá alguns meses antes. Estava magro, com as mãos e os pés machucados de abrir caminho pela mata. Seguia mudo, imerso em seus pensamentos. Sabia que a jornada seria muito difícil desde o seu início, mas tinha absoluta certeza de que desta vez todos os indícios o levariam à entrada da cidade perdida.

O terreno era íngreme e de difícil acesso, mas Peter estava convencido de que em alguma das inúmeras grutas e galerias haveria uma passagem para um mundo subterrâneo. O cacique Akanawã lhe confidenciara numa das reuniões em volta da fogueira que vira uma luz intensa vagando rapidamente por entre as árvores e vinda do fundo do lago sagrado. Achou que era Tupã, o grande criador de tudo para os índios, mas Peter tinha a intuição que tal luminosidade poderia ter relação com esses moradores de dentro da terra. Quem seriam eles, como viveriam e por que se manteriam escondidos de tudo e de todos? Qual seria o verdadeiro significado de tudo aquilo? Talvez fossem sobreviventes de Atlântida, a lendária cidade tragada pelos oceanos. Estava disposto a percorrer o trajeto inicial até encontrar a primeira caverna que lhe oferecesse um abrigo para passar à noite.

O suor lhe escorria pela testa em direção ao pescoço durante a caminhada. Já era quase noite quando finalmente achou uma abertura na pedra. Entrou com cautela, temendo que fosse o refúgio de algum animal. À medida que caminhava em direção ao interior, a caverna ia se tornando estreita e escura. Resolveu acender uma fogueira para espantar o frio que acompanhava a noite. Sentou-se e abriu o pequeno bloco de anotações. Acendeu o cachimbo com o pouco de tabaco que lhe restara e passou a rever e a atualizar seus últimos acontecimentos. Abriu uma lata de conserva e tomou alguns goles de água. Teria que economizar o que restara das provisões. No dia seguinte exploraria o lugar com mais calma.

Recostou-se na mochila, fechou os olhos e não pensou em mais nada. Quando os abriu, a claridade já inundava o lugar. Pegou as botas, e enquanto as calçava seu olhar se dirigiu a uma parede próxima. Uma tinta vermelha chamou a sua atenção. Levantou-se rápido e, ao se aproximar da pedra, percebeu que eram símbolos. Alguns lembravam a figura do sol, outros pareciam letras que não conseguia decifrar. Em alguns pontos a pedra afundava como se alguém tivesse tentado deixar a sua marca. Eram figuras de mãos. Umas maiores, outras menores, algumas com cinco e outras com seis dedos. Percorria com seus próprios dedos aquelas marcas estranhas deixadas ali por algum morador de séculos atrás. Tentava entender o que aquelas imagens queriam dizer. Alguns círculos concêntricos formavam uma espiral em alguns desenhos. Em outros, figuras humanas com cabeças imensas e membros mais finos e alongados eram vistos ao lado de pessoas bem mais baixas. Caminhavam em filas organizadas.

No fundo da caverna percebeu um brilho diferente refletido nas pedras. Deu alguns passos e logo percebeu que entrava em uma outra câmara. Desta vez havia um grande lago de coloração transparente, alimentado provavelmente pela água da chuva. A parte de cima da caverna era vazada e deixava a luz penetrar por várias frestas. Tratou logo de molhar o rosto e encher o cantil. A água era límpida, mas não tinha como prever a sua profundidade. Tirou a blusa e, quando se preparava para mergulhar, notou certo movimento nas suas costas. O primeiro animal entrou na caverna e se aninhou perto da mochila. Com suas presas afiadas tentava abrir uma das latas de conserva, segurando-a entre as patas peludas. Entretido, não havia notado a presença de Peter, que se mantinha imóvel próximo ao lago. O segundo animal tinha um porte médio. Deitou-se próximo ao outro e começou a lamber os restos de comida que haviam ficado na lata jogada próxima aos tocos de madeira carbonizada. O terceiro entrou por uma das passagens abertas no teto da caverna e saltou próximo a Peter. Tinha o porte majestoso de quem sabe que é o dono do lugar. O pelo dourado tinha um rajado escuro nas patas e várias manchas negras no dorso. Era a maior das três onças e provavelmente a líder do grupo. Aproximou-se do homem com uma certa languidez, avaliando as condições do adversário. Peter não teria a menor chance. Sua arma, um pequeno revólver Winchester com cabo de marfim, presente da rainha, estava dentro da mochila. O rifle de Jeremy repousava encostado na rocha próxima à entrada da caverna.

Permaneceu imóvel enquanto a onça se aproximava. O animal parou a cerca de três metros e encarou o explorador. O suor brotou em sua testa e o odor da transpiração só aumentou a hostilidade entre os dois. Peter se sentiu acuado e abaixou a cabeça para não encarar o olhar ameaçador. Tentou caminhar lentamente de costas em direção à saída. Num movimento em falso, tropeçou num pedregulho e caiu com todo o peso do corpo no chão, chamando a atenção dos outros dois animais. Havia conseguido chegar tão longe para morrer ali, refém de três onças-pintadas. Decerto seu sangue vermelho, que esguicharia junto às pedras, passaria a fazer parte da história do local, tatuando as rochas como uma pintura rupestre. Tentou rastejar em direção à espingarda, mas o animal maior saltou sobre o seu peito, colocando a imensa pata sobre o seu pescoço. A onça que se refestelava com os restos da lata aberta na noite anterior jogou-a para um canto e quis reclamar uma parte daquela próxima refeição. A terceira onça continuou entretida, tentando abrir as latas de conservas ainda lacradas.

Peter tentou se proteger erguendo os braços em direção ao rosto. A onça menor, atraída pelo cheiro do couro das botinas, tentava rasgá-las. Quando finalmente a líder ia desferir seu último golpe, aconteceu o inesperado. A onça maior afastou-se como que num transe. As outras duas seguiram atrás dela em direção ao lago. Deitaram em três diferentes pontos equidistantes próximos às margens e permaneceram ali paradas, com o olhar perdido, como se tivessem obedecido a um comando invisível. Rapidamente Peter recolheu suas coisas e pegou a espingarda. Ainda ensaiou alguns movimentos para liquidar os animais. Pensou duas vezes e percebeu que a vida havia lhe dado uma nova chance e decidiu que, se aqueles animais haviam poupado a sua vida, também teriam direito a uma segunda chance. Alcançou a saída da gruta e esgueirou-se rapidamente pela vegetação para não deixar rastro.

Após o ataque das onças, seguiu pela serra sempre em direção a leste. Mantinha os passos rápidos através de trilhas abertas pelos próprios animais. Caminhava o máximo que podia durante o dia, explorando tudo ao redor. À noite, quando não encontrava abrigo seguro entre as rochas, subia nas árvores e dormia encostado em algum tronco maior para fugir dos predadores noturnos. Havia alcançado naquela tarde um dos patamares mais altos. As rochas formavam degraus e verdadeiros platôs de observação ao longo do caminho. Sentou-se num desses mirantes naturais e deixou o olhar vagar pelo planalto. Até então não havia nenhum sinal de civilização por ali. Era uma espécie de paraíso particular que não podia compartilhar com ninguém. Desde a morte do filho, calara-se em definitivo e, mesmo naquele momento, sabia que as chances do que escrevia chegar às mãos de Nancy eram muito remotas, porém precisava daquilo. Escrevia para não enlouquecer. Precisava dizer à mulher o quanto era grato por acreditar e confiar nele. Que nunca pôde confidenciar detalhes das suas pesquisas para mantê-la protegida. Que sabia o quanto a morte de Samuel lhe seria dolorosa, e o quanto se sentia responsável por toda essa tragédia. Mas simplesmente não podia contar os segredos e as informações aos quais tivera acesso durante os anos que precederam a expedição. Não podia revelar as circunstâncias reais de como a estatueta de basalto chegara às suas mãos.

Desde que tomara conhecimento da existência do manuscrito 512, teve a certeza de que suas suspeitas cada vez mais estavam próximas da confirmação. O documento, escrito no século XVIII, trazia a público a descoberta feita por um grupo de bandeirantes por ocasião da exploração de minérios no interior do Brasil. A carta endereçada ao vice-rei do Brasil dava ciência da existência de uma cidade perdida no meio da selva. A cidade desabitada apresentava pórticos gigantes com inscrições numa língua desconhecida. Duas colunas gêmeas erguiam-se em direção ao céu, constituindo uma espécie de portal. Na entrada da cidade, uma enorme estátua apontava para o norte. Foram conduzidos através de rios para locais onde podiam avistar pepitas de ouro aflorando com facilidade nas margens. Acreditavam terem descoberto as minas de ouro e prata de Muribeca, uma lenda que remontava ao século XVI.

De acordo com os boatos, o navegante português Diego Álvares teria sido o único sobrevivente do naufrágio de um navio próximo à costa brasileira. Acolhido pelos índios tupi-guaranis, Diego teria se casado com uma índia de nome Paraguaçu e, com ela, concebera vários filhos. Um deles teria vivido muitos anos com os seus irmãos índios, compartilhando segredos como a localização de grandes jazidas minerais no interior da Bahia. Muribeca, como assim era chamado pelos índios, tornou-se rico pela exploração e venda desse minério, e seu segredo foi passado para sua descendência. O filho de Muribeca, Robério Dias, tentou negociar a localização das minas com a Coroa portuguesa em troca de um título real, que acabou por não lhe agradar. Foi preso e morreu em 1622, levando com ele o segredo das minas. A história do manuscrito e a estatueta negra que estava em seu poder davam a Peter a certeza de que tanto precisava.

— Mas não quero as minas de Muribeca — pensou alto.

Um bando de pássaros coloridos chamou a sua atenção. Araras barulhentas de plumagem azul, verde e amarela resolveram colorir a vegetação local. Peter fechou o caderno e o enfiou no bolso da calça. Estava na entrada que dava acesso à segunda grande gruta que encontrara. Logo de início observou algumas formações rochosas que se dispunham de forma tão característica que pareciam um grande mobiliário. Num platô mais elevado, as pedras assumiam o formato de um parlatório. Alguns passos mais à frente e estava numa outra câmara, desta vez com rochas pontiagudas que pendiam do teto e brotavam do solo. Algumas vezes o encontro dessas formações calcárias originavam grandes colunas que obstruíam a passagem. Peter esgueirou-se por entre as frestas, o que lhe causou inúmeras contusões e ferimentos. As estalactites lançavam-se do teto em vários pontos, como uma nuvem de agulhas pontiagudas, como se a qualquer momento pudessem transfixar um curioso mais distraído.

A água fazia um trajeto curioso, brotando por entre as frestas das rochas, gotejando generosamente na extremidade daquelas mamas imensas de pedra. Sedento, Peter sugou com avidez uma das rochas, mas logo cuspiu o líquido amargo com gosto de giz. Andava com dificuldade devido aos ferimentos nos pés, porém algo o impelia, fazendo com que não desistisse. Logo avistou uma série de túneis que davam acesso a outras câmaras. Alguns com acesso bloqueado pelas grandes colunas de calcário, outros com dimensões tão reduzidas que não permitiriam a entrada de um ser humano, e outros ainda tão escuros que só conseguiria seguir em frente guiado pelo tato. Havia muito sua lanterna tinha se apagado. Não tinha mais fósforos e nem mantimentos. Aplacava a sede sugando a seiva das plantas ou enchendo o cantil quando avistava um córrego ou uma cachoeira. Já não sentia mais tanta fome, pois tinha se habituado aos longos períodos de jejum forçado. Trazia nos bolsos algumas sementes de baru* que achara pelo caminho. Quando a fome era mais intensa, abria as castanhas e comia a semente crua. Isso o mantinha alimentado durante horas. Nas câmaras mais internas, onde a escuridão era maior, o odor fétido dos excrementos dos morcegos era nauseante. Não havia encontrado até então nada que se comparasse àquela caverna. Se realmente existisse algum caminho ou passagem para um mundo subterrâneo, deveria estar por ali, escondido, muito além dos sentidos humanos.

Recostou-se numa das pedras para descansar, logo seria noite lá fora. Sentiu uma comichão na mão direita. Um pequeno inseto de longas antenas caminhava por sobre os seus dedos, subindo pelo seu braço. Pinçou-o entre o indicador e o polegar e o colocou dentro da boca, engolindo rapidamente para não sentir o gosto. Precisava manter-se vivo. Aos poucos, a escuridão ia dominando o lugar. Peter sabia que em breve os seres noturnos iriam sair à procura de alimentos. Mantinha os olhos fechados para aguçar os demais sentidos. Ouviu o farfalhar de asas e o guincho agudo de morcegos. Imediatamente lhe veio à mente as histórias de Akanawã e as lendas kalapalo sobre os índios-morcegos, criaturas que guardavam a entrada dos túneis para proteger as civilizações intraterrestres. Havia visto alguns desenhos desses seres ocultos: homens com cabeça em forma de morcego e com asas que saíam apenas à noite para se alimentar. Eram temidos pelos caciques, que se mantinham à distância.

Tentou desviar aquele pensamento. Começou a ouvir dentro de sua mente uma velha canção que falava de amor. Lembrou- se do Natal em que dera a Samuel a bicicleta que o filho tanto lhe pedira. O sorriso do menino iluminou o pequeno rostinho de olhos azuis. De repente, Nancy surgiu com um pedaço quentinho de torta de maçã e chá com leite. Sentaram-se lado a lado, deram-se as mãos e se olharam longa e ternamente, como se nunca tivessem feito isso antes. Percebeu o quanto ela era linda com os cabelos cor de trigo presos por um pente de marfim. Quanto calor e aconchego havia naquele olhar. Sentiu o cheiro da lavanda que ela usava, o toque manso

---

* Fruto do baruzeiro, o baru é uma castanha de sabor semelhante ao do amendoim, nativa do cerrado brasileiro.

das suas mãos e a doçura da sua voz. Não sabia mais se estava sonhando ou vivendo realmente aquele momento. Sabia apenas que não queria acordar. Sentiu o corpo muito leve, como se estivesse flutuando. Os ferimentos não doíam mais. E aquela melodia suave acompanhava os movimentos do corpo, conduzindo-o através de túneis escuros. Parecia que de vez em quando via algumas pessoas se movimentando. Pessoas pequenas, de pele mais escura e que caminhavam ao seu lado. Alguém dizia no seu ouvido:

— Não tenha medo, pense em coisas boas, elas são a chave que abrem o portal. — E o cheiro da chuva na grama molhada invadiu suas narinas. Viu-se pisando na grama descalço e a mãe chamando-o.

— Venha, Peter. Estamos esperando por você.

E uma luz forte surgiu do meio do nada, inundando toda a escuridão, e era como se nunca tivesse sentido sede ou fome. Era uma luz intensa, brilhante como um grande e novo sol. Tentou abrir os olhos, mas só conseguia ver seu próprio reflexo, como se estivesse diante de um imenso espelho. Sentiu uma espécie de impulsão que o projetou fortemente através da luz e fez seu corpo vibrar cada vez mais rápido, num tipo de êxtase interminável. Seu coração foi desacelerando aos poucos. A vibração foi diminuindo e uma sonolência imensa foi tomando conta do seu corpo, como se entrasse num transe profundo que não tinha hora para terminar.

3 DE AGOSTO DE 2028
BIBLIOTECA NACIONAL, RIO DE JANEIRO

— AQUI ESTÁ A SUA CREDENCIAL, sr. Brazil. O senhor pode utilizá-la ou, se preferir, pode cadastrar sua biometria — orientou a recepcionista no grande hall de entrada da Biblioteca Nacional.

— Gosto de ter as duas opções, Cibelle. — Ele leu o nome da funcionária no crachá preso em seu peito.

— A seção de documentos raros e manuscritos agora está em uma ala reformada, no segundo andar.

— Obrigado.

Zion Brazil subiu os dois lances de escada e dirigiu-se ao setor de manuscritos. Era historiador e sabia da importância de se preservar um acervo histórico protegido da luz e da contaminação de ácaros e fungos. Doutor em História das Civilizações Antigas e com pós-doutorado em Línguas Mortas, tinha uma autorização especial para frequentar áreas restritas da biblioteca. Colocou o polegar no sensor da terceira das seis cabines de estudo individuais fornecidas pela biblioteca. A porta automática se abriu e Zion sentou-se à frente de uma enorme máquina e selecionou o documento desejado. Em alguns minutos, o documento foi disponibilizado através de uma pequena esteira rolante dentro de uma caixa de metal. Abriu uma gaveta e retirou um par de luvas de látex. Na maioria dos casos, o estudo poderia ser feito através do acesso ao documento disponibilizado pela internet ou através de cópias, porém, naquele caso específico, precisava examinar o material *in loco*.

Muitos manuscritos continham significados ocultos de forma criptografada ou através de símbolos que apenas um observador experiente e mais crítico poderia perceber. O documento estava bem envelhecido, com áreas puídas e letras borradas. Seu título dizia: "Relação histórica de uma occulta e grande povoação antiquíssima sem moradores, que se descobriu no anno de 1753". Há anos Zion vinha estudando os detalhes desse manuscrito que já inspirara tantos exploradores ao longo dos séculos. Tentava encontrar indícios no que não pairava nas entrelinhas e nos símbolos e desenhos que ninguém conseguira desvendar. Cidades perdidas, Atlântida, seres de inteligência e tecnologia avançadas que desapareceram sem maiores explicações sempre despertaram o interesse da humanidade. Atraía-lhe particularmente a história do coronel inglês Peter Hewllet Foley, que desaparecera na serra do Roncador em 1925. O manuscrito 512 teria dado subsídios para o arqueólogo lançar-se no perímetro da selva amazônica localizado no leste do Mato Grosso à procura de uma passagem que lhe permitisse encontrar uma dessas civilizações perdidas. Infelizmente o explorador desaparecera com o filho e um amigo, sem deixar nenhum vestígio. Zion estava convicto de que Peter encontrara essa passagem e convivera com seres intelectualmente mais desenvolvidos no cerne da Terra.

Ao contrário do que movia a maioria das expedições organizadas a partir do século XVIII, com o ensejo de encontrar ouro, prata e pedras preciosas, as missões de Foley sempre tiveram cunho científico. O coronel acreditava que essas civilizações seriam a chave para o entendimento da origem e da evolução do homem, e que esse conhecimento poderia inaugurar uma nova fase para a sobrevivência da espécie humana neste planeta. Haviam se passado cento e três anos desde o desaparecimento de Peter Foley. Zion não seguia nenhuma religião específica, mas tinha plena confiança na imortalidade do espírito. Desse ponto de vista, havia elaborado as suas próprias teorias a respeito do desaparecimento do explorador. Imaginava que Peter poderia ter vivido e trabalhado por vinte ou trinta anos nesses subterrâneos e, após a sua morte, ter reencarnado para ajudar no progresso intelectual e tecnológico da humanidade. Outra possibilidade que considerava é que o coronel tivesse se perdido entre portais interdimensionais, e até hoje estivesse vagando em outra dimensão, aguardando uma oportunidade de retorno.

Zion observou atentamente os símbolos descritos no manuscrito, inscrições deixadas nas pedras e presentes no grande arco central do pórtico de entrada da cidade perdida. Ainda não tinha certeza da sua origem. Alguns símbolos lembravam o alfabeto púnico dos fenícios. A descrição detalhada do lugar, como a disposição dos arcos, lembrando os templos greco-romanos, a presença do obelisco apontando para o norte, e a distribuição das casas em ruínas e do seu mobiliário, fazia do manuscrito um dos documentos mais importantes da história do Brasil e do continente americano. Era uma prova irrefutável da presença de outros povos que interagiram com as populações nativas muitos séculos antes da presença dos portugueses, espanhóis, franceses e holandeses no litoral brasileiro. Zion terminou suas anotações. Devolveu o documento à caixa de metal, e esta à esteira rolante. Descartou as luvas e saiu da biblioteca quando o sol já se deitava detrás das montanhas. Entrou no metrô e aproveitou para acessar sua caixa de e-mails. Havia alguns meses tentava contato com uma cientista da área de biológicos da Fiocruz sem muito sucesso. Ainda não tinha conseguido uma abordagem eficiente. Sabia que Sophia Peixoto do Amaral era pesquisadora e trabalhava com experimentos envolvendo vírus e bactérias, e já lera muitos artigos dela publicados em revistas científicas.

A engenharia de transportes havia melhorado muito nos últimos anos. Nas regiões com grande fluxo urbano, como o centro da cidade, não era mais permitido o uso de veículo particular. Os veículos leves sobre trilhos foram aperfeiçoados e passaram a ser a melhor forma de deslocamento a curta distância As linhas de transporte coletivo foram ampliadas e permitiam a locomoção com conforto e segurança para qualquer local do município. Os sensores para biometria digital ofereciam não só o acesso livre aos passageiros cadastrados, como também permitiam o pagamento por débito automático, sem a necessidade do uso de cartões ou dinheiro, embora esta ainda não fosse a alternativa ideal sob o prisma da saúde coletiva, uma vez que a dispersão de doenças através dos polegares contaminados ainda era uma realidade frequente. Quanto maior o desenvolvimento dos sensores digitais, maior o enriquecimento das firmas produtoras de antissépticos em embalagens de bolso. O metrô subterrâneo e o metrô de superfície passaram a cortar toda a cidade, de norte a sul, oferecendo linhas de transferência para as localidades mais distantes. Os trens foram revitalizados, ganhando uma versão mais funcional e segura. As microcâmeras instaladas em vários pontos dos vagões e o sistema de cobrança por biometria digital que permitia a identificação de cada passageiro davam ao usuário uma sensação de conforto e segurança.

Entrou no vagão com destino à estação Gragoatá, em Niterói. O projeto de ligação entre Rio e Niterói por um túnel construído sob a baía de Guanabara havia sido um dos maiores desafios das duas últimas gestões do estado. A tão sonhada linha 3, ligando Niterói ao terminal de Alcântara em São Gonçalo e prolongando-se até Itaboraí, já funcionava plenamente havia muitos anos, formando a maior estação intermodal do Brasil. Porém, a ligação entre Rio e Niterói através de um túnel a cerca de cinquenta metros abaixo do solo, ligando o centro da cidade do Rio de Janeiro ao terminal do Gragoatá, em Niterói, e que sanaria de vez o emblemático problema de trânsito na ponte Rio-Niterói, só se concretizou em 2026. Inspirado no projeto do Eurotúnel, em funcionamento desde 1994, ligando a Inglaterra à França por via subaquática através do canal da Mancha, o gigantesco projeto da engenharia subaquática brasileira consistia em dois túneis maiores e paralelos para transporte de carga e passageiros, e um túnel central mais estreito para a circulação de veículos menores e a manutenção dos trens. A intervalos regulares os túneis se comunicavam, permitindo o acesso em caso de emergência ou pane do sistema.

Z, como gostava de ser chamado, acomodou-se em uma das cadeiras. Se todas as suas observações estivessem corretas, Sophia era a pessoa que procurava. Precisava alertá-la e protegê-la. Em breve eles não tardariam a procurá-la, afinal eles nunca permitiriam que algumas verdades fossem enfim desvendadas e ameaçassem o sistema. Não podia perder mais tempo. No seu íntimo sabia que o grande momento se aproximava e Sophia tinha que estar preparada para o que iria enfrentar.

O trem percorreu rapidamente o trajeto de cerca de treze quilômetros entre o Rio de Janeiro e Niterói. No Gragoatá, Zion pegou seu carro, que deixara estacionado ali por perto, e tomou a direção da região oceânica, rumo à praia de Camboinhas.

15 DE AGOSTO DE 2028
Centro Comunitário de Saúde de Alcântara,
São Gonçalo, Rio de Janeiro

UMA DAS VERTENTES DO TRABALHO DE SOPHIA era visitar as áreas endêmicas e entrar em contato com os médicos que estavam ali, na ponta do iceberg, "secando gelo", como eles mesmo diziam. Enquanto não existisse uma política efetiva de saúde, com a melhoria das condições de vida da população, a hanseníase estaria sempre presente, deixando a sua marca nos homens, mulheres e crianças como um estigma do subdesenvolvimento. A erradicação prevista para o ano 2000 simplesmente não aconteceu. Ficou no papel como parte de um grande sonho dos sanitaristas mais otimistas. Sophia fazia reuniões periódicas na Baixada Fluminense, na zona oeste do Rio de Janeiro e em São Gonçalo. Colhia dados, reunia resultados de testes sorológicos feitos nos familiares dos pacientes portadores de formas contaminantes da doença, chamadas de multibacilares.

Estimava-se que apenas dez por cento das pessoas expostas ao bacilo desenvolveria a doença, porém as suscetibilidades individuais dos familiares tornava esse grupo em especial mais arriscado. A vacina BCG entrava nesse contexto, sendo administrada como dose de reforço nos contatos mais frequentes tanto das formas multibacilares, infectantes, como das formas paucibacilares, não infectantes.* A intenção da vacinação era sensibilizar o organismo para que, no caso de uma infecção, ele reconhecesse mais rapidamente aquele agente, e em vez de desenvolver formas mais disseminadas e contaminantes, pudesse desenvolver formas mais localizadas, e que não oferecessem risco de contaminação. A magnitude do trabalho de Sophia era tentar cultivar esse agente *in vitro* e desenvolver uma vacina específica que permitisse efetivamente o não desenvolvimento de nenhuma forma da doença.

— Sophia, aqui estão os resultados das últimas sorologias dos familiares.

— O índice de infectados é realmente espantoso, mas esperado, não é mesmo, Otávio?

— Sim, Sophia, usamos conforme o protocolo da pesquisa a sorologia para detecção da PGL 1, o antígeno específico do bacilo, que permite através de exame sorológico detectar a infecção. E observamos que o índice de pessoas que já tiveram contato com o bacilo é grande, porém o número dessas pessoas que desenvolvem a doença sempre foi pequeno. A capacidade de resistência imunológica de cada indivíduo sempre foi um determinante para o desenvolvimento da enfermidade, só que nos últimos anos temos notado um comportamento estranho.

— O que exatamente, Otávio?

— O número de infectados que passou a desenvolver a doença nitidamente aumentou. Temos observado um número muito maior do que o esperado de contatos que adoeceram. Alguma coisa está mudando, Sophia, ou a bactéria está se tornando mais agressiva ou os contatos estão mudando o padrão do seu comportamento imunológico.

— Tem certeza do que você está me dizendo? — Sophia parecia apreensiva.

— Tenho entrado em contato com os colegas de outros estados, e todos são unânimes quanto a isso.

---

* A hanseníase é operacionalmente classificada em dois grandes grupos: os paucibacilares, que apresentam até cinco lesões cutâneas e não são contaminantes; e os multibacilares, com mais de cinco lesões e contaminantes.

— Mas o que pode determinar essa mudança no comportamento imunológico? Temos conseguido muitos progressos na procura de antígenos específicos que regulam esses processos da defesa contra o bacilo. Conseguimos sequenciar seu DNA no ano 2000. E cada vez mais nos aproximamos da descoberta do defeito genético que impede o reconhecimento imunológico da bactéria pelo hospedeiro.

— Os progressos científicos sem dúvida são óbvios, minha cara colega. Porém a humanidade não mudou em nada nos últimos cem anos.

— Como assim? Temos vivido tantas transformações boas. O *boom* da tecnologia nos permite ter acesso a todo tipo de informação, a todo minuto, em aparelhos portáteis cada vez mais finos e menores.

— O cientista vive uma realidade confortável nos laboratórios. Tudo está ao seu alcance. Colhe informações, analisa dados e tabula os resultados. Tudo muito asséptico, hermético e... frio — argumentou Otávio.

— Não sei aonde você quer chegar com isso. As maiores descobertas são feitas em laboratórios. Desde a invenção da penicilina, as observações e a utilização do método científico têm sido fundamentais para o desenvolvimento e o progresso da humanidade.

— Não duvido disso, Sophia, mas já tentou ir mais fundo nessa questão? Gostaria de dar uma volta comigo?

— Otávio Zamora, isso é uma cantada?

— Claro que não, mas não seria uma ideia de todo ruim... — Ele soltou uma risadinha.

Otávio era um médico muito devotado. Trabalhava havia vinte anos naquele setor e conhecia profundamente a realidade dos seus pacientes e familiares. Tirou o jaleco encardido e jogou no armário, e pegou Sophia pela mão.

— Vem comigo.

— Para onde?

— Você vai ver.

Entraram numa SUV com pneus grandes e largos.

— Estamos em 2028, mas a maioria das ruas aqui permanece com o asfalto descuidado ou cobertas com paralelepípedos. Esses carros mais altos e de pneus mais largos são ideais para rodar por aqui.

Sophia olhava pela janela curiosa e um tanto preocupada. Logo estavam na autoestrada. O vento soltou-lhe os cabelos, e ela resolveu deixar que os despenteasse. Ajeitou os óculos de aro fino.

— Você fica bonita assim, com os cabelos soltos. Está sempre tão séria.

— Levo o meu trabalho a sério — retrucou Sophia meio sem jeito.

— Eu também. — Otávio pisou no acelerador.

Logo estavam na periferia, mais exatamente em Jardim Catarina, um bairro de casas simples. Havia chovido um pouco e os caminhos estavam enlameados. O lixo entulhado em alguns pontos fedia a matéria orgânica em putrefação. Passaram por bares onde alguns homens bebiam.

— Tomando uns tragos já a essa hora, seu Valtinho? — Otávio gritou pela janela do carro.

— Ah, doutor! Vai tomar essa comigo?

— Hoje eu não posso. Estou acompanhado da doutora aqui.

— Venha também, doutora!

Sophia desceu do carro a contragosto. Sentou-se em uma das mesas e observou o tal do Valtinho. Tinha uma estatura mediana e a pele maltratada pelo sol. Duas grandes bolsas pendiam dos seus olhos vermelhos. Pegava o copo com certa dificuldade. A mão direita exibia os dois últimos dedos em gatilho, formando uma espécie de garra. O polegar e o indicador estavam com as extremidades feridas. A musculatura da mão parecia atrofiada, permitindo a visualização dos tendões, como cordas de violão bem esticadas. A mão esquerda estava toda contraída, com os dedos encurvados, e também exibia algumas ulcerações traumáticas. As pernas pareciam inchadas, e ele calçava sandálias presas por velcro. Os pés estavam envolvidos por grossas ataduras de crepom, o que fez com que Sophia concluísse que também apresentavam ulcerações. Apesar de tudo, parecia feliz.

— Esse doutor é dos bom. Tudo que ele passa é tiro e queda. Batata mesmo.

— A bebida não atrapalha o seu tratamento? — perguntou Sophia.

— Já tive alta faz mais de cinco anos, doutora.

— Ele tem algumas sequelas neurais — explicou Otávio.

— Muito tempo correndo atrás de médico que não sabia o que eu tinha. Quando procurei o dr. Otávio, já não sentia mais a mão e o pé. Teve um médico que olhou pra minha mão e disse que eu tinha reumatismo, e me encheu de remédio pra dor.

Sophia percebeu que o homem não fechava totalmente os olhos ao piscar. "Paralisia facial periférica", pensou.

— Será que eu encontro o pessoal da família Lagedo em casa? — quis saber Otávio.

— Vi o José quando passei lá na frente da casa deles agora pouco — informou Valtinho.

— Vamos lá, Sophia?

— E eu tenho alguma escolha?

No carro, Otávio explicou:

— O Valtinho é um caso muito triste. Quando iniciou o tratamento, já estava com algumas sequelas neurais irreversíveis. A mulher o abandonou, ele foi rejeitado pela família e a Previdência Social diz que ele pode ser readaptado ao trabalho. Atualmente vive sozinho numa pocilga, com o benefício negado e sem conseguir trabalho. O álcool foi a alternativa mais fácil. Não sente fome, não sente dor, anestesia a alma e o coração.

— E as assistentes sociais?

— Fazem o que podem em um contexto onde não há muito a fazer. Ali adiante quero que conheça umas pessoas. Como lhe falei antes, casos como o que vai ver cresceram assustadoramente.

Otávio parou o carro num barranco. O esgoto corria a céu aberto formando valas negras próximas às residências.

— Aqui em Itaoca a situação é um pouco pior. Durante muitos anos, o lixão foi o ganha-pão de muitos catadores que vendiam papéis e latas para a reciclagem. Há mais de dez anos o aterro sanitário foi desativado para a preservação do manguezal, e aí o problema começou.

— Como assim? — Sophia franziu as sobrancelhas.

— O assentamento prometido às famílias cadastradas não ocorreu de forma satisfatória. Sem trabalho, muitos retornaram às condições insalubres, aproveitando o despejo de pneus e outros dejetos que continuou a ser realizado, agora de forma ilegal, sem que a fiscalização conseguisse controlar a atividade. — Otávio deu de ombros.

— Deixa eu adivinhar... E com o lixo a céu aberto fica difícil controlar as doenças.

— É um ciclo vicioso e sem fim — concluiu Otávio.

A casa da família Lagedo era um complexo com cerca de quatro pequenas moradias geminadas que compartilhavam um mesmo quintal.

— Os agentes da saúde são sempre chamados aqui. Fazem um trabalho de conscientização, mas, sem um sanitário decente e sem alimentação adequada, não há sistema de saúde capaz de erradicar qualquer doença.

Foram recebidos no portão por dona Eliana. A senhora de sessenta anos exibia um largo sorriso de dentes falhados.

— Meu doutor! Puxa vida, eu não tenho nem um bolinho pra oferecer pro senhor!

— Tudo bem, Eliana? Não precisa se preocupar. Vim até aqui para lhe apresentar uma pessoa. Essa é a dra. Sophia. Ela está aqui para conversar sobre aqueles exames de sangue que colhemos.

Os três se sentaram em um sofá coberto por alguns lençóis.

— Repara não que a casa é pobre, mas é limpa.

— Eliana era portadora de uma forma multibacilar, portanto, infectante. Foi o primeiro caso detectado nesta casa. As crianças todas foram vacinadas com a BCG quando nasceram e receberam o reforço da vacina quando Eliana iniciou o tratamento. Os adultos examinados também receberam esse reforço. Eliana teve alta há cerca de dez anos e não apresenta sinais de atividade da doença. Três anos atrás, a filha de Eliana me procurou com alguns nódulos vermelhos e doloridos pelo corpo. O exame baciloscópico revelou vários bacilos no material colhido da linfa dos lóbulos das orelhas. Foi tratada como multibacilar e tinha recebido o reforço da vacina BCG. Há dois meses, Sabrina, de sete anos, neta de Eliana, foi ao centro de saúde com cerca de sete manchas brancas distribuídas pelo rosto, nádegas e membros. Algumas eram secas e anestésicas. Sabrina tinha a cicatriz vacinal da BCG e desenvolveu uma forma de doença que não era imunologicamente esperada.

— Você não pode tirar conclusões baseadas na observação de uma única família. Isso é estatisticamente inconsistente.

— E se a minha amostra for maior?

— Quanto maior?

— Para você, o que seriam números estatisticamente significativos? — desafiou Otávio.

— Talvez uma amostra de quarenta em cem famílias examinadas.

— Examinei trinta famílias. Em vinte delas encontrei casos infectantes em pacientes previamente imunizados. O índice de proteção conferido pela vacina não é mais o mesmo, Sophia.

A pesquisadora estava paralisada com o que ouvira. O padrão de resposta imunológica não era mais o esperado. O que sempre temeu começava a se transformar em realidade. Precisava intensificar seu trabalho. Precisava descobrir uma vacina específica antes que a doença, que havia décadas era uma endemia controlada, se transformasse num pesadelo para a saúde pública.

16 DE AGOSTO DE 2028
PRAIA DE CAMBOINHAS, NITERÓI, RIO DE JANEIRO

A NOITE ESTAVA QUENTE. Zion abriu a janela da varanda e logo uma brisa fresca começou a circular pela casa. Na biblioteca, seu refúgio, estava pensativo à frente do computador. Prateleiras empoeiradas com livros de astronomia, esoterismo, filosofia, história antiga e medieval, teosofia e revistas em quadrinhos tomavam parte de uma das paredes. Abaixo dos livros, em outra prateleira, viam-se miniaturas em chumbo de soldados de guerra. Uma estátua de ferro vestindo uma armadura e empunhando um escudo lembrava Dom Quixote de La Mancha. Várias anotações foram espalhadas pelo chão, assim como diversos papéis amassados, cujo arremesso em direção ao lixo fracassaram. Uma pintura imensa adornava uma das paredes, oposta à das prateleiras. Uma mulher de cabelos fartos e ondulados fundia-se ao tronco de uma grande árvore. Os braços se projetavam para o horizonte como galhos frondosos. Desviou o pensamento quando notou que Sophia estava on-line.

"Olá, Sophia. Sei que é tarde, mas não pude resistir… Ainda preciso falar com você."

"Era tudo de que eu precisava esta noite", ironizou Sophia.

"Talvez eu possa ajudar você."

"Acho muito difícil. Por acaso você conhece alguma comidinha de bacilo que possa fazer com que se multiplique numa placa de Petri?"

"Talvez possamos descobrir juntos. Talvez você já saiba de tudo o que precisa e apenas não se lembra."

"Você quer me convencer de que estou com o mal de Alzheimer aos vinte e oito anos?"

"Risos."

"Você escreve *risos*? Qual é o seu problema com o *kkkkkkkkkkkkkkkkkk*? Ou com o *hahahahahahaha*?"

"Sou escritor, esqueceu?"

"Ah, o tal de *Scriba* não sei mais o quê."

"*Scriblerius*. Não teve curiosidade para descobrir o que é?"

"Na verdade, não tive tempo. Tenho que salvar o planeta."

"É tão sério assim?"

"Muito."

"Você precisa aprender a ouvir a si mesma. A resposta já existe em algum lugar dentro da sua mente. Só precisa se concentrar para encontrá-la. Use a sua intuição."

"Sofro de uma amnésia parcial."

"Sério?"

"Sim. Sofri uma queda de cavalo aos dezesseis anos. E, além do mais, sou uma cientista, não acredito em intuição e nesse papo de vidas passadas. Acredito em fatos concretos que podem ser reproduzidos em laboratórios."

"Você sabe que não é bem assim. Tenho certeza de que não consegue explicar tudo o que acontece com você, e eu sei que várias coisas acontecem."

"Como o quê, por exemplo?" Sophia estava começando a ficar intrigada.

"Déjà-vus, por exemplo. Nunca teve a sensação de já ter visto algo ou vivido alguma situação?"

"Sinceramente não. Como pode ver, não sou quem você procura", Sophia mentiu, tentando encerrar a conversa.

"Essa sensação vai se tornar cada vez mais frequente", insistiu Zion como se não tivesse ouvido a negativa.

"Quer me assustar? Pois então pode se sentir vitorioso!"

"Não quero assustar você. Estou aqui para ser seu amigo e…"

"E?"

"Proteger você."

"Quem lhe disse que preciso de um protetor?"

"Um amigo meu."

"Pois diga ao seu amigo que eu sei me proteger muito bem. Não preciso de você."

"Você me disse que tem uns lapsos de memória."

"Sim, por quê? Você além de escritor recluso é médico?"

"Não, mas sei como ajudar. Porque definitivamente há coisas das quais você precisa se lembrar. Só que para isso terá que expandir a sua mente para enxergar aquilo que os olhos não podem ver."

"Você sempre fala assim, por enigmas? Pertence a alguma seita? Desculpe, mas não sou muito afeita a essas coisas esotéricas."

"Não, só quero que você pense com os olhos da ciência, mas enxergue com os olhos do coração. Se não fizer isso, se não acreditar nisso, talvez não haja mais tempo."

"Tempo pra quê?"

"Para salvar o planeta, como você já disse tão bem."

"Você é mesmo muito doido!"

"Você tem um sinal de nascença, não tem?"

Sophia sentiu algo gelado percorrendo sua coluna. Os pelos de todo o seu corpo se eriçaram.

"Como você sabe disso? Por acaso anda me espionando?"

"Um símbolo. Talvez uma chave, acertei?"

"O que é isso? Um jogo de adivinhações? Além de tudo, você agora é clarividente? Estou impressionada!"

E vários emoticons de palmas surgiram na tela. Sophia tentava ganhar tempo e se recobrar do susto. Na realidade, as palavras do escritor lhe provocaram um aperto no estômago. Suas mãos estavam frias e suadas.

"Se o que acabei de lhe revelar me dá alguma credibilidade, apenas me escute. Não ignore os sinais. Eles existem e são reais. Estamos vivendo um momento muito especial. Uma era muito importante, de mudanças e de transição. Preciso que acredite e confie em mim. Coisas estranhas vão acontecer. Sincronicidade. Sonhos estranhos com coisas que você jamais pensou existir, mas que são importantes, e você deve procurar se lembrar. Agora descanse, tente dormir um pouco. Estou ficando fraco. Não posso ficar mais tempo em frente à tela, preciso sair."

"Tudo bem."

Z ficou off-line.

Precisava ficar só e recarregar as baterias. Abriu as portas que davam para o jardim e saiu pisando descalço na grama até uma pequena fonte que ele mesmo construíra. No fundo havia alguns cristais de todas as cores. Ajoelhou-se próximo à água e deixou que o jato caísse sobre a nuca e o pescoço. Molhou os punhos, o peito, e passou a proferir baixinho algumas palavras num dialeto desconhecido. Alguns minutos depois, caiu no chão, em transe, viajando no tempo e no espaço para outras orbes, em outras dimensões.

10 DE SETEMBRO DE 2028
FUNDAÇÃO OSWALDO CRUZ, MANGUINHOS, RIO DE JANEIRO

SOPHIA PROCUROU ENTRAR EM CONTATO com todos os outros serviços de hanseníase para confrontar as observações obtidas no Centro de Saúde de São Gonçalo. No início de setembro, os primeiros dados começaram a chegar de vários pontos do Brasil e de outros países com altos índices endêmicos, como a Índia. Os resultados confirmaram os achados de Otávio Zamora. O índice de pessoas infectadas que adoeciam tornava-se cada vez maior, mostrando uma mudança no comportamento imunológico dos contatos vacinados com a BCG. Várias tentativas de cultura haviam sido feitas sem que houvesse a multiplicação do bacilo. A cada novo teste era impossível não lembrar das palavras de Zamora em relação à falência das políticas de saúde. Nenhum medicamento, nenhuma vacina, conseguiria erradicar definitivamente a doença enquanto houvesse mendicância, moradores de rua e bolsões de pobreza. Programas de inclusão social que permitissem a readaptação ao trabalho e o resgate da autoestima talvez fossem mais importantes do que qualquer vacina na recuperação imunológica daqueles indivíduos. Sophia não parava de pensar nisso.

Z não havia feito nenhum novo contato, o que a deixava ainda mais intrigada. Entretanto, tinha que prosseguir com o seu trabalho. Sentou-se ao microscópio e, distraída, deixou cair uma das placas de Petri, que se espatifou no chão. Imediatamente achou a cena muito familiar e foi tomada por uma sensação de déjà-vu. Lembrou-se das premonições de Z e pensou consigo mesma: "Vou matar esse tal de *Scriblerius*". Levantou-se para acionar o setor de descontaminação e esbarrou num dos frascos sobre a bancada, que caiu respingando em algumas das placas com as culturas de células infectadas.

— Nossa, melhor parar por hoje. Estou um desastre ambulante — Sophia falou consigo mesma.

Ela se dirigiu então para o alojamento dos médicos. Tomou um longo banho e saiu para tomar um café. Na sala de reuniões, alguns colegas discutiam calorosamente.

— Um novo surto de gripe aviária foi deflagrado nos países asiáticos. Uma mutação do H_1N_1 com uma cepa altamente patogênica. Não dou alguns dias para os primeiros casos começarem a pipocar por aqui também — profetizou Victor Knup da área de infectologia.

— Estou também tendo problemas com a hanseníase — acrescentou Sophia.

— Parece que ressurgiram alguns casos de febre hemorrágica na costa da África, uma versão mais agressiva com fenômenos hemorrágicos mais precoces. Será uma mutação do ebola? — perguntou Liana Kimura, uma nissei do setor de biotecnologia.

— A grande revanche dos micro-organismos! — brincou Victor, servindo-se de uma xícara grande de café.

— Se isso foi uma piada, Victor, me avisa para eu saber que tenho que rir — retrucou Sophia de mau humor. — Desculpe, galera, estou com um pouco de dor de cabeça. Hoje nem eu estou me aguentando. Acho que vou voltar mais cedo pra serra. Até mais, pessoal.

Ela andou alguns passos em direção ao carro e olhou para trás. Teve uma sensação estranha de estar sendo seguida. Ajeitou o casaco. De repente, um vulto esbarrou em seu ombro. Estava de capuz e não dava para ver o seu rosto. Apesar do susto, pegou delicadamente a sua mão e depositou uma moeda no centro. Uma energia intensa tomou conta do corpo de Sophia, que instintivamente recolheu a mão, deixando a moeda cair. Abaixou-se para apanhá-la e, ao levantar a cabeça, não viu mais ninguém.

Sophia ainda estava trêmula quando alcançou o carro. Travou as portas e saiu rapidamente com medo de ser interpelada de novo. Já na rodovia, parou no primeiro posto de gasolina. Respirou fundo e pegou a moeda. Era grande e dourada. Numa das faces havia a figura de um jovem ajoelhado, e no verso trazia três imagens que se interpunham: um arco, uma flecha e uma coroa. Não sabia o que fazer com aquele objeto. Porém, depois de pensar por alguns momentos, foi tomada por uma certeza. Chegou ao casarão de Itaipava o mais rápido que conseguiu. Entrou rapidamente, batendo a porta. Quando já estava no meio do corredor, voltou para trancá-la com a chave, dando quatro voltas, e também passou o ferrolho. Ligou o iPhone e começou a caçar o escritor. Alguns minutos depois, ele apareceu.

"Onde esteve durante todo esse tempo? Achei que fosse meu guardião, lembra-se?"

"Estive viajando. E apesar de eu ser seu protetor, você precisava ficar sozinha para organizar os seus pensamentos. Que bom que sentiu a minha falta!"

"Não exagere. Para falar a verdade, o que eu mais senti foi vontade de esganar você, mas estou feliz que tenha respondido ao meu chamado."

"Eu estava esperando por isso."

"Sabia que eu ia procurar você?"

"Sim."

"Trocamos umas poucas palavras e aí está você, todo convencido!"

"Quer falar comigo ou não?"

"E tenho outra saída? Você tinha razão sobre aquelas coisas de déjà-vu."

E vários emoticons de carinhas de espanto coloriram a tela.

"Então posso começar a ter esperanças de que você acredita em mim?"

Em resposta, Sophia recebeu várias caretas e piscadelas.

"E tem mais…"

"O que houve?"

"Hoje aconteceu um fato muito estranho na saída da fundação. Uma pessoa que não conheço me deu uma moeda."

"Andou fazendo malabarismos no sinal?"

"Estou falando sério. Muito sério."

"Como é essa moeda?"

"Grande e dourada, mas o que me chamou a atenção é que não há nenhum número nela."

"Não tem nada desenhado? Nenhum símbolo?"

"Tem umas impressões."

"Pode descrevê-las para mim?"

"Claro! De um lado tem a figura de um rapaz ajoelhado e do outro aparece uma marca, acho que é um brasão com a representação de um arco, uma flecha e uma coroa entrelaçados. Isso significa alguma coisa? Pensei logo em você, o mestre dos enigmas."

Z permaneceu em silêncio por alguns minutos.

"Você ainda está aí?"

Sophia estava ansiosa.

"Sim. Preciso ver você urgentemente. E preciso que traga a moeda."

"Posso fotografá-la e enviar uma foto em alta definição ou uma projeção holográfica agora mesmo."

"Não. Preciso saber se é autêntica. É muito importante."

"Só se for em algum lugar público e com muita gente em volta. Você não me parece mentalmente são. Pode ser, por exemplo, numa livraria. Na seção de livros esotéricos, me parece bem apropriado.Vou estar com uma calça jeans e uma blusa azul-clara."

"Combinado, então. Amanhã, na livraria Leonardo da Vinci no centro do Rio, às três horas da tarde."

"Não vai me dizer como vai estar vestido?"

"Não. Eu acho você."

11 DE SETEMBRO DE 2028
CENTRO, RIO DE JANEIRO

A LIVRARIA LEONARDO DA VINCI ERA UMA das mais tradicionais do centro da cidade. O amplo acervo de obras de arte e ciências humanas dividia o espaço com vários títulos de literatura num ambiente agradável, funcional e ao mesmo tempo aconchegante. Sophia chegou um pouco mais cedo do que o combinado. Havia decidido trocar a blusa azul por uma lilás, pois achava que esta lhe favorecia mais a silhueta. Durante o percurso, se perguntava como um estranho parecia ter tantas informações a seu respeito. Como sabia sobre o sinal de nascença? Por que parecia tão obcecado em protegê-la?

A jovem pegou algumas revistas e começou a folheá-las de forma displicente. Muitas delas mostravam uma catástrofe ocorrida no estado norte-americano do Texas. Um tornado de nível 4 havia destruído grande parte da cidade, que ainda estava isolada, sem eletricidade e sem comunicação. O Poseidon, como o fenômeno foi chamado, pegou a população desprevenida após uma pane no sistema de segurança contra furacões. Os sensores eólicos não funcionaram. As revistas também anunciavam que os primeiros casos de gripe aviária tinham sido detectados em São Paulo com evolução fatal, confirmando os temores de Victor Knup. Outras notícias informavam que o outono no hemisfério norte nunca fora tão quente, promovendo o descongelamento das geleiras e a elevação do nível dos oceanos. Algumas ilhas da

Indonésia haviam sido invadidas pelas águas e Veneza estava em estado de alerta máximo, com várias áreas submersas. "Quanta tragédia neste 2028. A bruxa está mesmo solta", pensou Sophia.

Ela se levantou e pegou uma xícara de cappuccino na máquina de bebidas expressas. Olhou ao redor. Não sabia como era Z, pois não havia fotos dele em seu perfil. Reparou então em um homem alto, de feições nórdicas, que estava atracado com um livro sobre o apocalipse. Sophia começou a piscar insistente. Logo outro rapaz, claramente o companheiro do "príncipe nórdico", se aproximou e o levou pelo braço. Um rapazinho de cerca de dezenove anos folheava um livro de Carl Sagan. Definitivamente ele era jovem demais para ser Z. Uma mulher de cabelos negros e muitas pulseiras estava compenetrada com um exemplar de *Tudo sobre o tarô cigano*. Num canto pouco iluminado estava uma figura de cabelos grisalhos e nariz afilado. Usava óculos e tinha uma estatura mediana. A barba malfeita lhe dava certo ar displicente. Estava de calça social bege e com uma blusa branca amassada. Um homem de meia-idade, sem nenhum atrativo especial. Como ele não se manifestava, Sophia se levantou e foi em sua direção.

— Achei que você viria de blusa azul.

— Preferi a lilás. Combina melhor com a cor dos meus olhos.

— Entendo. Vamos nos sentar?

— Claro. Eu estava tomando um cappuccino. Quer uma xícara?

— Não, obrigado.

— Quer ver a moeda agora?

— Não! — o homem se exaltou, elevando o tom de voz e chamando a atenção de algumas pessoas que estavam mais próximas.

— Não foi para isso que marcamos este encontro? — Sophia perguntou, intimidada com a reação do escritor.

— Vou lhe contar uma história e quero apenas que confirme com a cabeça. Existem mais pessoas interessadas nesta moeda e em você.

Sophia balançou a cabeça afirmativamente.

— A moeda que você ganhou se parece com algo assim? — Ele tirou uma gravura do bolso e a estendeu para Sophia.

Ela examinou o pedaço de papel amassado com atenção. Identificou os mesmos símbolos gravados na moeda e devolveu a gravura a Z, acenando afirmativamente com a cabeça. O historiador, com um tom professoral, explicou:

— A flecha significa evolução espiritual. O arco significa a necessidade de treinamento para se atingir o alvo. A coroa indica o poder, a nobreza das atitudes. O rapaz ajoelhado significa a obediência a um poder superior. Essa moeda é uma relíquia da qual se teve notícia pela primeira vez em 1753, e está desaparecida desde então. Foi encontrada por um grupo de exploradores que desbravava o interior do Brasil à procura de riquezas. Acidentalmente, encontraram uma cidade em ruínas, com arcos, colunas e estátuas, como é descrito nos templos romanos. Sinais numa língua desconhecida foram deixados nos arcos e nas pedras. Enfim, eles acharam indícios de uma civilização perdida que conviveu com os índios antes do descobrimento oficial anunciado pelos portugueses. Não me olhe com essa cara! Tudo isso está devidamente registrado em um documento conhecido como o manuscrito 512, que está guardado na Biblioteca Nacional do Rio de Janeiro.

— Preciso tomar um pouco de ar fresco.

— Preciso lhe contar mais algumas coisas, mas, antes, deixe eu me apresentar oficialmente. Meu nome é Zion Brazil, muito prazer.

20 DE MAIO DE 1928
BELGRAVIA, LONDRES, INGLATERRA

SIR LAURENCE CAMPBELL ERA UM ADVOGADO conceituado na comunidade intelectual britânica da década de 1920. Tinha um escritório particular que funcionava numa das salas do seu luxuoso palacete em Belgravia, bairro aristocrático de Londres. A Campbell & Campbell era reconhecida por suas causas ganhas com senso ético. Não fazia acordos escusos e resolvia rapidamente as ações de seus clientes. Sir Laurence era amigo particular e confidente de Peter Hewllet Foley. Havia três anos Peter desaparecera na selva amazônica enquanto buscava uma suposta civilização perdida. No início, desestimulara as ideias do amigo, mas Peter era determinado e estava muito focado em suas pesquisas. Já vira a tal estatueta de pedra que Peter dizia ter vindo de uma dessas cidades. Sim, ele acreditava que havia várias dessas cidades habitadas por civilizações extremamente desenvolvidas pulsando no interior da Terra em verdadeiros bolsões de ar sob a crosta terrestre, e todas elas interligadas. Suas ideias eram embasadas em modelos estruturais da Terra sugeridos por Edmond Halley, no século XVII, que propunha que a Terra era um planeta oco. Halley acreditava que as instabilidades eletromagnéticas responsáveis pela aurora boreal seriam indícios que reforçavam a existência de duas grandes aberturas polares, que possibilitariam a passagem para o interior da Terra. Os dois amigos frequentemente discutiam diante dessas evidências científicas que Peter tentava mostrar. A última delas era um artigo publicado em 1920 por Marshall B. Gardner, que sustentava a Teoria da Terra Oca e reforçava as ideias de Halley, defendendo um modelo que privilegiava um Sol central e dois enormes orifícios polares, interligados entre si e a diversas regiões do globo, inclusive ao Brasil.

À medida que Peter ia desenvolvendo o seu projeto de ir ao Brasil numa missão de cunho exploratório, Laurence ia se convencendo das certezas do pesquisador. Havia mapas, cálculos de latitude e longitude e rotas traçadas com embasamento nas informações que recebera das comunidades indígenas do Alto Xingu. Peter já havia estado em outras ocasiões no Brasil devido ao seu trabalho junto à Coroa britânica. Quando partiu para o Mato Grosso, deixou algumas determinações, exigindo que fossem cumpridas à risca. Se em três anos não retornasse, seu testamento seria aberto e seus bens deixados para Nancy, a não ser que seu único filho Samuel conseguisse retornar com vida, e dessa forma faria jus à parte que lhe caberia no testamento. Seu birô deveria ficar aos cuidados de Sir Laurence, que sempre lhe fora um amigo fiel. Tudo o que estivesse lá dentro seria de propriedade do advogado. A vontade de Peter foi respeitada, e como ele não retornou no prazo estipulado, o velho birô de madeira de lei foi colocado num contêiner e despachado para a Inglaterra.

— Sir Laurence, sua encomenda acaba de chegar.

O advogado levantou-se e se dirigiu ao hall de entrada para receber o móvel. Belgravia era um bairro de mansões com uma arquitetura clássica, jardins bem cuidados e vários monumentos. A igreja de pedra de St. Michael, na Chester Square, era apenas mais uma das provas da opulência do lugar. O pórtico de entrada da residência dos Campbell era imponente, com duas grandes colunas em estilo greco-romano. A sala de estar era monumental, com um piso de mármore quadriculado em pedras pretas e brancas, como num grande tabuleiro de damas, e terminava aos pés de uma escadaria que levava aos aposentos superiores. Nichos e pedestais eram vistos em vários pontos da casa contendo esculturas ou estátuas. Pintores famosos ocupavam algumas paredes.

— Levem o móvel para o meu escritório particular.

Laurence Campbell havia seguido à risca o testamento de Peter. Conforme pedira o arqueólogo, não tentara, até aquele momento, organizar nenhuma expedição de resgate ao Brasil. Não havia dados concretos para isso. Embrenhar-se na selva, entre índios, cobras e onças sem ter uma localização exata por onde começar era loucura. Mas, agora, talvez fosse diferente. Olhou o velho móvel de madeira como quem encara um grande desafiante. Imaginou Peter Foley ali sentado, traçando rotas e fazendo planos. "Pobre Peter", pensou Laurence. Sempre invejara a inteligência e a vivacidade do amigo. Nunca conseguira entender a motivação, a credulidade e até mesmo a inocência que o levaram a buscar o resgate de todo esse conhecimento perdido ao longo dos séculos. Se ao menos estivesse interessado nas minas perdidas, nas jazidas de ouro e prata, poderia ter compreendido. Peter nunca tivera grandes ambições. O Exército havia lhe dado disciplina e determinação. O treinamento militar extenuante sem dúvida o incentivara a alimentar o seu sonho de desbravador. Peter nunca dera muita importância a dinheiro ou status.

Enquanto pensava, Laurence ia abrindo gaveta por gaveta do birô. Na primeira, encontrou lápis, papel, grampos e um pacote de tabaco para cachimbos com aroma de baunilha. "O velho cachimbo", Laurence rememorou, saudoso. Na segunda gaveta havia um retrato de Nancy ainda jovem com uma dedicatória: "Para Peter com todo o meu amor e admiração, Nancy". Ler aquelas palavras deixou Laurence um tanto desconfortável. Ele e Nancy haviam sido namorados por pouco tempo, mas o suficiente para deixar marcas profundas. Alguns meses após o término do relacionamento, Nancy conheceu Peter através do próprio Laurence, e foi amor à primeira vista. Cinco meses depois estavam casados. Laurence pegou a foto e a rasgou em pedacinhos. "Ele se foi, mas eu estou aqui, Nancy."

A terceira e a quarta gavetas estavam trancadas. Laurence forçou as fechaduras até quebrá-las. No terceiro compartimento havia anotações com várias possíveis rotas traçadas para a expedição.

— Agora sim, posso tentar ir atrás de você, Peter Foley. Quer você queira ou não — Laurence sussurrou para si mesmo.

Na quarta e última gaveta havia uma caixa retangular de metal. Laurence segurou-a e seus olhos brilharam. Já vira aquela caixa muitas vezes na mão de Peter. Era o relicário da antiga estátua de basalto.

23 DE JUNHO DE 1929
IGREJA DE ST. MICHAEL, BELGRAVIA, LONDRES, INGLATERRA

A IGREJA DE ST. MICHAEL ESTAVA EM FESTA. Um dos seus mais ilustres frequentadores e colaboradores iria contrair suas bodas nupciais aos cinquenta e quatro anos. No altar, Sir Laurence Campbell esperava, irrequieto, pela noiva. Sempre ansiara por aquele momento, e estava em estado de graça. A felicidade era tanta que suplantara os sucessivos fracassos na tentativa de abrir o relicário de metal. Ninguém conseguira reconhecer que tipo de liga metálica era aquela, completamente impenetrável. A caixa mantivera-se inviolada.

Com as anotações e mapas que encontrou no birô, Laurence organizou duas expedições de resgate, porém não conseguiram avançar muito além de Cuiabá, devido às condições adversas da mata e à animosidade dos índios.

Laurence estava viúvo havia cinco anos e vivia com um único filho, que o ajudava nos negócios. Nancy, passados quatro anos do desaparecimento de Peter e Samuel, resolvera reconstituir a vida. Sir Laurence sempre fora apaixonado por ela e lhe daria conforto e proteção. Os sinos da igreja soaram e as grandes portas se abriram ao som de trombetas para a entrada de uma linda mulher de quarenta e dois anos, trajada fina e sobriamente com um vestido de renda cor creme, trazendo nos cabelos loiros da cor do trigo um pente de marfim de valor inestimável.

1º DE AGOSTO DE 1945
FORÇA-TAREFA DA CRUZ VERMELHA, HIROSHIMA, JAPÃO

AS TENDAS DA CRUZ VERMELHA RECEBIAM feridos e refugiados de guerra dia e noite. Voluntários anônimos trabalhavam incansavelmente, tentando aliviar a dor e dar algum conforto às vítimas. O cheiro do éter era sufocante, mas ao mesmo tempo agradável, provocando uma sensação de entorpecimento temporário. Em todo lugar havia dor e medo. O horror da guerra deixava a sua marca na história da humanidade. Ali, naquele lugar, o que menos importava era ter um nome. Toda a ajuda era bem-vinda. Os grandes e verdadeiros heróis estão sempre nos bastidores. Homens sem membros, eviscerados, cegos, amontoados como escombros. O sofrimento iguala e humaniza as pessoas. Ali, todos eram iguais, todos eram irmãos. A fragilidade da vida e a iminência da morte são como um véu que se descortina e numa fração de segundos faz enxergar o que sempre era tão óbvio. O sangue dos homens era derramado pelos motivos mais sórdidos e torpes. Não bastasse que o mesmo erro já houvesse sido comentido havia dois mil anos, o homem continuava derramando o sangue do seu semelhante, sem nunca assimilar a verdadeira lição. E assim, de plena posse de seu livre-arbítrio, o homem consente com sua própria destruição.

Havia um homem ali que sabia de todas essas verdades. Provavelmente havia outros como ele naquele mesmo local, e também espalhados pelo mundo. A cada grande tragédia, a cada grande catástrofe, eles sempre estão por perto, anônimos, tentando minimizar as consequências do ser humano inconsequente. Esse homem tentava organizar o caos. Procurava fazer o que estava além do seu alcance. Já passara por outra guerra antes. A diferença é que conseguia enxergar toda aquela tragédia sob outro prisma. Havia sido tocado por algo muito maior, e tinha a plena certeza de que nunca fora tão importante para a humanidade como naquele lugar, para aqueles desconhecidos. Estava preparado para o que ainda estava por vir. Preparara-se durante vinte anos, e sabia que poderia ajudar a conduzir muitas vidas para os lugares programados, para os lugares prometidos a quem de direito os merecesse. Shambala seria a recompensa. O grande portal asiático, até então oculto, logo seria acionado. Muitos não conseguiriam encontrar o local simplesmente porque sempre duvidaram da sua existência, e portanto não acreditariam no seu"chamado". Os locais de resgate seriam muitos, espalhados por ali e por todo o planeta. *Eles* estavam alerta. Sempre estariam à espera, para ajudar e confortar todas as vezes que a mão destrutiva do ser humano resolvesse ceifar as cabeças de seus próprios semelhantes. E finalmente um dia a promessa de um mundo melhor chegaria para aqueles que se prepararam e acreditaram na força do amor maior.

A única coisa que preocupava aquele homem era como manter todas aquelas pessoas calmas e organizadas diante do que iria acontecer. A grande tragédia era um fato iminente e não havia nada e nem ninguém que pudesse interferir. É a grande e única lei do Universo que impede qualquer interferência no que já foi determinado pelo homem através da sua própria vontade. Olhou com complacência para todas aquelas pessoas. Poderia ter ficado com *Eles* num lugar seguro. Aprendera tanto nos últimos anos. Não poderia mais voltar, assim *Eles* haviam lhe dito. Não seria prudente. Estava sendo preparado, assim como muitos outros, para algo muito importante e maior num futuro sem previsão. Onde estava, o tempo era o que menos importava, pois seu corpo mantinha-se preservado. Até que um dia atenderia ao grande chamado da Mãe Terra agonizante, como um elemento-chave. Até lá haveria muito trabalho pela frente. Mas seus planos foram antecipados. A todo momento o homem ameaça a preservação do planeta, e a presença daquele ser iluminado ali, naquele instante, entre aquelas pessoas ensanguentadas, havia sido uma escolha. Aquela era uma situação extrema em que sua experiência seria crucial. Tentou convencê-Los de que estava preparado, de que tomaria suas precauções. Estaria pronto ao primeiro sinal da abertura do portal e conduziria para os lugares programados as pessoas que conseguissem ouvir o seu chamado.

— Coronel Peter Hewllet Foley?

O homem se virou e, antes que pudesse responder, sentiu uma grande queimação transfixando o lado esquerdo de seu tórax, correndo em direção às costas. Levou a mão direita ao peito e viu que o sangue escorria por entre seus dedos. Ajoelhou-se e tombou lentamente enquanto uma grande aura de energia o envolvia e o levava através de um longo caminho de luz.

No dia 6 de agosto de 1945, às oito e quinze da manhã, o mundo conheceu a maior tragédia nuclear da história da humanidade.

15 DE SETEMBRO DE 2028
REGIÃO OCEÂNICA, NITERÓI, RIO DE JANEIRO

A PONTE RIO-NITERÓI AINDA FORNECIA uma das melhores vistas do estado do Rio de Janeiro. Sophia concordara em ir à casa de Z após o encontro na livraria. Naquela tarde, conversaram muito e, devido à relutância de Zion em pegar a moeda e examiná-la num local público, Sophia acabou esquecendo a relíquia dentro da bolsa. Marcou então um novo encontro para um dia em que estivesse livre, e resolveu ir logo pela manhã para aproveitar o sol. Optou pelo caminho habitual, em vez de ir pelo túnel submerso, para apreciar a paisagem. Seguiu em direção à região oceânica, até a praia de Camboinhas. Parou em frente a uma casa de dois andares. No jardim, uma fonte com vários cristais no fundo refletia a luz do sol em diversas cores.

— Entre, Sophia! — Z a recebeu. — Tenho muitas coisas para lhe mostrar.

— Que linda a sua fonte!

— Eu mesmo a fiz.

A sala de estar era ampla, arejada e confortável, com poltronas e um sofá de courino marrom, além de algumas almofadas jogadas sobre um grande tapete. Havia um bar com taças de cristal e uma coleção de vinhos chilenos, argentinos e franceses. A cozinha no estilo americano era prática, bastante funcional para alguém que vivia sozinho. A sala de jantar era aconchegante.

A mesa estava posta para dois, com castiçais, pratos decorados, talheres e taças para água e vinho.

— Esta mesa é para mim?

— Na verdade, esta mesa sempre está posta.

— Sempre esperando por alguém que nunca vem. Que melancólico!

— Sou um homem sozinho, um viajante do plano astral.

— E como se faz isso? Como é essa coisa de viajar pelo astral?

— Faço isso desde pequeno, sem esforço. Mas você também pode tentar, basta relaxar e procurar a si mesma em seu interior. No início, parece difícil, mas com o tempo você começará a viajar com uma facilidade cada vez maior por essa e por outras dimensões.

— Hummm. Acho que não consigo, isso tudo é muito surreal para mim.

— Quer andar um pouco na praia?

— Posso vestir meu biquíni?

— Claro. O banheiro fica ali, ao lado do escritório.

Sophia parou na porta do escritório e observou os livros, uma armadura de ferro do cavaleiro medieval e um quadro com a figura de uma mulher como uma grande árvore frondosa.

— A armadura é de um cavaleiro templário. Esses homens lutaram durante as Cruzadas para preservar grandes segredos — Zion explicou ao perceber o interesse de Sophia.

— Como na história do rei Arthur, do Lancelot e do Merlin?

— Perfeito. Aguardo você lá fora.

Sophia se trocou rapidamente e saiu com Zion para caminhar. Tirou os chinelos e preferiu caminhar descalça, sentindo a areia lhe massagear os pés. Trocou os óculos de grau pelos de sol.

— Por que esse nome estranho, Zion?

— Zion é um nome de origem celta. Seria um equivalente a Sião e significa "a terra prometida após o Armagedom".

— Nossa, que apocalíptico! E esse seu Brazil com z, foi erro de registro?

— É de origem irlandesa. Na verdade, acreditava-se, na Irlanda, que existia uma certa ilha dos prazeres por esses lados do oceano Atlântico. E lá vamos nós de novo questionar o "descobrimento" dos portugueses. — Ele soltou uma risada.

— E Sophia, sabe o que significa?

— Claro! Quem nunca procurou saber o significado do próprio nome? Sophia quer dizer sabedoria.

— E a senhorita detentora de tanto conhecimento não está com fome?

— Sim, ótima ideia! Vamos comer.

Zion a pegou pela mão, conduzindo-a até uma palhoça.

— O lugar é simples, mas a comida é deliciosa. Recomendo os camarões e o filé de namorado.

— Acho que vou de filé de namorado.

— E, afinal, não teve curiosidade sobre o *Scriblerius*?

— Para falar a verdade, tenho medo do que possa ser isso.

Zion soltou uma sonora gargalhada.

— Sou um escritor cujo maior trunfo é exatamente não ser conhecido, o famoso escritor sem face.

— Sei, quer dizer então que só eu tive esse prazer.

— Pois é. Considere isso uma honra.

— Mas por que tanto mistério? Normalmente os artistas desejam alcançar certa notoriedade.

— Como já falei, é uma questão de segurança.

— Quer saber? Acho que você tem mania de perseguição.

— Antes fosse. Da última vez que arrombaram a minha casa e só levaram o meu notebook, não me pareceu um delírio.

— Mas por que levaram apenas o seu computador?

— Nele havia documentos importantes, descobertas e assuntos que podem comprometer a segurança nacional.

— Nossa, quanto mistério! Não quero invadir a sua privacidade.

A tarde passou rápido e logo anoiteceu.

— Acho que já vou embora. Está ficando tarde.

— Gostaria que passasse a noite aqui.

— Está louco? Amanhã tenho que estar cedo na Fundação. Esqueceu que tenho que salvar o mundo?

— Gostaria de lhe mostrar algo... no céu. Prometo que vou me manter distante de você. E você estará mais perto da Fundação do que se fosse para Itaipava.

— Não sei, não. Você ainda me parece meio maluco, mas, de qualquer forma, quero que saiba que Ana Rosa, minha secretária, sabe de todos os meus passos pelo GPS, portanto, se eu desaparecer misteriosamente, você será o primeiro suspeito.

— Então vou ter que mudar meus planos de sequestro.

— Bem, fico aqui com uma condição: eu durmo no andar de cima e você no andar de baixo.

— Sem problemas.

Zion acendeu umas tochas no jardim. Armou uma grande rede de franjas e apagou todas as luzes da casa. O céu estava especialmente enfeitado naquela noite. Sophia adorou a ideia da rede e logo se atirou dentro dela. Zion retornou, trazendo duas taças e uma garrafa de Cabernet Sauvignon.

— Vou tomar só um pouquinho — advertiu Sophia.

Zion acomodou-se ao lado dela.

— Tome, trouxe um casaco. Vai sentir frio.

— Obrigada. Você até que tem umas ideias interessantes para um louco.

— Sabe aquela coisa de salvar o mundo? — perguntou Zion.

— Sei. Desembucha logo.

— E se eu disser que existe um fundo de verdade nessas suas palavras?

— Eu vou dizer que você realmente não regula bem.

— Promete que vai tentar me ouvir? É muito importante.

— Sim.

— Está vendo todas essas estrelas?

— Claro.

— Lembra quantos planetas tem o nosso sistema solar?

— Na escola decorei uma listinha com nove planetas, mas sei que outros menores foram descobertos depois. Plutão foi rebaixado para a categoria de planeta-anão.

— E se eu dissesse a você que o sistema solar do jeito que concebíamos, com os seus nove planetas, já era conhecido pelo homem desde 4000 a.C.?

— Como assim?

— Há cerca de seis mil anos, existia uma civilização na região da Mesopotâmia que se desenvolveu às margens dos rios Tigre e Eufrates. Os sumérios eram um povo que detinha um conhecimento muito avançado para a época em que viveram. Conheciam profundamente a agricultura, a geometria, a matemática e a astronomia. Seus desenhos deixados nas rochas mostram que eles conheciam com detalhes o nosso sistema solar. Os modelos desenhados mostravam doze astros, ou seja, dez planetas, o Sol e a Lua. Mostravam também as órbitas desses planetas, com todos girando em torno do Sol.

— Isso quer dizer que alguém muito antes de Galileu acreditava que o Sol, e não a Terra, era o centro de tudo? E esse décimo planeta?

— Aí é que está o grande mistério. Os sumérios descreviam a existência de um enorme planeta ao qual deram o nome de Nibiru. Segundo eles, esse planeta levaria três mil e seiscentos anos para completar uma volta em torno do Sol. E todas as vezes que a sua órbita estivesse próxima da Terra, o campo magnético desse planeta seria responsável por grandes cataclismos, afetando os rumos da humanidade. Um exemplo disso seria o dilúvio.

— E você acredita nessas histórias do Antigo Testamento?

— Em todos os grandes livros sagrados, como a Bíblia ou os Vedas, existem referências a um grande fenômeno da natureza em que as terras estiveram cobertas por um grande volume de água, e que apenas uma família teria sido poupada por uma essência criadora superior. Os personagens são sempre os mesmos, apenas com nomes diferentes. Isso me faz crer que o dilúvio realmente existiu.

— Pena que as pessoas preferem acreditar na teoria do castigo divino. Adoram um Deus punitivo e vingativo que irresponsavelmente condena todas as espécies viventes pelas fraquezas do homem. Sinceramente, não acredito nisso. Sempre vi Deus como pura energia e amor. Nunca salvaria apenas alguns poucos, deixando a humanidade à própria sorte. Querem imputar a Deus uma culpa da qual eu já o absolvi há muito tempo.

— Sim, concordo plenamente com você. Mas não estou falando do aspecto religioso. Eu acredito que algum acontecimento gigantesco causou uma grande catástrofe natural, por exemplo, um superaquecimento que provocou o degelo das calotas polares. A água invadiu os continentes e condenou a sobrevivência dos seres vivos.

— Então, esse tal planeta Nibiru pode ter causado um efeito estufa desproporcional que provocou todo esse estrago?

— Exatamente.

— Mas como os sumérios podiam saber tantos detalhes, sem um observatório espacial, ou um telescópio?

— Existe uma enorme documentação deixada pelos sumérios na qual é nítida a participação intensa em suas vidas de seres de inteligência superior vindos de outros planetas. Incontáveis tábuas de argila em escrita cuneiforme foram traduzidas e contam toda a história da humanidade em detalhes. Vários cilindros de metal usados para impressão de gravuras mostram minúcias de roupas espaciais e foguetes. Os hábitos desses astronautas, seus rituais, crenças, seus aspectos éticos e culturais influenciaram decisivamente todas as civilizações que vieram depois e consequentemente o que nós somos hoje em dia, com todas as nossas qualidades e defeitos. Quer mais vinho?

— Encha a taça, por favor. Então você está me dizendo que nessa tal "bíblia" dos sumérios está escrito que a Terra era visitada por ETs do planeta Nibiru e que eles teriam dado o primeiro sopro criador da civilização.

— Exatamente. E, cá pra nós, tudo parece fazer mais sentido.

— E quando está prevista pelos sumérios uma nova aproximação de Nibiru? Sim, porque se, a cada aproximação, ele repetir o estrago...

— Não existe uma previsão correta, mas vários astrônomos acreditam que esse planeta realmente existe, e como a sua órbita é muito elíptica, ele permanece oculto muito além de Plutão, encoberto por uma grande nuvem de gases.

— Então ainda temos um tempinho antes desse suposto fim do mundo?

— Ou não... Está sendo realizado um esforço coletivo na tentativa de se fixar hora, dia, mês e ano. Mas a grande verdade é que isso não importa.

— Nesses escritos eles não deixam nenhuma pista, nenhuma data?

— Não, apenas material para muita especulação.

— E esses visitantes seriam então o nosso elo perdido! Seriam os deuses que andavam com os homens pela Terra. Os tais anjos caídos de que a Bíblia fala?

— Estou convicto que sim. De lá para cá vários estudos genéticos mostram que houve uma mudança no padrão do nosso DNA.

— Você está tentando me dizer que...

— Nós temos proteínas extraterrestres na composição do nosso DNA.

— Ah, você com certeza tem!

— Isso não deveria soar tão estranho para você, afinal é uma cientista. Tudo isso nada mais é do que manipulação genética, minha cara. Com muita filtração, obviamente.

— Você tem alguma bebida mais forte por aí? Um conhaque, quem sabe?

— Quero você bem sóbria.

— Mas então esses... astronautas vieram, criaram o *Homo sapiens*, ensinaram o que sabiam, tiveram filhos com as terráqueas e foram embora?

— Na verdade, a história não é assim tão bonita e tranquila. Eles eram conquistadores. Havia uma disputa pelo poder. O homem teve a quem puxar.

— Tudo isso é inacreditável. Mas, e Deus? Onde estava durante esse tempo todo?

— Deus sempre esteve presente e sempre vai estar em tudo e em todas as coisas. Esses seres que nos visitavam acreditavam numa energia criadora superior. Criam em espiritualidade, e com certeza foram inspirados por Deus quando foram obrigados a pousar no planeta Terra e transformar um planeta rudimentar e selvagem numa grande civilização.

— Seus olhos brilham quando você fala sobre isso. Mostra que realmente ama o que faz. Tudo o que me falou pode ser comprovado?

— Está tudo escrito nas tábuas sumérias. Na península do Sinai existem áreas com índices de radioatividade altíssimos, sugerindo que há muitos milênios armas nucleares foram utilizadas naquela região. As estátuas de sal do Antigo Testamento que resultaram da destruição de Sodoma e Gomorra nada mais foram do que corpos carbonizados pela poeira atômica.

— Então eles detonaram a bomba atômica e foram embora. Que bonito, né? Isso porque esse era um povo civilizado!

— Eles eram naquela época o que nós somos hoje em dia. Atualmente devem estar num nível de desenvolvimento muito além do nosso. Mas acredito que nem todos foram embora.

— Então já está na hora de um novo *upgrade* na história da nossa evolução.

— Isso já está sendo providenciado.

— Hummm, uma nova visita com a proximidade de Nibiru.

— O retorno está prometido em todos os textos sagrados. Nas tábuas sumérias, na Bíblia, na Torá, nos Vedas.

— O tema é realmente fascinante. Mas, como falei, sou uma pessoa pragmática. Se tudo isso for realmente verdade, veja bem, considerando a possibilidade remota de isso ocorrer, seria mais lógico que com uma data certa para esse retorno apocalíptico pudéssemos construir abrigos, estocar alimentos e medicamentos, além de evacuar as cidades com antecedência e procurar locais mais seguros.

— Se um fenômeno como esse ocorrer, Sophia, não haverá lugar seguro na crosta terrestre. Não haverá abrigo subterrâneo capaz de suportar a magnitude da destruição. Imagine a presença de um grande corpo celeste exercendo sua ação magnética no núcleo da Terra, alterando a inclinação do seu eixo de forma a verticalizá-lo. Sabe o que vai acontecer?

— Tudo vai mudar de lugar?

— Exatamente. O que está embaixo vai subir e o que está em cima vai descer.

— Então não há nada a ser feito?

— Na verdade, há muito a ser feito. Não vai ser o fim do planeta Terra. Vai ser o fim da Terra do jeito que a conhecemos. Isso já está previsto, e é certo que aconteça. A própria história do planeta nos mostra esse fato através dos milênios. De tempos em tempos há um processo de higienização no planeta. Tem sido assim desde os primórdios da criação, evoluímos através das eras. Estamos num processo de transição, e só vai ficar quem se compatibilizar com as mudanças que essa nova era vai nos trazer.

— É realmente uma profecia aterradora. Posso tomar mais um pouco de vinho? É que toda essa conversa está me deixando um pouco tensa.

— Não acha que já bebeu demais? Não vai acordar cedo amanhã?

— Você me diz que o mundo vai acabar com toda essa tranquilidade e quer que eu fique como? Acho que vou fazer uma viagem de volta ao mundo, conhecer as pirâmides do Egito e a Torre Eiffel antes que desapareçam.

— É por isso que não vai nos ser permitido saber. Se soubéssemos a data exata para toda essa transformação, o planeta entraria em colapso muito antes disso. Haveria suicídio em massa. As pessoas parariam de trabalhar e produzir. A histeria e o fanatismo entrariam na ordem do dia.

— Entendo. O que pode ser feito então?

— Devemos continuar trabalhando, mas sem pensar exclusivamente em nós mesmos e naqueles que nos são caros. Temos que trabalhar para o próximo, tentar crescer e amadurecer, percebendo que, se não cuidarmos uns dos outros, não chegaremos a lugar algum. Precisamos cuidar do planeta como cuidamos da nossa casa. Preservá-lo e respeitá-lo, bem como a todo ser vivente. Se tivermos essa consciência, passaremos a vibrar numa frequência cada vez maior e melhor, como um rádio em que selecionamos as estações com menos interferência. E isso não é religião, e sim uma ciência. Todos nós temos esse potencial eletromagnético de vibrar e produzir energia. Agora imagine: se todos passarmos a produzir essa energia, poderemos criar um campo magnético, e no processo de transição do planeta poderemos também interferir de forma positiva, diminuindo a destruição e as perdas.

— Estou chocada e pensando seriamente em colocar você numa camisa de força — brincou Sophia. — Mas agora, falando sério, não sei o que fazer com tanta informação. Não sei o que tenho a ver com tudo isso. Ainda acho que não sou a pessoa que você está procurando.

— Não tenho dúvidas a esse respeito, e quanto ao que fazer com as informações, você irá saber no momento exato.

— Por que você acredita tanto assim em mim? Você me dá uma importância da qual eu sinceramente não me acho merecedora.

— Você talvez desconheça muitos aspectos importantes da sua vida, e eles lhe ajudariam a compreender muitas outras coisas.

— Tentei vários tratamentos para a amnésia, mas nada deu resultado. Fiz até hipnose.

— Tudo tem o seu momento certo. Está tudo aí, latente, dentro da sua cabeça. Na hora que conseguir acessar essas informações, esteja preparada, pois elas podem vir com um bônus.

— Como assim?

— Você poderá se lembrar de coisas que trouxe na sua bagagem.

— De Los Angeles?

— Não, de outras vidas.

— E lá vem você com essa conversa fiada.

— Sei que você ainda vai acreditar no que eu digo.

A cabeça de Sophia encostou no ombro de Zion com naturalidade. Uma sensação boa de acolhimento fez com que relaxasse. Alguns minutos depois, ela dormia profundamente junto ao peito do escritor, que, com carinho, lhe afagou a cabeça.

— Estarei sempre aqui para proteger você.

Sophia acordou com um delicioso cheiro de café, que vinha do andar de baixo. Olhou ao redor e percebeu que estava na cama de Zion. Trajava a roupa do dia anterior. Levantou-se rapidamente e uma súbita vertigem a fez rodopiar.

— Maldito vinho — ela sussurrou.

Desceu as escadas correndo. Estava atrasada, como sempre.

A mesa do café da manhã estava posta. Havia suco de laranja, iogurte, pães, geleia e manteiga. No prato havia duas fatias de mamão já cortadas em pequenos cubos

— Você preparou tudo isso sozinho?

— Claro.

— Que delícia esse mamão todo cortadinho!

— Isso é só para visitas VIPs.

— Você dormiu onde?

— Não se preocupe. Não encostei um dedo em você.

— Não quis dizer isso, apenas fico constrangida em ter criado algum tipo de incômodo. Engraçado, não me lembro de ter subido as escadas ontem.

— Você não subiu.

— Quer dizer que...

— Carreguei você no colo.

— Poxa, estou lhe dando um trabalho danado!

— Não é sempre que recebo mulheres bonitas aqui.

Sophia corou e procurou desviar do assunto.

— Sabe, Z, estive pensando... Você acha que essa moeda é mesmo autêntica? — Sophia retirou a moeda da bolsa e a entregou a Zion. — Quase ia me esquecendo...

Ele pegou o artefato com cuidado e o examinou sob uma lente de aumento.

— Sim, não tenho nenhuma dúvida quanto a isso.

— E por que alguém teria me dado algo tão valioso? Faz alguma ideia?

— Talvez alguém esteja lhe dando algumas pistas. Uma delas é o significado dos símbolos, como já lhe falei. Agora, pense um pouco, para quem mais uma moeda que levaria a uma civilização extinta poderia ser útil?

— Para um explorador, um arqueólogo... Sei lá!

— Certo. Essa sua moeda me fez relembrar uma velha história. Pelo que me recordo, muitos exploradores tentaram achar as tais cidades perdidas e pelos mais diversos motivos. Porém apenas um deles até hoje continua intrigando a todos: o coronel Peter Hewllet Foley, que, como você, também ganhou um artefato, uma pequena estátua que ele acreditava ter vindo de uma dessas cidades perdidas.

— Hummm! Esse brioche está dos deuses. Mas o que esse Foley fez de tão importante?

— Ele realizou uma expedição para procurar a entrada para essas cidades no interior da Terra.

— Ainda nem digeri direito aquela história toda de DNA alienígena e fim do mundo e você já vem com outra?

— Na verdade, no fim tudo está relacionado. Ele achava que seres extremamente evoluídos viveriam em verdadeiras cidades no interior da Terra.

— Espera aí, isso é Júlio Verne em *Viagem ao centro da Terra*.

— Exatamente.

— E por que alguém me daria uma moeda de uma civilização perdida?

— Talvez porque você tenha alguma coisa importante para encontrar?

— No centro da Terra?

— Talvez algum conhecimento que tenha que ser desvendado.

— Você está achando que essa moeda pode me levar a algum lugar onde eu possa encontrar a resposta para esse meu problema de memória?

— Acho que você vai encontrar muito mais do que isso.

— E esse conhecimento me ajudaria com os meus trabalhos científicos?

— Como lhe falei, o conhecimento nunca se perde, uma vez adquirido permanece latente na nossa essência.

— E eu nem preciso perguntar se você realmente acredita nisso, não é?

— Com certeza. Já vivi uma experiência parecida, em outra dimensão.

— Vamos ter que aumentar a dose do seu antipsicótico? Estou começando a achar que o seu caso é mais grave do que eu pensava.

— Foi uma experiência extrafísica — justificou Zion, na verdade se divertindo com a incredulidade de Sophia.

— E como acha que vai me convencer disso?

— Não preciso. Você está aqui, não está?

— A propósito, eu realmente ia lhe perguntar a esse respeito. Como chegou até mim?

— Já lhe falei, pela internet, através de um instrumento chamado Google.

— Mas por que eu exatamente?

— Digamos que houve um pouco de tudo, uma espécie de teoria da conspiração. Eu a vi durante uma dessas viagens. Quer dizer, não era exatamente você. Era a sua essência. Não vi uma forma definida, mas era você em um laboratório, talvez numa outra dimensão.

— Mas e como você veio até mim? Voando na vassoura do Harry Potter?

— Eu me baseei na lei da atração universal. Eu estava fazendo as minhas pesquisas e esbarrei em você numa revista científica. Na verdade, eu precisava de alguém que constatasse algumas coisas para mim.

— E que coisas seriam essas?

— No período da transição do planeta, alguns fatos vão acontecer antes, uma espécie de preliminares, entende?

— Como uma espécie de aviso?

— Sim. Há algum tempo já estamos vivenciando tudo isso. Alterações climáticas inexplicáveis, mudança nos padrões de comportamento da sociedade, banalização da vida, aumento da criminalidade pela discrepância social, intolerância racial e religiosa, terrorismo.

— E por que você precisaria de alguém da área da saúde?

— Porque um dos sinais previstos é o reaparecimento de doenças que já estavam controladas ou o surgimento de novas doenças. E você sabe qual é a doença mais antiga na história da humanidade?

Sophia engoliu em seco. Uma queimação começou a lhe corroer o estômago. Lembrou-se das mudanças que vinha observando no padrão de comportamento da hanseníase e respondeu sem nenhuma dúvida:

— Lepra.

Centro Comunitário de Saúde de Alcântara
São Gonçalo, Rio de Janeiro

— Lepra! O senhor está dizendo que eu tenho lepra, é isso, doutor?

Otávio Zamora estava acostumado com aquele tipo de reação. Mais do que qualquer outra, a hanseníase continuava a ser uma doença extremamente estigmatizante. Sentada à sua frente estava uma mulher de trinta anos que havia procurado a unidade de saúde por causa de uma mancha branca na coxa direita.

— Calma, Márcia! A situação é bem mais simples do que você está pensando.

— O senhor me dá um diagnóstico desses e me pede calma? Essa não é aquela doença maldita que vai comendo a pele até chegar nos ossos?

— Não, ela não come a pele como você está dizendo.

As lágrimas de Márcia escorriam, ensopando a blusa. Havia notado a mancha branca na coxa direita fazia dois anos. Procurou outros médicos e usou no local vários cremes para micose sem um resultado satisfatório. A mancha não coçava e não incomodava, e por isso não achou que fosse algo mais sério. Nos últimos seis meses passou a notar que não sentia direito o contato da roupa naquele lado da coxa e resolveu procurar a unidade de saúde. Otávio levantou-se e pegou algumas folhas de papel-toalha, entregou à paciente e esperou que se acalmasse.

— A hanseníase é uma doença plenamente curável. Examinei seus nervos e verifiquei que não há, no momento, indícios de acometimento. Se tomar a medicação certinho, ficará curada e sem risco de sequelas.

Márcia enxugou as lágrimas. Parecia mais conformada.

— Durante quanto tempo vou ter que me tratar, doutor?

— Se vier pegar a sua medicação mensalmente e não deixar de usá-la nem um único dia, você terá alta em seis meses.

— Preciso separar as minhas coisas? Posso passar a doença para a minha família?

— De forma alguma. Como você tem apenas uma mancha, a sua hanseníase é classificada como paucibacilar e, portanto, não transmite a doença. Mas, hoje em dia, mesmo nas formas multibacilares, nas quais os pacientes apresentam mais de cinco manchas pelo corpo, o tratamento garante uma vida plenamente normal, sem riscos de contágio.

— Graças a Deus! Mas, doutor, sem querer duvidar do senhor, não é preciso nenhum exame para confirmar a doença?

— No seu caso, como o teste de sensibilidade demonstra uma nítida alteração, como você mesma já percebeu, não há necessidade de exames confirmatórios. O diagnóstico é baseado nos aspectos clínicos mesmo.

— E como foi que eu peguei isso, doutor? A minha casa é tão limpinha.

— A hanseníase é uma doença transmitida pelas vias aéreas. Os bacilos ficam dispersos no ar. Você provavelmente nasceu com um defeito na sua imunidade que faz com que não seja capaz de se defender adequadamente contra essa bactéria, e veio morar num local onde a incidência ainda é muito grande. A exposição diária a esse agente acabou lhe causando a doença. Não se culpe, não tem nada a ver diretamente com os seus hábitos de higiene.

— Então existe alguém transmitindo a doença perto de mim?

— Possivelmente quem transmite em geral não tem essa consciência, e nem pode ser penalizado por isso. Nesses casos, a imunidade parece estar mais comprometida, e por isso a doença é mais agressiva. Mas sem dúvida é preciso estar atento. Como já lhe disse, a primeira dose da medicação já é suficiente para que o doente tenha uma vida normal em casa e no trabalho. Basta que siga o tratamento regularmente.

— Pode deixar, doutor. Vou tomar tudo direitinho.

— Preciso também que você traga todos os que têm um convívio diário com você, que moram na mesma casa, para serem examinados. A hanseníase não escolhe idade e pode aparecer de diferentes maneiras: manchas, placas, caroços e dormência nas mãos e nos pés. Vamos verificar o corpo de todos eles e encaminhá-los para que recebam a vacina BCG.

— Aquela vacina que as crianças tomam quando nascem? As minhas já tomaram.

— Mas é necessária uma segunda dose para reforçar a defesa.

— Mas essa vacina não serve pra tuberculose?

— Realmente, é essa mesmo, mas não há ainda uma vacina específica para a hanseníase. Enquanto isso, como as bactérias são primas, digamos assim, a gente se aproveita desse parentesco e usa o mesmo agente. Mais alguma dúvida?

— Não, muito obrigada! Que Deus o abençoe.

Otávio olhou para a sala de espera. Os pacientes sentados em bancos de madeira compartilhavam as suas histórias e desgraças, fato que tinha os seus aspectos positivos e negativos. Um doente mal orientado frequentemente acabava comprometendo a orientação do tratamento de outros doentes. Eram comuns os comentários do tipo: "Essa doença não tem cura não! É tudo mentira. Eu estou aqui tratando há uns dez anos". E Otávio explicava: "Tem cura sim, tanto que você já não toma mais a medicação específica. Mas para quem tem sequelas como dores e formigamento nos nervos, é necessário o uso de medicamentos para controle da dor crônica".

A próxima paciente tinha sessenta e dois anos. Era uma dona de casa que procurou o posto de saúde com várias bolhas e ferimentos na ponta dos dedos das mãos. Otávio examinou o corpo da senhora e não havia manchas suspeitas. Apalpou o nervo na altura do cotovelo e a paciente demonstrou desconforto.

— Então a senhora anda ferindo as mãos com frequência, dona Aparecida?

— Eu não sei de onde vêm essas bolhas. Elas aparecem assim, do nada, doutor!

— A senhora é diabética?

— Não, senhor.

— Faz uso de bebida alcoólica?

— Deus me livre!

— A senhora é que faz tudo na sua casa? Lava, passa e cozinha?

— Sim.

— Nunca notou se as bolhas aparecem após o uso do ferro de passar?

— E não é que é mesmo? Sinto como se espetassem várias agulhas nas minhas mãos. É um formigamento que não passa. Os dedos ficam todos dormentes e cheios de bolhinhas.

— Dona Aparecida, a senhora tem sinais de uma polineuropatia. Existem várias causas para isso, e vou pedir alguns exames mais específicos, mas existe uma grande possibilidade de isso ser uma hanseníase que afeta apenas os nervos.

— Minha Virgem Santa! Que nome mais esquisito! Como é mesmo? Hansemia?

— Hanseníase. A senhora já ouviu falar?

— Não, doutor. E isso tem cura?

— Tem cura, sim, mas essa dormência provavelmente vai permanecer, por isso preciso que a senhora esteja atenta aos seus afazeres. Quero que use luvas térmicas para cozinhar e que, se possível, use panelas de cabo longo. Quanto ao ferro, evite ao máximo passar roupa. A senhora faz feridas porque se queima com frequência, e esses ferimentos podem levar a uma infecção crônica nos ossos e aí, sim, isso pode ocasionar a perda dos dedos.

— Deus me livre, doutor!

— Aguardo a senhora assim que fizer os exames, certo?

Uma mulher jovem pediu para falar rapidamente com Otávio.

— Pode entrar.

— Doutor, eu sou a mãe da Tamires Silva. A sua paciente de quinze anos.

— Sei quem ela é. E o que houve?

— Preciso muito da sua ajuda. Desde que começou a tomar o remédio, a pele da Tamires está escurecendo muito. Ela diz que não quer mais ir para a escola, que as colegas que sabem do que ela está tratando se afastaram dela. Está muito deprimida e vive trancada dentro do quarto sem querer sair.

— Como é mesmo o seu nome?

— Graça.

— Dona Graça, os medicamentos que a Tamires toma realmente causam um escurecimento temporário da pele, que voltará ao normal após a alta. Vamos trabalhar com ela essa ideia da necessidade real da medicação para que não aconteçam coisas piores. Compre um protetor solar com fator de proteção alto, cinquenta ou sessenta. Não há restrição para a exposição ao sol, mas, quanto mais exposta, mais a pele escurecerá. Vou falar com a assistente social para viabilizar uma atividade de caráter informativo na escola para desmistificar a doença, obviamente sem procurar associar a atividade a Tamires. Ainda há muito preconceito gerado pela desinformação. Vamos tentar dessa maneira. Me mantenha informado.

O último paciente estava em acompanhamento havia nove anos. Recebera alta específica, mas a presença dos restos de bacilos mortos na pele e nos nervos provocava o aparecimento de uma reação de defesa por parte do organismo tão perigosa quanto a doença causada pelo bacilo vivo, condição conhecida como reação hansênica. Fazia uso crônico de imunossupressores como corticoide e talidomida, e sofria com os efeitos adversos desses medicamentos. Cláudio Luiz entrou carregado no consultório. Tremia com febre alta e gemia de dor, apresentando nódulos vermelhos e doloridos nos braços e nas pernas. As mãos e os pés estavam muito inchados e ele não conseguia andar. Entrou acompanhado da mãe.

— Você está sem remédio, Cláudio?

— Estou, doutor.

— Há quantos dias?

— Uma semana.

— Eu já expliquei umas quinhentas vezes que você não pode deixar o remédio acabar!

— Mas eu estava bem, doutor. Até quando vou precisar tomar isso? Fiquei diabético e com catarata por causa do corticoide. Essa talidomida me tira as forças e me deixa tonto e sonolento. E o senhor quer me convencer de que estou curado?

— Entendo a sua revolta, mas suspender a medicação por conta própria não vai ajudar em nada. Quando digo que você está curado, isso significa que seus bacilos estão mortos e, portanto, não podem mais causar estragos para o seu corpo e para as outras pessoas. Curamos a doença infecciosa, mas o organismo criou uma doença autoimune.

— A minha defesa é que está fazendo todo esse estrago?

— De certa forma, sim. A sua defesa quer remover a todo custo esses restos bacilares, mas acaba caprichando demais na faxina e usa substâncias que causam inflamação na pele e nos nervos.

— Estou sentindo muita dor.

— Podemos tentar uma internação para melhorar a sua condição geral.

— Acabei de sair da emergência, doutor. Eles me botaram no soro e me liberaram porque disseram que o meu caso não é de internação.

— Vamos fazer o seguinte: vou aumentar os medicamentos e quero que você procure tomar muita água. Tente repousar bastante, e vou revê-lo na próxima semana. Se não melhorar nesse período, retorne à emergência.

— Sim, senhor. Prometo que não vou mais ficar sem os remédios.

— Está certo.

Exausto, Otávio encerrou o expediente. A cada dia os problemas só aumentavam com a elevação do número de casos, gerando crianças e jovens com sequelas graves e irreversíveis, incapacitados para um futuro mercado de trabalho. Quem sabe se Sophia não conseguiria de fato a vacina? Será que só isso adiantaria? E a melhora do padrão de vida, da qualidade da alimentação? Ter saúde é um conceito muito mais global e abrangente. Mais importante talvez fosse imunizar os governantes com a vacina contra a falta de vergonha na cara, quem sabe assim realmente seria possível mudar a política de saúde do país.

17 DE AGOSTO DE 1948
BELGRAVIA, LONDRES, INGLATERRA

As PERSIANAS DO QUARTO ERAM MANTIDAS sempre fechadas. Sir Laurence Campbell havia proibido terminantemente as visitas. Apenas Nancy tinha permissão para cuidar do esposo doente. O advogado adoecera havia cerca de dois anos. No início apresentara uma tosse seca persistente. Não quis consultar nenhum médico, e dizia que era apenas um pigarro causado pelos charutos. Com o tempo, os acessos de tosse foram se tornando cada vez mais frequentes e a presença de sangue no escarro denotava tratar-se de uma doença nos pulmões. A enfermidade o consumiu aos poucos, roubando-lhe as carnes do rosto e do corpo. Os olhos encovados mantinham-se fixos num ponto do teto. Por diversas vezes era tomado de suores e delírios noturnos, nos quais chamava por seu velho amigo:

— Peter, volte aqui. Não brinque assim comigo.

Nancy, resignada, mantinha-se firme ao lado do marido, atribuindo-lhe os delírios ao profundo apreço que nutrira outrora pelo grande amigo, embora não entendesse os frequentes pedidos de desculpas de Laurence, como se estivesse sendo perseguido por uma ideia fixa.

Sir Laurence nunca dissera à mulher que, passados vinte anos do desaparecimento de Peter, seu amigo finalmente havia lhe procurado. Fizera um contato telefônico e pedira sigilo absoluto. Não queria e não poderia ser identificado. Precisava da ajuda do advogado, pois estava sem dinheiro e sem roupas em uma das tendas da força-tarefa da Cruz Vermelha na cidade de Hiroshima. Não entrou em detalhes de como fora parar ali. Apenas lhe dissera que estava bem e que fazia parte de uma missão decisiva. Após aquele telefonema, a vida de Laurence nunca mais foi a mesma. Ele simplesmente não podia permitir que Peter voltasse para casa depois de vinte anos como se nada tivesse acontecido. Não poderia correr o risco de perder Nancy mais uma vez. Tinha vários informantes no Serviço Secreto britânico e seria fácil localizá-lo. Afinal, no meio de uma guerra, quem poderia desconfiar de um crime encomendado? Um novo acesso de tosse o trouxe de volta dos seus devaneios.

— Nancy, Nancy, onde diabos você se enfiou? Traga-me um pouco mais de água. Já sei, você está se encontrando com Peter! — E gritava por horas a fio, sem que nada pudesse lhe trazer algum conforto.

Às vinte e três horas do dia 17 de agosto de 1948, Sir Laurence Campbell cerrou as pálpebras, fechando os olhos para nunca mais abri-los.

30 DE SETEMBRO DE 2028
Fundação Oswaldo Cruz, Manguinhos, Rio de Janeiro

SOPHIA VINHA TRABALHANDO EXAUSTIVAMENTE no projeto da nova vacina, mas ainda não havia conseguido cultivar o micro-organismo *in vitro*. Selecionou alguns constituintes que julgava ser essenciais para a multiplicação do bacilo. Acreditava que, durante o processo de infecção, ele deixaria de produzir alguns elementos, uma vez que os obteria das células hospedeiras e, ao serem acrescentados aos meios de cultura, não seriam capazes de voltar a produzi-los. Talvez a chave do mistério estivesse exatamente nessa observação. Tudo que tinha de fazer era descobrir que componente era esse e acrescentá-lo às culturas de células. Enquanto isso, o índice de infecção estimado para os contatos aumentava de oito para cinquenta por cento, confirmando um aumento da patogenicidade do bacilo ou da diminuição da resposta imunológica das pessoas expostas.

— Já sabe o que vai fazer no Ano-novo, Sophia?

— Ainda não, Victor, por quê? Vocês estão tão adiantados, estamos ainda em setembro.

— Estamos organizando uma grande festa. Muitos acham que pode ser a última passagem de ano do planeta.

— Ah, meu Deus! Isso parece perseguição. De onde tirou essa ideia?

— Em que mundo você vive, mulher? Os noticiários só falam nisso.

— Falam exatamente o quê?

— Falam sobre a passagem do Apophis, um asteroide descoberto em 2004 e que passou próximo à Terra em janeiro de 2013. Você não lembra da confusão que foi na época?

— Agora que você falou, me lembrei. Aquela história da profecia Maia. Uma amiga quis me arrastar para uma festa esotérica, com ciganas lendo as mãos das pessoas. Acabei ficando em casa dormindo.

— Pois ele vai passar de novo bem mais próximo do que da última vez, exatamente no dia 13 de abril de 2029. A Nasa diz que a chance de colisão é pequena, mas como esses caras estão sempre escondendo alguma coisa...

— Você resolveu então que vai beber por conta.

— Mas é claro — Victor soltou uma risada.

— Bem, quando decidirem me avise, o.k.?

Era muita coincidência. Sophia não podia deixar de pensar nas possibilidades reais da catástrofe depois de tudo que Zion havia lhe dito. Doenças, catástrofes naturais, crimes hediondos, enfim, tudo estava acontecendo bem diante dos seus olhos, como o previsto. Resolveu ligar para o escritor.

— Zion, preciso ver você. Posso ficar aí hoje? Combinado. Chegarei por volta das oito da noite.

30 DE SETEMBRO DE 2028
PRAIA DE CAMBOINHAS, NITERÓI, RIO DE JANEIRO

AS TOCHAS ACESAS ILUMINAVAM O ACESSO à entrada. A brisa soprava leve como se o vento cochichasse em seus ouvidos. A noite estava clara e a lua já ia alta no céu. Sophia estava particularmente diferente naquela noite. Havia tomado um banho demorado e relaxante. Escolheu com cuidado a lingerie que usaria. Colocou uma meia de seda e escarpim. Escovou os cabelos lisos e pretos para realçar o brilho. Fez uma maquiagem leve, ressaltando os olhos cor de mel. Dois pequenos brilhantes cintilavam nos lóbulos de suas orelhas. Borrifou algumas gotas de seu perfume preferido na nuca e nos punhos. Trocou os óculos por um par de lentes de contato e... *voilà*.

Zion veio recebê-la na porta principal e parou, extasiado com o que via. Definitivamente aquela não era a cientista que conhecera, mas uma mulher linda, que deixava claro que naquela noite essa era a única coisa que queria ser.

— Você está linda!

Sophia riu com a expressão de surpresa do escritor.

— Tão diferente assim? Fico até constrangida.

— Desculpe, é que não é só a roupa. Você está especialmente diferente para mim, de um jeito que não sei explicar. Venha, entre.

A sala estava enfeitada com arranjos de flores do campo. Velas acesas em pontos estratégicos davam ao lugar uma aura de magia. No fundo havia uma música muito suave com um dedilhado de cítara.

— Você já conhece a casa, fique à vontade. Vou buscar um vinho para nós.

Enquanto se afastava, Sophia observava os movimentos de Zion. O cabelo grisalho lhe dava um ar charmoso de homem mais velho e protetor. Por trás das lentes grossas, seus olhos eram de um castanho-claro difícil de definir. Os ombros eram largos e o peito exibia alguns pelos através do decote da camisa. No pescoço, trazia uma espécie de medalhão que nunca havia lhe chamado a atenção antes. Estava com um jeans estonado que lhe caía imensamente bem, dando-lhe um ar displicente e casual.

— Nunca reparei que usava um amuleto.

— Na verdade é um símbolo que resume vários princípios básicos da vida.

— Acho que preciso de um manual para decifrar você.

— Vê o círculo central? É o início, a origem, o homem no centro de tudo. As quatro primeiras linhas paralelas na parte de cima são as estações do ano. As quatro linhas do lado direito são os pontos cardeais, as quatro abaixo do círculo são as fases da vida, e as quatro últimas linhas paralelas do lado esquerdo são as ações primordiais.

— E o que são essas ações primordiais?

— Manter sempre o corpo forte, a mente ativa e o espírito puro, e ser grato ao criador por todas as coisas.

— Não sei o motivo, mas você ainda consegue me surpreender.

— Ainda tem mais.

— Sério?

— Quer saber?

— Claro!

— No total são dezesseis linhas paralelas, certo? Se você fosse transformar os dois dígitos num único número, o que faria?

— Somaria os dois algarismos e teríamos o número sete.

— Eu não teria feito melhor. O sete é o número da perfeição. Deus descansou no sétimo dia da criação. Sete são as cores do arco-íris. Sete são as notas musicais e daí em diante.

— Tudo isso é muito curioso. Você sempre consegue dar um significado extraordinário a tudo.

— Preparei um jantar especial para nós, sou ótimo na cozinha. Vamos?

Os dois sentaram-se à mesa e Zion acendeu os candelabros. Comeram inicialmente uma salada verde com molho pesto, seguida de um salmão marinado com alcaparras.

— Sempre é tão bom assim... com tudo?

— Sou apenas um solitário lobo da estepe. Tive que aprender a fazer tudo sozinho. E, agora, finalmente, a sobremesa!

— Oba!

Zion foi até a cozinha e vestiu um avental. Em seguida, levou para a mesa alguns pequenos aparatos: uma frigideira, um fogareiro e um maçarico.

— *Voilà, mademoiselle, le grand chef de cuisine, monsieur Zion.*

— *Très bien!* — Sophia estava adorando toda aquela performance.

— Bananas flambadas com sorvete de nata.

— Gamei! Quer casar comigo?

— Quero — Zion respondeu com seriedade.

— Você não me aguentaria nem por um dia — Sophia desconversou.

O resto do jantar transcorreu de maneira agradável. Zion puxou Sophia pela mão e a levou para um tapete macio da sala.

— Tire os sapatos e fique à vontade. Vou lhe mostrar outra coisa.

A sala estava na mais perfeita escuridão. Apenas algumas velas continuavam acesas. Zion acionou a abertura automática da parte central do teto da sala, exatamente sobre a cabeça de ambos. De repente, alguns refletores foram acesos e uma luz amarela e intensa tomou conta da sala. Sophia levou a mão aos olhos, sem entender nada. Aos poucos foram aparecendo algumas borboletas. Amarelas, azuis, brancas e vermelhas, de todos os tamanhos. Elas planavam ao redor de Sophia, que, boquiaberta, não conseguia dizer mais nada.

— Este é o meu grande presente desta noite para você.

Zion puxou Sophia para junto de si. Ela gemeu baixinho. Beijou lentamente os seus olhos, o seu nariz e mordiscou o lóbulo de uma de suas orelhas. Sophia não ofereceu resistência e entreabriu os lábios, convidando-o a entrar. Seus lábios se roçaram inicialmente tímidos e, à medida que se tocavam, iam se exigindo numa urgência cada vez maior. O cheiro forte da loção pós-barba dele penetrou pelas narinas de Sophia, despertando um desejo adormecido. Ela encostou seu corpo ao de Zion, que soltou um gemido de prazer. Ele apagou a luz e naquela noite amaram-se até o amanhecer, sem pressa, sem medo de que o mundo acabasse. Nada mais tinha importância, a não ser a necessidade de ao menos por uma noite sentirem-se únicos e completos.

Sophia acordou com o sol batendo em suas costas. Aninhou-se embaixo do edredom, tentando fugir da claridade. Zion estava pensativo. Passou horas olhando para o sinal de Sophia, na altura da omoplata esquerda. Era uma chave perfeita. A mancha acastanhada tinha algumas nervuras típicas de um determinado tipo de chave codificada para abrir receptáculos ou ataúdes de objetos raros e de grande valor. Já havia visto uma chave assim. Alguns povos costumavam guardar seus objetos de valor em pequenos relicários de metal. Essas pequenas caixas muitas vezes eram enterradas com os seus proprietários, que os levavam para a vida eterna, a fim de que pudessem ultrapassar os portais da morte. A relíquia era o passaporte. Sophia acordou e se espreguiçou.

— Bom dia, Zion Brazil com z!

Sophia estava nitidamente feliz. A noite fora inesquecível. Começava a olhar Zion com outros olhos.

— Bom dia, Sophia! Vou preparar um café. Deixei algumas coisas para você no banheiro. Toalha limpa, escova de dente e uma blusa de malha, caso queira se vestir.

— Obrigada!

Sophia tomou banho, secou rapidamente os cabelos com a toalha e desceu para o café. A mesa de novo estava posta de forma generosa, o que abriu seu apetite.

Zion permaneceu calado a maior parte do tempo.

— Você está bem? Parece perturbado e distante.

— Está tudo bem, não se preocupe.

— Não querendo falar sobre... aquele assunto, mas já falando... Você sabe alguma coisa a respeito desse asteroide que a mídia tem divulgado, o Apophis?

— Sim.

—Acha que tem possibilidade de colidir com a Terra?

— Não.

— Graças a Deus!

—Agora, não, mas talvez em 2036.

— Como assim?

— Esse asteroide é pequeno. Não se compara ao planeta higienizador, Nibiru. Em 2029 poderá colidir com alguns satélites em órbita. Dependendo do rumo que tomar após a colisão na sua próxima passagem em 2036, é possível que crie uma expectativa real de impacto, pois estará bem mais próximo do planeta, ou seja, pode esbarrar em nós, mesmo que de raspão.

— Vixe!

— Sophia, preciso lhe dizer uma coisa.

O coração da jovem começou a bater acelerado, como se fosse sair pela boca. Decerto ele não havia apreciado a noite como ela, e agora iria lhe revelar que tudo havia sido um grande erro e que ela não deveria dar importância ao que aconteceu. Sim, Zion não devia passar de mais um cretino.

— Sim, diga.

— Estou indo para Londres e não sei quando vou voltar.

—Assim, do nada?

— Na verdade decidi isso agora pela manhã.

—Aham. E eu posso saber o que vai fazer lá?

—Assim que eu voltar, explico tudo.

— O.k. Tudo bem.

Sophia pegou o carro e resolveu ir para casa, em Itaipava. Definitivamente aquele não iria ser um bom dia.

1º DE OUTUBRO DE 2028
AEROPORTO INTERNACIONAL DO RIO DE JANEIRO

ZION ERA UM HOMEM IMPREVISÍVEL, porém determinado. Suas viagens astrais sempre lhe mostravam que de alguma forma estava ligado irremediavelmente a Sophia. Via a cientista vivendo dentro de uma cidade intraterrena, aprendendo, ajudando os outros irmãos que para ali eram enviados. Por isso tinha tanta certeza de que Sophia já trazia a resposta de que precisava dentro de si mesma. Só precisava se lembrar, e Zion estava disposto a ajudar. Era o seu compromisso e sempre soube disso. Em algum momento no plano astral, havia aceitado o carma de ajudar e proteger Sophia. Só não sabia o porquê, e isso não lhe era permitido descobrir. Sua missão na Terra era ajudar e proteger Sophia, e era isso que ele iria fazer, mesmo que custasse sua própria vida.

Lembrou-se da moeda que Sophia lhe mostrou e que estava tão bem descrita no manuscrito 512. A vida inteira o pesquisador estudou minuciosamente o documento à procura de alguma pista, e agora, de forma irônica, ela praticamente se atirava em suas mãos. Não acreditava em coincidências. O sinal em forma de chave não lhe saía da cabeça. Estranhamente, havia alguns anos, Zion recebera um e-mail de Londres pedindo-lhe que opinasse a respeito de um pequeno receptáculo de metal. Seu proprietário dizia ter perdido a chave, e nenhum chaveiro tinha sido capaz de arrombá-lo. Mandou uma imagem em alta resolução. Zion nunca tinha visto nada parecido.

A fechadura era complexa. Na ocasião, o homem chegou a sugerir que Zion fosse pessoalmente fazer a consultoria, e que não se preocupasse com as despesas da viagem, mas o estudioso estava ligado a um projeto muito importante, de forma que foi obrigado a recusar. O dono da relíquia não entrou em detalhes, mas chegou a comentar que pertencera a um famoso explorador. Agora, pensando bem, perguntava-se com incredulidade se a tal pessoa afamada não poderia ser o coronel Peter Foley. Todos os caminhos o levavam em direção à história do velho explorador. Quem sabe a lendária estatueta poderia conter alguma inscrição que os levassem ao portal que tanto procuravam. Estava convencido de que Sophia também estava ligada a tudo isso e que, uma vez que atravessasse essa passagem interdimensional, poderia recobrar a memória perdida. Decidiu que iria atrás do objeto. Zion procurou o endereço do e-mail na sua caixa postal. A mensagem era assinada por Bernard Campbell, que se identificava como morador do bairro de Belgravia, em Londres. Otimista, ele comprou uma passagem para a capital londrina no primeiro voo da manhã.

— Senhor, aceita uma bebida? — ofereceu delicadamente a comissária.

— Água, por favor.

Zion havia conseguido o endereço de Bernard sem muita dificuldade. A firma de advocacia Campbell & Campbell era conceituada e não seria muito difícil de ser contatada. Achou melhor não avisar e chegar de surpresa. Talvez assim conseguisse negociar a estátua mais facilmente.

— Senhores passageiros, apertem os cintos para iniciarmos os procedimentos de pouso. São dezenove horas, horário local, e a temperatura na cidade de Londres é de dez graus.

O aeroporto de Gatwick ficava a cinquenta minutos da estação de metrô de Belgravia. Zion resolveu pernoitar num albergue aquela noite e no dia seguinte pegar o metrô. Aproveitou para rever a lista com o endereço do escritório dos Campbell. A família era tradicional e gozava de grande reputação na área da advocacia. Não seria difícil identificar um de seus membros.

No dia seguinte, Zion saltou do metrô e começou a fazer o reconhecimento do local. Havia embaixadas de vários países na Belgrave Square. Andou mais alguns passos e avistou uma igreja enorme, com paredes de pedras, na Chester Square. A casa de Bernard Campbell era a de número 14. Zion tocou a campainha e logo um criado abriu a porta. O ambiente era muito luxuoso, mas também estranhamente familiar.

— Gostaria de falar com o sr. Campbell.

— A quem devo anunciar?

— Diga que Zion Brazil, o especialista em antiguidades, quer vê-lo.

Alguns minutos depois, Bernard apareceu no hall de entrada.

— Pode sentar-se, senhor… Como é mesmo o seu nome?

— Zion Brazil.

— Em que posso ajudar, sr. Brazil?

— Há alguns anos o senhor me mandou um e-mail a respeito de uma antiga caixa de metal. Não conseguia abri-la porque não tinha a chave.

— Ah, sim. Estou bem lembrado.

— Gostaria de examiná-la. O senhor ainda a tem em seu poder?

— Na verdade, sim. Mantenho a caixa no escritório do meu tio-avô, Sir Laurence Campbell. O senhor já ouviu falar dele?

— Vagamente.

— Acredito que essa caixa de metal contenha algum tipo de demônio escravizado dentro da estátua. Por isso é tão difícil abri-la.

— Isso não passa de mitos que não procedem.

— Essa família já foi muito feliz e próspera, sr. Brazil. Meu tio-avô foi um dos maiores juristas da Inglaterra. Fundou a Campbell & Campbell, um escritório de advocacia muito influente. Mas depois que essa caixa chegou num velho birô pertencente ao coronel Peter Hewllet Foley, tudo por aqui começou a dar errado. Meu tio-avô entrou em depressão e faleceu em 1948, vitimado por uma doença pulmonar. A mulher dele, Nancy, que por sua vez era ex-mulher do coronel Foley, faleceu cerca de dois anos depois devido a uma febre de origem desconhecida. O filho de Nancy, Samuel, e o próprio coronel Foley desapareceram na selva amazônica em 1925. O filho de Sir Laurence, Ernest, meu primo, e que tomava conta dos negócios da família, foi assassinado sob circunstâncias que até hoje não foram devidamente esclarecidas. Portanto, acho realmente que se trata de algum tipo de vodu, ou a estátua era utilizada em rituais de magia negra.

O coração de Zion parecia querer sair pela boca quando ouviu o nome do explorador. Respirou fundo e tentou se controlar para transparecer tranquilidade e não denunciar a intensidade do seu interesse.

— E o que pretende fazer com ela?

— Ainda não sei, mas não quero mais esse objeto por aqui.

— Sou um estudioso do assunto e gostaria de comprá-la, se não se importar.

— Sr. Brazil, essa estátua não está à venda. Nem posso imaginar o que aconteceria se eu aceitasse dinheiro em troca dessa maldição. Se a quer tanto assim, pode levar. É sua. E que Deus tenha piedade do senhor.

— Obrigado, sr. Campbell.

Zion decidiu retornar naquele mesmo dia para o Brasil, conseguindo comprar uma passagem em direção ao Rio de Janeiro para aquela noite.

Chegou ao aeroporto de Gatwick alguns minutos antes do embarque e ouviu um chamado pelo alto-falante:

— Zion Brazil, por favor, queira dirigir-se à sala VIP do terminal de embarque.

Zion pegou sua mochila e caminhou lentamente em direção à sala VIP.

— O passaporte, por favor, senhor.

Zion abriu a mochila e estendeu o documento.

— O que o senhor está levando na mochila?

— Apenas algumas roupas, objetos de uso pessoal e uma relíquia que foi presente de um amigo.

— Posso olhar o objeto, por favor?

— Claro, aqui está.

— Pode abrir a caixa, senhor? O nosso sistema de monitoramento de bagagem não conseguiu identificar o objeto em seu interior.

— Não posso abrir. Não tenho a chave.

— Sr. Brazil, o senhor está detido sob suspeita de tráfico de material ilícito para fora do país. O senhor tem o direito de permanecer calado e de chamar um advogado.

A unidade de detenção provisória ficava na periferia de Londres. Zion fora encaminhado para lá imediatamente após o suposto flagrante. Falava inglês fluente, o que não lhe deixava menos ansioso.

O comissário de polícia Brien O'Neal era um sujeito simpático e corpulento. Tinha em torno de sessenta e dois anos, uma enorme calva e um abdômen volumoso.

— Pois então, sr. Brazil, o senhor tentava levar entorpecentes para o Brasil?

— Não, sr. O'Neal. Sou professor de história com doutorado em Civilizações Antigas. Vim à Inglaterra para buscar uma relíquia arqueológica na residência do sr. Bernard Campbell, como o senhor mesmo pode comprovar facilmente com apenas um simples telefonema.

— Não seria mais fácil e mais lógico que o senhor mesmo cooperasse e abrisse a caixa de metal?

— Essa caixa pertencia ao arqueólogo Peter Hewllet Foley, que morreu em 1925, provavelmente levando a chave consigo. — Zion tentava manter a calma.

— Sei. E o senhor não tentou fazer outra chave?

— Esta caixa é um relicário e pertence a uma civilização já extinta. Quando faziam esses ataúdes, as chaves eram únicas, de formato bastante específico e com ranhuras que não podem ser reproduzidas, compreende?

— Então pode-se dizer que é uma obra de arte?

— Sim.

— E o senhor tem o título de propriedade desta obra, sr. Brazil, com o seu valor declarado?

— Claro que não. Foi um presente do sr. Campbell.

— Sabe que pode ser enquadrado como contrabandista de obras de arte?

— Não entendo sobre as leis que regem o seu país.

— Pois deveria entender. Antes de embarcar preencheu um documento que o instruía a esse respeito.

— Sim, mas omiti o fato, pois não pensei no valor comercial da estatueta.

— Vai me convencer de que ela possui um valor sentimental para o senhor?

— Pode-se dizer que sim.

— Bem, sr. Brazil, o senhor permanecerá detido para averiguações. A caixa será arrombada e tão logo confirmemos o seu conteúdo, o senhor estará livre.

— O senhor não vai conseguir arrombá-la.

— Quanto mistério, sr. Brazil. O senhor está me dizendo que esta caixa de metal veio de Kripton?

— Talvez. O senhor não acredita em ETS?

— Acho que para fazer piadas numa hora como esta é porque o senhor realmente não deve estar com pressa de voltar para o seu país. — O comissário se voltou para um dos carcereiros. — John, acompanhe o Clark Kent aqui às suas acomodações. Tentaremos entrar em contato com Bernard Campbell para confirmar as informações. Enquanto isso, aprecie a hospitalidade britânica.

— Posso ao menos tentar entrar em contato com o consulado brasileiro?

— Também faremos isso pelo senhor.

— Tenho alguém me esperando no Brasil. Poderia entrar em contato, por favor?

— Sua esposa?

— Minha discípula.

— Sua o quê? Acho que o senhor realmente está bem enrolado. Vou pedir um laudo psiquiátrico também. Passe os dados da sua seguidora, ou sei lá o quê, para fazermos contato.

— Obrigado.

— Esses brasileiros são todos iguais. Acham que as leis inglesas são como as do país deles e que vão se dar bem com esse sotaquezinho latino — sussurrou O'Neal e, de má vontade, pegou o telefone para confirmar as informações.

20 DE NOVEMBRO DE 2028
SERRA DE ITAIPAVA, RIO DE JANEIRO

SOPHIA ACORDOU, serviu-se de um pouco de café e resolveu aproveitar o sol na varanda. Era um dia como outro qualquer, mas decidiu que não iria trabalhar. Ficaria em casa aos cuidados e mimos da cadelinha Zoe. Deitou-se na espreguiçadeira e Zoe veio lhe afagar os pés.

— Não tenho lhe dado muita atenção, não é mesmo?

A cadelinha abanava o rabo e lambia, insistente, os dedos da dona. Os pássaros coloridos arriscavam de vez em quando um pouso mais ousado nas grades da varanda, mas logo Zoe corria e os espantava. A manhã ensolarada era um atrativo para as borboletas, cuja trajetória de voo lembrava um balé cuidadosamente coreografado. Sophia desviou o olhar de imediato. Queria esquecer aquela noite. Nunca mais teve notícias de Zion. Ele era um guardião de araque, isso sim. No início achou que se tratava apenas de uma simples confusão de sentimentos. Valorizou aquele encontro porque estava carente e era romântica. Esteve só durante muito tempo, envolvida em seu trabalho na Fundação. Ele com certeza não valorizara o momento. Talvez estivesse acostumado a receber mulheres ali. Fazia toda aquela encenação teatral com velas e borboletas e depois fechava a cortina e encerrava o espetáculo. Não haveria uma nova sessão.

Sophia esperava apenas que Zion tivesse sido franco. Durante todo aquele tempo ele a seduziu com aquela história de proteção, e ela começou a acreditar nas palavras dele como uma tola. O fato é que sentia falta do escritor e das suas histórias malucas. Nada voltaria a ser como antes após aquela noite.

Pelo telefone, Sophia acessou as páginas dos principais jornais do mundo. Sempre haveria uma nova catástrofe, um surto de alguma doença ou casos de violência urbana, e isso não tinha nada a ver com a proximidade do apocalipse. Estava deprimida e pela primeira vez após vários anos sentiu-se verdadeiramente sozinha.

Ela se levantou e foi até a cozinha para lavar a xícara de café. Zoe havia feito uma pequena poça de xixi perto da pia. Sophia estava distraída, imersa nos seus pensamentos. Ao pisar na cerâmica molhada, sentiu o pé deslizar e não conseguiu se apoiar. A xícara caiu de suas mãos, espatifando-se no piso. Por instinto, tentou se proteger, espalmando as duas mãos à frente do rosto.

Apesar do susto, aparentemente estava tudo bem. Sophia levantou-se e tentou apanhar os cacos de vidro espalhados pelo chão. Sentiu um gotejar quente sobre uma das coxas e desviou o olhar. Sua mão direita estava suja de sangue, que pingava escorrendo pelos dedos. Imediatamente um *flash* tomou conta de sua mente. Olhou a mão ensanguentada e sentiu uma ardência esquisita no peito.

"Que sensação estranha", pensou. "Isso está começando a me assustar."

Lavou o ferimento e viu que a origem do sangramento era um corte superficial no dedo. Usou um antisséptico, fez um curativo e limpou toda a bagunça. Tinha decidido deletar o telefone de Zion e lhe impedir o acesso às suas redes sociais. Não podia mais viver esperando que ele voltasse. Tomou um ansiolítico e voltou para o quarto, caindo num sono profundo até o dia seguinte.

18 DE OUTUBRO DE 2028
UNIDADE DE DETENÇÃO TEMPORÁRIA, LONDRES, INGLATERRA

HAVIAM SE PASSADO CERCA DE QUINZE DIAS e nada mudara. O comissário Brien O'Neal comunicara a embaixada do Brasil sobre a detenção de Zion para averiguação. Bernard Campbell havia saído em viagem para uma temporada de caça e só voltaria no final do mês. A caixa inviolável continuava sendo um mistério sem solução. O'Neal tentou serrá-la, parti-la e quebrá-la de todas as maneiras, mas o metal realmente parecia indestrutível. O comissário tentou entrar em contato com Sophia, mas seu celular parecia desligado e, após algumas tentativas fracassadas, o homem acabou desistindo.

— É, amigo brasileiro, acho que você está mesmo sem sorte. Parece que nada dá certo.

— O senhor conseguiu contato com o Brasil?

— Não consegui encontrar a sua amiga, se é o que quer saber.

— E o relicário? Está com o senhor?

— Está muito bem guardado no setor de provas. Foi periciado, porém realmente a caixa é impenetrável.

— Eu avisei. Quando vou ser liberado?

—Assim que a embaixada enviar um advogado. O Itamaraty já pediu a sua deportação.

— Vou ser deportado como um criminoso?

— Pelo menos poderá aguardar o término das investigações no seu país. Se ficar comprovado que dentro da caixa tem apenas uma obra de arte e não entorpecentes, a pena do senhor deve diminuir. Contrabando é melhor do que tráfico de drogas ou de armas.

— Vou ter realmente que cumprir uma pena?

— O senhor foi pego em flagrante, não há como mudar isso.

— Mas e se o sr. Campbell atestar a propriedade do objeto e que ele foi doado a mim, então não haverá nenhum crime, certo?

— Nesse caso, acredito que não haveria problema. O sr. Campbell é muito respeitado aqui em Londres. Família antiga, sabe? Conhecem pessoas influentes pelo mundo todo. São também membros da maçonaria...

— Entendo.

As noites na unidade de detenção eram torturantes. O vento frio penetrava pelas grades, atravessando-o, até os ossos. Não poderia ficar mais tempo ali. Ou seria extraditado para o Brasil ou transferido para um presídio. Pensava apenas em Sophia. Deveria estar se sentindo sozinha e traída, e naquele momento Zion estava literalmente de pés e mãos atados.

— Sr. Zion Brazil? Tem alguém aqui que veio buscá-lo.

Zion foi conduzido à sala do comissário. Sentado numa das poltronas, sobriamente vestido num sobretudo preto estava Bernard Campbell.

— Desculpe a minha demora para atender ao seu pedido de ajuda, sr. Brazil — falou Bernard em um inglês formal.

— Sr. Campbell, não sabe como estou feliz em revê-lo, apesar das circunstâncias.

— Eu estava em temporada de caça e meus empregados normalmente têm ordens expressas de não me importunar durante essas viagens. Apenas ontem recebi o recado do comissário Brien O'Neal. Tenho certeza de que ele entendeu que tudo não passou de um grande e terrível engano. Meus advogados já entraram em contato com a polícia e desfizeram o mal-entendido junto ao Itamaraty.

— Não sabe como me sinto aliviado.

— Devo as minhas desculpas ao senhor também, mas estava apenas realizando o meu trabalho. — Brien O'Neal parecia constrangido.

Zion Brazil pegou os seus pertences, inclusive a estatueta. Ao passar pela saída, o comissário ainda lhe fez uma última pergunta:

— Essa estátua veio mesmo de outro planeta, sr. Brazil?

Zion apertou a mão gorda e peluda daquele homem corpulento. Preferiu erguer uma das sobrancelhas como num grande sinal de interrogação e saiu deixando a pergunta no ar.

Um Rolls-Royce modelo clássico os aguardava. Zion acomodou-se no carro luxuoso e confortável. A temperatura ali dentro era muito agradável. Logo o veículo deslizava através das avenidas em direção a Belgravia.

— Como eu o avisei, sr. Brazil, aquela estatueta está impregnada de energias malignas.

— Começo a acreditar que talvez o senhor esteja certo.

— Mas não quero que fique com uma má impressão do meu país. O senhor é meu convidado e hóspede. Ficará conosco em minha casa até colocar seus documentos em ordem e emitir nova passagem. O que acha?

— Agradeço imensamente o convite, mas eu já deveria estar no Brasil há mais de um mês. Tenho negócios importantes e uma pessoa me esperando.

— Não quero ser insistente, mas coloco à sua disposição telefone, internet e o que mais precisar. O senhor é professor de história, não é mesmo? Especialista em Civilizações Antigas. Sabe que o birô de Peter Hewllet Foley ainda está no escritório do meu tio-avô? Não gostaria de vê-lo? É o mínimo que posso fazer para desfazer tantos mal-entendidos.

Os olhos de Zion brilharam com aquela oferta. Sempre estivera tão perto do explorador. Havia anos era fascinado por suas descobertas e seguia os seus passos, tentando resgatar sua história oculta. Sophia iria entender, afinal fazia aquilo por toda a humanidade. Além da estatueta a que ainda não tivera acesso, talvez descobrisse outras pistas que os levassem ao portal.

— Aceito o seu convite, sr. Campbell, mas ficarei por pouco tempo.

Assim que chegou à mansão dos Campbell, Zion tentou fazer contato com Sophia. As ligações caíam na caixa postal de seu celular, e os e-mails eram todos devolvidos. Sabia que ela deveria estar muito magoada e tinha toda a razão. Tomou um demorado banho quente, aproveitando o vapor para relaxar um pouco. Havia se passado tanto tempo após o último encontro. Estavam em novembro, já próximos da segunda quinzena do mês. A burocracia, a falta de informação e o fato de estar sozinho num país estranho atrasaram demais os seus planos. Porém talvez esse atraso tenha sido, no fim das contas, bem conveniente. Teria acesso ao birô e talvez aos documentos e anotações de Foley. Isso, sem dúvida, o faria economizar tempo. Estava ansioso.

— Sr. Brazil, o jantar será servido em quinze minutos. O sr. Campbell o aguarda na sala de estar.

Bernard Campbell, no final, se mostrara um ótimo e generoso anfitrião. A criada trouxe um terno bem talhado para Zion, provavelmente produzido por algum ilustre alfaiate, e o deixou estendido sobre a cama. Engraçado é que, embora estivesse em 2028, toda aquela formalidade o fazia sentir-se no século XIX. A monarquia trazia consigo uma herança de costumes e tradições que ficaria arraigada na cultura daquele povo independentemente da passagem dos séculos.

— Aceita um aperitivo antes do jantar, sr. Brazil?

— Acompanho o senhor, por favor.

Zion olhou a sala majestosamente decorada com peças de várias partes do mundo. Bernard segurava o pequeno cálice com elegância aristocrática, e o convidado não pôde deixar de notar que trazia um enorme anel no dedo indicador da mão direita. A joia ostentava um círculo com um pequeno ponto central.

— Suponho que o senhor deve estar ansioso para ver o birô.

— Devo confessar que sim.

— Amanhã vou sair bem cedo, mas deixei instruções com o mordomo para conduzi-lo até o escritório do meu tio-avô assim que o senhor terminar seu desjejum.

— Obrigado.

— Sabe que seu nome também teve peso na sua liberação? Como deve saber, o sobrenome Brazil com essa grafia é de origem irlandesa. Foi uma família muito importante na Idade Média, e até hoje mantém suas raízes. São descendentes dos celtas.

— Sim. — Zion apontou para o símbolo celta que trazia no pescoço.

— O jantar está servido, senhores. Queiram, por favor, me acompanhar — interrompeu o mordomo.

Após o jantar, Zion se retirou para o quarto. Estava cansado e precisava dormir um pouco. Tentou uma nova comunicação com Sophia, mas não obteve nenhum retorno. Tirou as roupas e deitou-se sob três grossos edredons. Fechou os olhos e sentiu uma sensação boa do sono que se aproximava.

Na escuridão da sua mente, tudo que desejava era descansar. Relaxou e depois de algum tempo começou a sentir o corpo muito mais leve, tão leve que podia levitar pelo quarto. Viu o seu corpo deitado sob as cobertas. Flutuava pelo teto e quase podia tocar o lustre de cristal com os dedos. Olhou de novo para a cama, mas não via mais o seu corpo. Um homem muito mais velho tomara o seu lugar. Ele estava doente, com os olhos encovados, e tossia com exaustão, até vomitar sangue nos lençóis imaculadamente brancos.

Zion estava viajando no tempo. As roupas penduradas num cabideiro denunciavam que estava em outro século. Flutuava sobre a cama e via agora não mais o velho homem, porém a si mesmo, gemendo e tossindo sangue num urinol que estava sob a cama de dossel. A mobília era exatamente a mesma. Começou a ficar angustiado, com uma estranha sensação, como se estivesse sufocando. Queria acordar. Precisava acordar porque não conseguia mais respirar.

Acordou sobressaltado, com o corpo encharcado de suor. Não conseguiu recobrar o sono. Estava angustiado e deprimido. Levantou e começou a andar de um lado para o outro como um animal acuado. Serviu-se de um pouco de água que a criada deixara sobre a cômoda. A mão trêmula derramou grande parte do líquido. Olhou-se no espelho. Estava pálido. Molhou um pouco o rosto com o restante da água e, aos poucos, foi retomando o ritmo normal da respiração.

— Sr. Brazil, o seu desjejum será servido em quinze minutos — avisou o mordomo por volta das oito da manhã.

Zion já estava pronto. Desceu as escadas e dirigiu-se à sala de refeições. Ao que tudo indicava, a mesa fora posta apenas para uma pessoa. Uma infinidade de bolos, tortas, pães, compotas e queijos estavam artisticamente dispostos sobre a mesa.

— Bom dia, senhor. Vou servi-lo esta manhã. Prefere chá ou café?

— Chá, por favor.

— Leite?

— Sim, um pouco.

— Dormiu bem, senhor?

— Na verdade, tive um sono agitado.

— Talvez tenha estranhado a cama, ou deseje mais travesseiros.

— Não. A questão é que tive um sonho esquisito e ruim.

— Não quero incomodá-lo com as minhas perguntas, mas por acaso o senhor teve algum tipo de pesadelo?

— Sim. No sonho, eu estava tossindo muito e sufocando. A sensação era horrorosa.

— Talvez seja melhor mudá-lo de aposentos, senhor.

— Por acaso há muita diferença entre os quartos? Talvez algum outro dormitório seja menos frio ou possua menos ácaros.

— Não há muita diferença entre os quartos nesse sentido, senhor.

— E por que então o senhor me aconselha a mudar de quarto?

— Naquele quarto morreu Sir Laurence Campbell há quase cem anos.

A revelação deixou Zion assustado e fez com que sentisse certo mal-estar. Terminou a refeição após mal tocar nos alimentos, contentando-se com uma xícara de chá e um brioche.

— Senhor, vou levá-lo ao escritório de Sir Laurence.

Nessa altura dos acontecimentos, Zion já se questionava se teria sido uma boa ideia ter ficado ali. Andou por um corredor largo e longo, passando por quartos, banheiros e salas de leitura. Entrou em um salão com várias estantes de livros. Sobre uma escrivaninha mais moderna havia um notebook. Passado e presente conviviam ali, lado a lado, mantendo certa harmonia no conjunto.

— Ali está o móvel que deseja ver. Vou deixá-lo à vontade. Caso necessite de algo, basta apertar aquele interruptor na parede, que logo venho servi-lo. Ah, senhor, por favor, não comente com ninguém que lhe contei sobre o quarto. O sr. Campbell poderia achar que meu comportamento não foi muito adequado.

— Não se preocupe. Agradeço muito por sua atitude.

Zion passou uma das mãos sobre aquele móvel secular. Parecia um menino diante da primeira bicicleta. A parte de cima do móvel foi utilizada como suporte para alguns porta-retratos. Continham fotos em preto e branco, provavelmente de Laurence com a família. Abriu as gavetas à procura de alguma anotação em particular. As duas últimas tinham marcas de arrombamento. Na primeira havia material de escritório. Na segunda, apenas um porta-retratos com uma foto de alguns cavalos, embora suas bordas ultrapassassem a moldura, como se não estivesse originalmente ali. A terceira continha um pequeno bloco de anotações. Zion pegou a caderneta avidamente e passou a analisar os dados. Eram mapas, rotas, cálculos, desenhos, enfim, tudo de que precisaria para chegar ao almejado portal. Abriu a última gaveta e comprovou que estava completamente vazia. Provavelmente o relicário fora achado ali. Passada a euforia inicial, a intuição de Zion começou a gritar. Outras expedições tinham sido realizadas depois da descoberta daquelas anotações, e nenhuma delas obteve sucesso. Tudo aquilo parecia acessível demais para um explorador que queria manter suas descobertas em segredo.

— Pense, Zion, pense no que pode estar errado — ele sussurrou consigo mesmo.

Zion voltou a abrir as gavetas uma a uma. E novamente não encontrou nada na primeira. Na segunda havia o porta-retratos. Pegou o objeto e o abriu com cuidado. Retirou a fotografia dos cavalos e examinou o interior da moldura. Havia alguns indícios de que uma outra foto havia sido colocada anteriormente ali. Restos de papel fotográfico permaneceram presos nos cantos, como se alguém tivesse pressa ou raiva na hora de retirar a foto. Observou que bem nos cantos da moldura havia alguns traços escritos a lápis. Notou quatro traços em cada ângulo, em um total de dezesseis. A soma dos dois dígitos era igual a sete, o número da perfeição.

Zion voltou a vasculhar as gavetas. Havia várias canetas jogadas, borrachas e uma caixa de giz de cera que não fora usada. Abriu a caixa e contou os lápis em voz alta:

— Um, dois, três, quatro, cinco, seis, sete.

As sete cores do arco-íris. Na tampa da caixa, o rótulo com a marca do giz de cera, que retratava um arco-íris, sobrevivera às décadas. Cuidadosamente, Zion retirou a etiqueta. Atrás dela encontrou duas anotações que expressavam graus.

— Latitude e longitude — ele atestou. — Bingo! Sophia, me espere que estou voltando para casa! Não fico nem mais um minuto aqui.

Zion pegou sua mochila, escreveu a Bernard explicando os motivos da partida repentina, e foi direto para o aeroporto, não sem antes pegar a caixa de metal e o documento de propriedade que Bernard lhe deixara.

15 DE DEZEMBRO DE 2028
Fundação Oswaldo Cruz, Manguinhos, Rio de Janeiro

Ana Rosa chegou mais cedo do que de costume naquele dia. Aproveitou que Sophia estava na Califórnia apresentando os últimos resultados da pesquisa num congresso internacional para dar uma organizada no ambiente de trabalho. Abriu os e-mails institucionais de Sophia para responder aos mais urgentes. Vários eram de Zion Brazil, que insistia em tentar uma reaproximação. "Esse continua tentando de todas as maneiras", a assistente pensou. Arrumou os arquivos no computador de Sophia e entrou no laboratório para avaliar os resultados de algumas culturas de células infectadas. As pesquisas com os preparados injetados nas cobaias para obtenção da vacina seguia paralelamente às tentativas de cultivo do micro-organismo *in vitro* em células de Schwann. O bacilo da lepra apresenta um tropismo por esse tipo especial de célula do sistema nervoso, responsável pela produção da bainha de mielina que envolve os nervos, permitindo uma melhor condução dos estímulos. As células infectadas param de produzir a mielina e os nervos periféricos "desencapados" não conseguem mais conduzir os impulsos nervosos de forma eficiente.

Havia seis placas de Petri sobre a bancada principal e três placas isoladas para descarte após o pequeno acidente que Sophia tivera dentro do laboratório, que contaminara algumas culturas. Ana Rosa seguiu sua rotina semanal, já conformada com a ausência de resposta. Examinou as três primeiras placas. Não havia nada no aspecto macroscópico das culturas. Colheu um pouco do material e fez um esfregaço numa lâmina de vidro com coloração especial para bacilos ácido-álcool resistentes. Examinou ao microscópio, mas não havia nenhum sinal de multiplicação da bactéria. Repetiu o procedimento nas últimas três placas e o resultado foi exatamente o mesmo. Ana por fim limpou a bancada e pegou alguns sacos para descartar com segurança o material biológico contaminado. Haviam se passado alguns meses e Ana Rosa não entendia por que Sophia ainda não tinha jogado fora aquelas placas. Calçou as luvas apropriadas e pegou a primeira placa. Observou a presença de uma coloração acinzentada diferente. Olhou as outras duas placas onde o mesmo processo se repetia. Pensou tratar-se provavelmente de alguma contaminação fúngica. Resolveu fazer um esfregaço e avaliar melhor o aspecto microscópico da cultura. No menor aumento, observou que as células parasitadas exibiam um aspecto alterado, com desestruturação do seu arcabouço. Ansiosa, passou rapidamente para o maior aumento.

Ana fotografou os resultados e enviou para Sophia, que, por sua vez, não respondeu de imediato, provavelmente por estar em algum compromisso relativo ao congresso. A assistente procurou nos arquivos de registros os acontecimentos do dia do acidente. Queria saber o que Sophia deixara acidentalmente cair, contaminando as culturas. Depois de abrir e fechar diversos arquivos, finalmente encontrou onde Sophia descrevia o acidente, mas não acrescentou o nome da substância.

Algumas horas depois, Sophia ligou, assustada:

— Que foto é essa que você me mandou?

— Não reconhece as suas crianças?

— Não me diga que…

— Sim, as culturas contaminadas estão coalhadas de bacilos. Acho que conseguimos! Só não consegui encontrar nos seus arquivos que substância você derramou nas placas de Petri.

— Jack Klein quer apresentar ao vivo e em primeira mão a foto que você mandou. Tenho certeza de que deixei tudo anotado. Procure nas outras pastas.

— O.k., passo a "receita do bolo" pra você assim que a encontrar.

— Estou no aguardo. Não se esqueça que vão me chamar para a apresentação do trabalho em dez minutos.

Ana Rosa acessou todas as pastas sem encontrar nenhum indício da composição do aditivo milagroso, até que esbarrou em um arquivo de nome incomum, que chamou sua atenção: "Coisas que já vi sem nunca ter visto". Mais que depressa, Ana clicou na pasta e o terceiro arquivo descrevia o acidente ocorrido no laboratório. A bióloga leu o relato, ansiosa: "As placas de Petri de números sete, oito e nove foram contaminadas pelo frasco de número cinco. Maldito *Scriblerius*!".

Ana procurou o arquivo que continha as soluções nutritivas das micobactérias. A de número cinco era uma mistura que continha um fator ativador da multiplicação de colônias enriquecido com um fosfolipídio específico de membrana e uma proteína de baixo peso molecular que Sophia chamou de proteína KP5. Ana Rosa ligou imediatamente para Sophia:

— Sua receita de bolo é a solução de número cinco. Acho que você a batizou carinhosamente de "Maldito *Scriblerius*".

— Engraçadinha! Só vou perdoar porque estou feliz demais para brigar com quem quer que seja.

— A propósito, a sua caixa está cheia de mensagens dele.

— Delete todas. Estarei de volta para o Ano-novo, e então comemoramos juntas.

— Esperarei ansiosa. Mande um beijo para o *doctor* Klein.

Sophia desligou o celular com um enorme sorriso estampado no rosto. O dr. Jack Klein a interrogou com o olhar, e ela lhe informou:

— É a solução número cinco. Bendito *Scriblerius*!

20 DE DEZEMBRO DE 2028
PRAIA DE CAMBOINHAS, NITERÓI, RIO DE JANEIRO

ZION ACENDEU AS TOCHAS NA ENTRADA do jardim e ligou a fonte para manter a água jorrando. Desde que havia voltado ao Brasil não conseguira mais nenhum contato com Sophia. A cientista o evitava de todas as formas. Por último, soube através da secretária que ela havia viajado para a Califórnia a fim de participar de um congresso, e que ficaria por lá até o final de dezembro devido ao projeto da vacina.

Zion sabia esperar. Sophia ficara magoada com a suposta indiferença dele e não lhe dera a oportunidade de se explicar. Ele aproveitou a viagem de Sophia para programar a expedição à serra do Roncador. Obviamente. passados cento e quatro anos da última missão de Foley, os obstáculos seriam bem menores. A região de Barra do Garças havia se transformado em um polo turístico movimentado, exatamente por causa das lendas envolvendo cidades perdidas e extraterrestres. Após o trabalho de pacificação dos irmãos Villas-Bôas, os homens brancos já não eram vistos como inimigos. As trilhas abertas pelo homem sem dúvida facilitariam o acesso, uma vez que poderiam seguir de carro até áreas onde Foley só conseguira chegar a cavalo ou a pé. De qualquer forma, as lendas e o mistério sempre apaixonantes tornavam aquele lugar único na face da Terra.

Zion faria o mesmo percurso de Foley. Iriam para Cuiabá e, dali, seguiriam por trilhas e rotas não tão conhecidas, mas embasadas nos dados de localização fornecidos pelo arqueólogo. O problema agora era convencer Sophia a ir com ele. Zion resolveu cuidar de todos os preparativos sozinho, de forma que ela não tivesse tempo para recusar. Estava convencido de que a ida ao Roncador seria um marco decisivo na vida dos dois.

31 DE DEZEMBRO DE 2028
PRAIA DE COPACABANA, RIO DE JANEIRO

SOPHIA MANTEVE-SE DESACORDADA por alguns minutos. Sentiu os braços de alguém envolvendo sua cintura. Não queria saber de mais nada. Queria continuar ali na areia sem consciência e sem memória. Não conseguia esquecer Zion, mas não havia meios de perdoar o fato de ter passado tanto tempo esquecida. Voltara da Califórnia para o Ano-novo e, agora, ali sozinha, tinha certeza de que ele era o homem da sua vida. Talvez devesse lhe dar uma chance. Se ao menos ele estivesse ali ao seu lado… Poderia dizer o quanto o amava, o quanto esperou por ele, o quanto…

— Sophia, acorde!

— Hein? O que foi? O que aconteceu?

Sophia recobrou a consciência aos poucos. Os olhos foram se abrindo vagarosamente e se acostumando com a luz. A vista embaçada permitia ver alguns vultos ao seu redor, e o olhar foi se fixando aos poucos. Sentia que um homem a segurava pelos braços. Deveria estar na meia-idade graças aos cabelos grisalhos. Usava óculos com lentes grossas e tinha olhos castanhos misteriosos.

— Zion! Me solta, seu desgraçado!

— Você tem que me escutar, Sophia!

A jovem se debatia e esmurrava o peito de Zion.

— Me larga! Você não podia ter feito isso comigo!

— Escuta, Sophia, eu não tive culpa. Escuta o que vim lhe dizer, para de me socar. Sophia, eu estive preso!

Ela parou e olhou para Zion, sem entender.

— Como assim, preso? Na cadeia, com cela e todo o resto?

— Sim, na Inglaterra, logo após a noite que... passamos juntos. Foi um grande mal-entendido, mas fiquei encarcerado por cerca de dois meses.

— Co... como você me encontrou aqui?

— Isso não importa. Só quero que você olhe para aquela direção. — Ele apontou para o Forte de Copacabana.

Até aquele momento, ninguém tivera nem um único vislumbre da típica queima de fogos que acontecia todos os anos naquela área militar. As pessoas que aguardavam no local começaram a se dispersar. Zion fez uma espécie de sinal. Inesperadamente, uma nuvem de fogos de artifício invadiu o céu. Eram brilhantes e faziam pequenos desenhos que iam e vinham, se tornando cada vez mais nítidos. Extasiados, todos viram pequenas borboletas de luz cruzarem os céus de Copacabana. Era um enorme e colorido panapaná para Sophia.

— Eu nunca deixaria você sozinha, não consegue entender isso? Eu amo você, Sophia, e sempre vou estar aqui para protegê-la.

— Amo muito você também, Zion Brazil.

1º DE ABRIL DE 2029
AEROPORTO DE CUIABÁ, MATO GROSSO

SOPHIA E ZION DESEMBARCARAM APÓS alguns meses de preparação. Levaram apenas o essencial: algumas mudas de roupa, tênis, galochas, lanternas, sacos de dormir e enlatados. Tomaram vacinas para o tétano e a febre amarela e doses maciças de complexo B para repelir os mosquitos. Não era exatamente um passeio de turismo, e não iriam fazer a mesma rota dos visitantes. Alugaram uma picape com tração nas quatro rodas e contrataram um guia local descendente dos xavantes com profundo conhecimento da localização das tribos remanescentes. Seguiriam em direção às coordenadas de Foley. Acampariam em alguns trechos e seguiriam em direção a uma das aldeias mais isoladas da tribo xavante, próxima à Barra do Garças.

— Acha que teremos dificuldades com os índios? — perguntou Sophia.

— Para que nos ajudem com o que queremos saber, talvez. Os índios convivem harmonicamente com todo este ecossistema, são os herdeiros naturais da Terra por direito. Coube-lhes proteger a entrada do portal que procuramos. Eles têm a chave para a abertura dessa passagem e não revelariam esse segredo para ninguém. A não ser que…

— A não ser que…?

— Sejamos realmente merecedores.

A picape seguia pela estrada de barro em direção ao destino traçado. Viajaram durante um dia inteiro conforme a rota que haviam combinado. O espetáculo de cor e som da mata era o bônus da expedição. Pararam para acampar ao cair da tarde. Fizeram uma fogueira para espantar animais curiosos. O guia se chamava José e havia levado a sua rede, que prendeu nas árvores. Muitos índios tinham nomes de batismo católicos e, portanto, já abrasileirados.

— Eu não sei se já mencionei isso a você, mas sabia que meus avós tanto maternos quanto paternos eram daqui? Que coincidência estranha, você não acha?

— Eu não acredito em coincidências, principalmente tratando-se de você. Nunca se interessou em procurar por suas raízes?

— Não tenho mais raízes aqui. Não tenho parentes vivos. Meu pai vendeu todas as propriedades dos Amaral depois do meu acidente. Como nada me é familiar, realmente não tive mais interesse por este lugar. Meu pai odiava isso aqui, e sempre que podia me desestimulava a tentar qualquer tipo de contato com as pessoas daqui.

— Compreendo. E nada lhe parece familiar?

— Sinceramente, não. Você acha que vamos demorar a encontrar a aldeia xavante?

— Acredito que amanhã no final da tarde já estaremos entrando na reserva. Obviamente se fôssemos direto pela rodovia principal levaríamos cerca de cinco horas, mas combinamos que faríamos desse jeito, lembra?

— Sim. Temos que tentar encontrar os descendentes mais diretos dos kalapalo, ou os remanescentes dos xavantes cuja história esteja ligada diretamente à presença de Foley neste lugar. E se o mundo acabar daqui a treze dias? Pelo menos estaremos juntos.

— O mundo não vai acabar por causa do Apophis, mas quando os planetas estão alinhados ou quando existe algum fenômeno astronômico de maior importância, passamos a vibrar numa frequência diferente, o que pode permitir uma atividade maior através do portal. É por isso que temos que descobrir o local da passagem até o dia 13, porque esse será o momento ideal.

— Não cheguei a comentar com você, mas, quando estive na Califórnia, o dr. Jack me deu uma espécie de ultimato. Apesar de termos conseguido cultivar o bacilo *in vitro*, precisamos de resultados mais consistentes para continuar recebendo apoio financeiro para o projeto da vacina. Logo agora que o cenário em relação à doença nunca esteve mais desolador.

— Você vai conseguir, Sophia. Acredite em mim.

— Espero que sim.

Com os primeiros raios da manhã, eles se levantaram e seguiram em direção à reserva, a qual José lhes garantiu que de fato existia. A mata ia se tornando cada vez mais densa e fechada. Sophia começou a ficar tensa, e Zion tentava manter a calma e o controle. A alguns metros da reserva, quando já estavam praticamente na entrada, um pequeno mico pulou no ombro esquerdo de Sophia. Parecia encantado com o brinco que ela usava, uma esfera vermelha.

— Talvez esteja pensando que é uma fruta — Sophia observou.

O animal parecia irritado por não conseguir levar o pequeno fruto.

— Deixe-me tirar e dar para você! — Sophia levantou a mão para retirar o brinco e o pequeno mico, assustado com o movimento, mordeu-lhe o ombro. O ferimento não era grande, mas ali, no meio da mata, a possibilidade de infecção era algo a ser considerado.

— Não se preocupe, Zion. Trouxe a minha caixa de primeiros socorros. Vai ficar tudo bem — garantiu Sophia.

Aguardaram um pouco enquanto José conversava com o cacique da tribo. Ele pedia permissão para que o grupo pudesse se aproximar. Algum tempo depois, José retornou com uma resposta negativa.

— Ele não quer receber ninguém. Com a proximidade da pedra que vem do céu, muita gente vem para o Roncador procurar a entrada da passagem. Ele diz que os deuses podem ficar com raiva e expulsar os índios daqui. Não pode falar nada. Pediu para vocês irem embora.

O ferimento de Sophia era pequeno, porém o dente do animal atingira um vaso. O sangue brotava do ferimento, escorrendo por seu ombro e pelas roupas. Sophia comprimia a ferida, mas não conseguia estancar o sangramento.

— Acho melhor voltarmos para Cuiabá e examinar melhor esse ferimento, Sophia. Não vou deixar você sangrando no meio da mata.

— Não vamos voltar! Não se preocupe, logo o sangue irá estancar.

Os índios da tribo começaram a ficar curiosos com aquela movimentação. Aos poucos, foram se aproximando do grupo. Primeiro, os curumins, que corriam seminus pela reserva. Depois, as mulheres, que acharam curiosos os óculos de Sophia. Eram índios que praticamente não tinham contato com o homem da civilização. A mata fechada os preservava desse contato. Sophia mantinha a mão sobre o ombro esquerdo, mas o pedaço de gaze que colocara já começava a ficar encharcado. Uma das mulheres, mais curiosa, chegou bem perto de Sophia, que logo retirou os óculos e os estendeu na direção dela. Ela olhou a armação e a achou engraçada. Franziu a testa quando colocou perto dos olhos, provavelmente por causa do grau. Percebeu que Sophia sangrava. Aproximou-se e retirou a gaze que já gotejava. Olhou o ferimento e pegou na mão de Sophia. Começou a conduzi-la em direção à reserva. Zion fez menção de segui-la, mas José o deteve.

— Espere. Ela foi fazer um curativo.

Sophia entrou numa palhoça puxada pela índia. Manteve-se passiva, queria saber o que ela ia fazer. A índia pediu que tirasse a blusa e ela obedeceu. Pegou uma cuia de barro e encheu com água limpa para lavar o ferimento. Depois pegou algumas ervas, amassou-as com um pilar e acrescentou uma espécie de farinha. Colocou aquela mistura na boca e mascou até formar uma borracha. Aplicou-a sobre o ferimento e comprimiu vigorosamente. De início, Sophia sentiu uma queimação intensa, como se uma brasa houvesse sido posta ali. A queimação foi cedendo lugar a uma coceira e, por fim, o desconforto causado pela ferida estava anestesiado. Não havia mais dor ou sangramento.

A índia começou a lavar as áreas que estavam sujas de sangue. Pediu que Sophia segurasse os cabelos para lavar-lhe as costas. Foi então que se deteve diante do sinal de nascença. Ela tocou o desenho da chave e passou a olhar Sophia com uma devoção quase divinal. Ela chamou as outras índias, que logo correram para ver e tocar a chave. A índia do curativo vestiu a blusa em Sophia e chamou o cacique. O chefe dos xavantes entrou e pediu que Sophia se virasse para lhe mostrar a marca, de forma que ela levantou um pouco a blusa para exibir as costas. O cacique se aproximou e começou a falar na sua língua nativa. Parecia muito feliz, como se havia muito esperasse por aquele momento.

Do lado de fora, José conseguiu a permissão para a entrada de Zion.

"Ainda está para existir alguma coisa que a Sophia não consiga", Zion pensou.

Sophia continuava aos cuidados das mulheres, e Zion tentava se comunicar com os homens usando José como tradutor. Conseguiram entender que, muitos anos antes, uma feiticeira fizera uma previsão: "No dia em que a Terra se transformar numa grande bola de fogo, Tupã mandará os filhos das estrelas descerem para ajudar. Haverá muito choro e destruição, mas a filha do homem saberá o caminho para as estrelas".

Zion se questionava se os índios pensavam que Sophia seria a tal enviada. Haveria uma cerimônia na qual nem mesmo José sabia o que iria acontecer.

Sophia estava incomunicável, entregue aos cuidados das mulheres da tribo, que a levaram para a beira de uma enorme lagoa azul, a lagoa sagrada dos xavantes. Tentava se comunicar com as índias, mas era inútil. Obedecia ao que lhe era pedido sem muita polêmica, o que não era muito do seu feitio, mas afinal estava ali como convidada. O ferimento estava limpo, mas mesmo assim as índias insistiam para que entrasse na água. Achou estranho mergulhar sozinha enquanto as mulheres permaneciam nas margens, apenas observando. A lagoa tinha um tom azul indescritível. Nas redondezas, não havia nenhuma ave ou animal que parecesse ameaçar o seu banho. A água estava completamente calma.

"Por que não?", Sophia pensou antes de tirar a roupa, e entrou na água só de calcinha, protegendo os seios com os braços cruzados. Os pés tocaram a areia macia no fundo da lagoa, que mais parecia um tapete aveludado. A temperatura da água era agradável e, mais confiante, ela se afastou alguns metros da borda. "Que povo mais estranho! Será que ficariam ali só observando? Seria um hábito comum dos xavantes? E Zion? O que estaria fazendo numa hora dessas? Teria conseguido entrar na aldeia?" Os pensamentos de Sophia foram interrompidos pela cantoria das mulheres. Todas entoavam uma espécie de cantilena e batiam com os pés no chão de forma ritmada. A música ia se tornando mais rápida e a vibração dos pés mais intensa. A água da lagoa começou a se agitar. Pequenos círculos concêntricos surgiram na superfície, definindo um sentido circular de movimentação da água. Sophia tentou nadar em direção à borda, mas parecia não conseguir sair do lugar. Começou a ficar apreensiva e pediu ajuda às mulheres, que simplesmente continuaram a cantar e a bater com os pés no chão.

Sophia estava no centro de um estreito funil, sentindo-se sugada pela água, que agora estava mais escura e ameaçadora. Tentou debater-se, mas era difícil se manter na superfície. A água entrava por suas narinas e pela boca, provocando tosse e dificultando a respiração. Não entendia a passividade das mulheres diante de seu afogamento iminente. O som da música começou a ficar distante e seus olhos embaçaram. Tentou manter a cabeça fora da água, mas era inútil, e engoliu mais água. Quando sentia que ia desfalecer, algo começou a empurrá-la em direção à superfície. As mulheres imediatamente pararam a cantoria e ficaram no mais profundo silêncio. Sophia, meio sonolenta pela falta de oxigenação, não pôde deixar de perceber uma estranha luminosidade que vinha do fundo do lago, tornando a água fluorescente. Sentiu-se erguida por algo que não conseguia identificar. Essa força luminosa a conduziu até as margens do lago. As mulheres, que até então apenas observavam, apressaram-se em acudir Sophia, que, exausta, desmaiou. Durante o estado de torpor, pensou ter visto uma índia anciã sobre ela, proferindo palavras desconexas.

Por fim, Sophia despertou sem saber por quanto tempo tinha permanecido desacordada. Apesar do afogamento, sentia-se bem. Seus cabelos estavam trançados e adornados com flores. Vestia uma túnica branca longa com um decote em canoa que lhe expunha os ombros. Ao seu lado, havia uma moringa com água e uma cesta com várias frutas. Estava sozinha. Sentiu medo quando se lembrou do episódio da lagoa. Será que aquelas mulheres queriam afogá-la? Por que estava vestida daquele jeito? Entretanto, não demorou muito para que uma das índias viesse buscá-la.

— Não saio daqui se não disser para onde está me levando!

— Não ter medo, você ser muito esperada.

— Mas eu quase me afoguei e vocês não fizeram nada!

— Aldeia precisar ter certeza. Você prometida das estrelas.

— Ah, que ótimo! E agora tenho mais essa agora no meu currículo! Onde está o meu... o meu namorado?

— Todos esperar você.

A índia pegou Sophia pelas mãos e a puxou para fora da oca. Lá fora, a lua já estava alta. Ela foi levada até o cacique, que estava reunido com o restante dos índios no centro da aldeia. Zion estava sentado no chão e parecia se divertir com tudo aquilo. Sophia lhe lançou um olhar atravessado, porém, em seu íntimo, sentia um profundo alívio por saber que ele estava por perto. Só então ela avistou uma imensa fogueira e deixou escapar em voz alta:

— Agora só me falta ter que caminhar sobre brasas!

Zion a olhou de forma reprovadora.

Os índios cantavam e dançavam. Realmente estavam felizes porque Sophia estava entre eles. Foi convidada a se sentar em uma espécie de lugar de honra. As mulheres que a acompanharam até o lago agora estavam na sua frente. Exibiam no rosto uma pintura tribal feita com urucum e usavam apenas saias de palha, com os seios à mostra. Frequentemente lhe ofereciam iguarias, frutas e presentes. Sophia continuava sem entender o motivo daquela festa. Olhava para Zion pedindo ajuda, mas ele se limitava a lhe retribuir o olhar, pedindo paciência. Estava ansiosa em compartilhar com ele tudo que acontecera na lagoa. Ainda não havia sido capaz de formular nenhuma explicação plausível para aquela experiência.

Os índios dançavam em volta do fogo, batendo os pés no chão e marcando o ritmo com uma espécie de estaca. Entoavam um cântico repetitivo, que mais se assemelhava a uma prece. Após algumas horas, o cacique finalizou a cantoria e as danças e pediu que Sophia se levantasse. As mulheres se aproximaram e ajudaram Sophia a abaixar um pouco a túnica para expor o sinal. Zion começou a ficar perplexo com tudo aquilo, pois tivera a mesma percepção quando viu pela primeira vez a marca em forma de chave. Todos da tribo ficaram muito surpresos. Até que de dentro de uma das palhoças surgiu um índio que parecia especial, pois não havia se misturado com os outros até aquele momento.

O índio caminhou vagarosamente em direção a Sophia e, quando estava frente a frente com ela, olhou fixamente nos seus olhos, como se a conhecesse havia muito tempo. Fez uma espécie de saudação e retirou um cordão que estava em seu pescoço, colocando-o no dela. Zion estava com os olhos vidrados e de certa forma já tinha entendido tudo. Ele se levantou lentamente com o relicário nas mãos e caminhou em direção a Sophia, que ainda não entendia o que estava acontecendo. Parou em frente à mulher e repetiu a mesma saudação do xavante. Entregou a pequena caixa a Sophia e pediu que ela a abrisse. A jovem retirou o cordão do pescoço e encaixou a chave na fechadura da caixa. A chave girou e o mecanismo se abriu. Sophia tirou a pequena estatueta de dentro do relicário e a ergueu para que todos pudessem vê-la. Naquele momento, eles se calaram e caíram de joelhos, inclusive Zion, que, emocionado, chorava sem parar.

Sophia era a chave do portal.

Zion ficou o resto da madrugada acordado e viu o sol nascer. Ouviu Sophia contar a história fantástica sobre o que acontecera na lagoa, entretanto, só conseguia pensar na estatueta. Analisou cuidadosamente a peça. Nela poderia estar a informação que tanto procuravam: a localização exata do portal. O monólito de basalto trazia alguns símbolos gravados no alfabeto cuneiforme dos sumérios.

— Já conseguiu traduzir alguma coisa? — perguntou Sophia.

Zion apontou para a inscrição no rodapé da estatueta.

— Vê estes símbolos? Eles formam uma espécie de acróstico. Os sumérios foram os inventores da escrita, de forma que o seu alfabeto deu origem a todos os outros abecedários das civilizações que os sucederam.

— É realmente fascinante — Sophia acompanhava o raciocínio de Zion, sem nem ao menos conseguir piscar.

— A primeira inscrição é o desenho de uma forquilha e, portanto, lembra um Y dos cananitas e fenícios, e no alfabeto latino equivale à letra V. A segunda inscrição com essa forma esquisita que lembra a letra Z tem a sua correspondente no nosso alfabeto, que é a letra I. A terceira inscrição parece um X, mas no abecedário latino se transformou no T. A quarta letra que parece o número quatro em algarismos indo-arábicos deu origem ao R. Aqui temos de novo um I e logo depois a letra que corresponde ao nosso O. Por último, vemos este pequeno anzol junto com o número um, que no alfabeto latino vira a letra L.

— VITRIOL. Você consegue entender o significado disso?

— Como imaginei, é um acróstico formado por sete letras.

— O número da perfeição! — lembrou Sophia.

— Boa aluna!

— E você já sabe do que se trata?

— Algumas sociedades secretas ocultavam os seus mistérios por meio de símbolos, anagramas, criptogramas, acrônimos e acrósticos. Julgavam que a humanidade ainda não estava preparada para o conhecimento das circunstâncias ligadas à origem do nosso planeta e do homem e, portanto, também deveriam permanecer na ignorância para a sua própria proteção, até o Juízo Final, ou transição planetária, para ser mais científico. Conhecendo a nossa história real desde os primórdios do primeiro homem, fica mais fácil entender o final da história.

— Mas e o Vitriol?

— É a sigla da expressão, do latim: *"Visita interiorem Terrae, rectificando, invenies occultum lapidem"*, que quer dizer: Visita o centro da Terra, retificando-te, encontrarás a pedra oculta.

— Isso faz algum sentido para você?

— Sim. A eterna busca pela pedra filosofal. Já ouviu falar? — Zion ergueu uma das sobrancelhas.

— Claro! Já foi até nome de filme da saga do Harry Potter.

— Estou falando sério, Sophia!

— Tudo bem, desculpe. Você está se referindo àquele objeto que segundo os alquimistas poderia transformar qualquer metal em ouro?

— Isso! Na verdade, a pedra filosofal é um sinônimo de transmutação.

— Temos que transmutar alguma coisa para chegar ao portal, é isso?

— De certa forma, sim.

— E o que seria?

— O que há de mais difícil na espécie humana.

— Para de fazer tanto segredo!

— O conhecimento profundo de si mesmo.

— Filosofia pura, é isso?

— Vitriol é uma espécie de "Abre-te, Sésamo" ou "Conhece-te a ti mesmo e saberá que todo o poder está em ti".

— Ou seja, blá-blá-blá e nada de objetivo que nos dê a localização do portal.

— Por outro lado...

— O quê?

— Além da transformação do homem, da transmutação da pedra bruta em um verdadeiro diamante, Vitriol também pode significar um lugar oculto no interior da Terra.

— E lá vamos nós de novo para a Teoria da Terra Oca.

— Sem dúvida! Os lamas, tibetanos e bramânes sempre acreditaram na existência de Agharta, também conhecida como a Cidade do Coração de Fogo, de onde viriam os sábios de tempos em tempos para instruir a humanidade. Essa cidade ficaria nas entranhas do planeta.

— E encontrar esse lugar era exatamente o objetivo da missão do Peter Foley.

— Bravo, Sophia!

— Na verdade, acho que tudo isso quer dizer apenas que, se formos corretos com o planeta e com nós mesmos, passaremos a ser dignos do portal, ou seja, das portas para o conhecimento.

— Estou realmente impressionado com você!

— Ah, para de me zoar! Eu acho que isso talvez também queira dizer que a passagem para o conhecimento deve estar numa pedra. Numa grande pedra.

— Você pode realmente estar certa. Os grandes cristais podem captar um imenso fluxo de energia e servir como portais. Inclusive, acredita-se que uma das fontes de energia dessas cidades subterrâneas seja proveniente dos cristais.

— Talvez os xavantes saibam em que caverna da serra do Roncador há uma parede de cristal como essa.

— Talvez. É hora de darmos adeus ao povo xavante e caminharmos para a serra do Roncador.

— Vou arrumar as nossas coisas.

Seguiram em direção à serra do Roncador ao final do quinto dia de abril. O cacique determinou que seu filho levasse Sophia em segurança até a entrada das cavernas. Esse era o dever do guardião da chave do portal. Seguiram de carro até Barra do Garças, onde se localizava o início da serra do Roncador, de onde começaram a subida a pé. O índio xavante falava pouco, e José traduzia suas parcas palavras. Não conseguia tirar os olhos de Sophia, que já começava a ficar sem graça pelo interesse do índio. Durante o percurso, José ia contando algumas lendas que costumavam alimentar o imaginário popular. Dizia que em algumas das cavernas havia índios em forma de morcego, que guardavam a entrada do portal, e que era proibido, inclusive aos xavantes, o acesso para o interior dessas grutas. Ao final do décimo dia de escalada, chegaram à entrada de uma caverna com muitos túneis e câmaras. Sophia e Zion entreolharam-se e fizeram o que haviam combinado desde a partida do Rio de Janeiro.

— José, quero que retorne à reserva xavante. No dia 14 de abril quero que volte a esse mesmo local para nos pegar — determinou Zion.

Sophia trancou a estatueta na caixa e pendurou a chave no pescoço do índio.

— O segredo do conhecimento deve permanecer guardado — ela declarou.

De forma inesperada, o filho do cacique segurou-lhe um dos pulsos com firmeza. Olhava intensamente no fundo dos seus olhos como se procurasse por alguma coisa, ou alguém. Ele parecia desesperado e por fim perguntou:

— Você não lembra mais de nada mesmo? — perguntou com certo pesar.

Espantada com o rompante do índio e a fluência do seu português, respondeu com a voz falha:

— Eu... eu não sei do que você está falando. Eu deveria lembrar?

— Seria o mínimo a se esperar, depois de tudo...

Zion prestava atenção no diálogo, curioso e intrigado.

— Desculpe, eu realmente...

O índio remexeu no bolso da calça e retirou de lá um cordão com um medalhão. Depositou o objeto numa das mãos de Sophia, que, aparvalhada, permanecia imóvel.

— Isso lhe pertence. Não precisa se desculpar, eu já entendi tudo. — O índio olhou para Zion e se retirou rapidamente dali.

Sophia olhou para aquele objeto sem nada entender. Como assim aquilo lhe pertencia? Era uma espécie de camafeu com um compartimento interno espelhado para colocação de fotos. Abriu com cuidado a pequena joia e percebeu que o espelho estava riscado. Ajeitou os óculos e olhou mais de perto. Estava enganada, não era um riscado, mas sim uma espécie de impressão esquisita, e retratava um rosto de mulher. Forçou um pouco mais a vista para focar melhor e de repente soltou um grito, sem acreditar no que via. Zion saiu da sua posição de espectador e pegou o camafeu das mãos de Sophia. Enrugou a testa e exclamou:

— Alguém deve gostar muito de você! É o seu rosto impresso no espelho!

— Você não está percebendo? — perguntou Sophia, aflita.

— Que o índio ficou tarado por você? Claro! — ironizou Zion.

— Não é isso! Percebe os detalhes da gola da blusa? É a blusa que eu estou vestindo!

— Sim. Você é bem observadora! Alguém pode ter capturado uma foto sua na internet e feito a impressão.

— Zion, essa blusa é nova. Comprei uma semana antes de virmos para cá. Nunca a tinha usado antes.

Zion voltou a franzir a testa, desta vez arqueando a sobrancelha esquerda.

— Você está insinuando que...

— Esta foto... este momento ainda não aconteceu!

O xavante sumiu antes que Sophia conseguisse qualquer explicação. José despediu-se e partiu em direção à reserva. Sophia e Zion estavam entregues à própria sorte. Zion olhou para Sophia. Ela o abraçou forte, e durante alguns minutos ficaram ali, unidos, olhando ao longe o cerrado que cobria os platôs de pedra. Durante o caminho, na travessia pelas fazendas particulares, puderam observar que a beleza da mata nativa parecia recuar diante da monocultura da soja e das áreas de pasto. Em alguns trechos, praticamente não havia mais mata virgem. Entraram na primeira caverna e lá estava o mobiliário de pedra esculpido pelo tempo havia milhares de anos. Acamparam ali durante os dois dias seguintes. O vento soprava entre as pedras, fazendo a serra roncar. Estavam felizes. Tinham um ao outro e estavam completos. Na manhã do dia 13 de abril, seguiram para o interior da caverna na direção dos túneis e das câmaras mais profundas.

Pararam para tomar um pouco de água e escutaram um barulho de passos perto dali. Ficaram completamente em silêncio enquanto o som se aproximava cada vez mais.

— Então você pensou que eu não ia cobrar nada pela hospedagem, sr. Brazil?

Zion virou-se na direção da voz e mal pôde acreditar no que viu.

— Bernard Campbell? Você estava nos seguindo, é isso? — perguntou, incrédulo.

— Todo o tempo. Mas isso não deveria lhe causar tanta estranheza. Sabemos do valor inestimável das suas descobertas. A propósito, o seu notebook me foi extremamente útil…

— Quer dizer então que o arrombamento da minha casa…

— Não use palavras tão comprometedoras. Eu apenas precisava pegar emprestado o seu computador para colher algumas informações.

Sophia olhou para Zion com ar de interrogação.

— Sophia, este é Bernard Campbell — Zion tratou de fazer as apresentações, contrariado.

— Muito prazer, Sophia. O sr. Brazil ficou muito preocupado com você durante sua estadia forçada em Londres

— O que você quer afinal, Bernard? — perguntou Zion com certa animosidade.

— Você não adivinha? Talvez o mesmo que vocês... Acha mesmo que eu ia lhe entregar a estatueta sem cobrar nada? Sei que é inteligente e um ótimo tradutor de línguas mortas, sr. Brazil. Deixei que fizesse todo o trabalho sozinho. Quando solicitei a sua consultoria para o relicário, achei que insistiria em ver pessoalmente a maldita caixa. Essa seria a ocasião perfeita para lhe apresentar ao velho birô e instigar a sua curiosidade. Se realmente Peter tivesse deixado alguma pista, não haveria ninguém melhor do que você para encontrá-la. Com a sua recusa, meus planos tiveram que ser adiados. Resolvi então usar uma carta que tinha guardada na manga: a moeda.

— Então, o homem de capuz era você? — Sophia parecia decepcionada.

— Obviamente que não, senhorita. Tenho pessoas de minha confiança no serviço de inteligência em várias partes do mundo. Tenho hackeado as mensagens trocadas entre vocês e acompanhado esse lindo romance, então resolvi que teria mais sucesso se a moeda fosse parar nas suas mãos. Imaginei que você pediria ajuda ao seu guardião e ele, obviamente, faria a associação de ideias como um brilhante pesquisador que é, no que eu estava absolutamente certo. — Bernard abriu um enorme sorriso de satisfação e voltou-se para Zion. — Eu sabia que a história do coronel Peter voltaria a martelar na sua cabeça, sr. Brazil. Mais cedo ou mais tarde você viria à procura do relicário. Depois foi só segui-lo. Então pelo visto o senhor conseguiu abrir o amuleto amaldiçoado, não é mesmo?

— Como conseguiu a moeda? — Irritado, Zion ignorou aquela observação.

— Tenho vários amigos antiquários, leiloeiros e colecionadores. Digamos que tenha sido um presente de alguém muito especial. Como o senhor sabe muito bem, existem muitas lendas de tesouros escondidos pelo mundo. Talvez alguns deles não sejam realmente lendas — insinuou o inglês, piscando um dos olhos.

— O que você quer com tudo isso, afinal? Invasão de privacidade, roubo... Não acha que a sua brincadeira já foi longe demais?

— Mas que falta de educação, sr. Brazil. É assim que retribui minha hospitalidade? Pode baixar a sua guarda, estou disposto a negociar com vocês tudo de valor que acharmos nessa cidade perdida. Vamos fazer o seguinte: eu fico com setenta por cento e vocês com trinta, o que acham da proposta?

— Não há tesouros nessa cidade. Pelo menos não tesouros com valor material.

— Se querem me passar para trás, não darei a vocês nem os trinta por cento. Então, por onde vamos começar a festa? Vocês seguem na frente.

Bernard Campbell estava armado. Seguiu atrás de Sophia e Zion por câmaras cada vez mais profundas. O último compartimento tinha uma antessala e estava completamente às escuras. Seguiram esgueirando-se pelas pedras. Terminado o túnel, entraram numa caverna ampla, com várias frestas nas rochas.

— Acho melhor pararmos para descansar aqui — sugeriu Zion.

— Acha prudente, sr. Brazil? Temos pouco tempo até o momento exato em que o asteroide passará bem próximo à Terra.

— Se não for este o lugar, erramos feio. Não há muito mais adiante. Chegamos literalmente no fim do túnel — explicou Zion.

— E agora? O que acontece? — quis saber Sophia, ansiosa.

— Vamos esperar. Sempre acreditei que o portal fosse algo espectral. Um túnel ou um buraco de minhoca, como são conhecidos pelas leis da física. Uma espécie de parênteses no próprio tempo que, por alguns minutos, nos permitiria a passagem para uma outra dimensão, quebrando as barreiras e criando atalhos entre espaço e tempo — especulou Zion.

— Vamos ser mais práticos e objetivos. Não acha que devemos insistir em revolver algumas pedras, procurar fendas ou buracos que nos levem a compartimentos mais profundos e escondidos? — insistiu o advogado.

— O que você acha, Sophia? Afinal, você é a chave do portal. Consegue pensar em alguma coisa? — indagou Zion.

— Na verdade, não consigo pensar em mais nada desde que este medalhão começou a formigar na minha mão.

— Hein?

— Como alguém conseguiria imprimir algo que ainda não aconteceu? — disse Sophia, intrigada.

— Um viajante do tempo conseguiria, atravessando um desses portais — respondeu Zion calmamente.

— Como assim?

— Se aquele índio entregou este objeto a você, é porque ele ou alguém esteve antes aqui, num futuro próximo, já que você aparece vestida exatamente como está.

— Uma espécie de aviso, você quer dizer? — Sophia não conseguia disfarçar a ansiedade na voz.

— Com toda a certeza! — confirmou Zion.

— Vamos deixar... Como é mesmo que vocês brasileiros falam? Ah, sim, vamos deixar de lenga-lenga e continuar procurando essa abertura, sr. Zion.

— Isso será inútil, Bernard. Temos apenas que aguardar. Algo me diz que a nossa procura termina aqui. Se existir realmente um portal, como sei que existe, ele virá até nós.

O advogado deu-se por convencido. Os três resolveram se recostar nas pedras e aguardar.

— Uma coisa nunca me saiu da cabeça — Sophia confidenciou baixinho, ignorando a presença de Bernard.

— O quê?

— Lembra-se das nossas primeiras conversas? Como você sabia que eu tinha um sinal de nascença?

— Muito simples. Estava escrito no seu perfil, no quesito tatuagens, piercings e sinais de identificação.

— Eu nunca poderia adivinhar que a minha amiga postaria as minhas intimidades no meu perfil! Isso foi um golpe baixo, Zion Brazil!

— Eu precisava convencer você de alguma maneira... Você está aqui, não está?

Sophia foi obrigada a concordar. Encostou a cabeça no ombro de Zion e ficou perdida nos próprios pensamentos.

13 DE ABRIL DE 2029
RESERVA XAVANTE, BARRA DO GARÇAS, MATO GROSSO

O ÍNDIO, FILHO DO CACIQUE, ADIANTOU-SE e voltou através de outras trilhas mais íngremes, porém de acesso mais rápido. Conhecia aquela mata como a palma de sua mão. Aos dezoito anos mudara-se da cidade para a aldeia. Não queria mais a companhia do homem branco. Caboclo, havia terminado o ensino médio no grupo escolar de Barra do Garças quando resolveu procurar as suas raízes e conhecer a história do seu povo. Inteligente e prestativo, logo caiu nas graças do cacique da tribo, que o tomou por filho e o apelidou de Pequeno Pardal.

Apesar do progresso científico e tecnológico ter alcançado a maioria das tribos indígenas ao longo do rio das Garças e do Araguaia, aquela aldeia xavante em particular procurava manter-se o mais fiel possível às suas tradições. Dispensavam as casas de alvenaria e mantinham as suas tabas e ocas. Falavam o seu idioma nativo, embora alguns dominassem o português, como o índio mestiço. Não queriam a interferência do homem branco. Permaneciam isolados, longe do noticiário e da internet. Conservavam vivos os seus rituais e as suas tradições, que os deixavam em conexão direta com sua ancestralidade. E de seus antecessores recebiam todo o conhecimento necessário para exercer a sua mais importante função: guardar a serra do Roncador, afastando a curiosidade do homem branco. Esse era o pacto que seus ancestrais fizeram milênios antes com os deuses vindos das estrelas. O segredo era passado a cada nova geração de caciques, e somente a eles. O pacto era a garantia de proteção eterna.

O filho adotivo do cacique sempre se mostrou merecedor desse conhecimento. Trazia as orelhas furadas com alargadores cada vez maiores, mostrando a sua capacidade de comunicação com os seus ancestrais. Entretanto, era um homem essencialmente triste. Alguma coisa ainda o ligava à sua antiga vida, alguma lembrança que o mantinha preso ao passado do qual não conseguia se desvencilhar totalmente. Mas ele sabia que tinha de abrir mão de tudo isso, que a sua missão era importante demais para ficar remoendo o que ficara para trás. Quando chegasse a hora esperada, deveria estar pronto para servir e salvar a sua gente. Esse era o seu propósito de vida.

Imerso em lembranças e pensamentos, o jovem índio entrou numa das ocas maiores. No centro da palhoça, uma índia anciã, beirando os oitenta anos de idade, o aguardava. Os cabelos brancos e compridos estavam trançados e descansavam sobre um dos seus ombros. Os olhos negros e expressivos, apesar de tristes, não conseguiam esconder a beleza do que tinham sido no passado. Nas orelhas, trazia duas grandes argolas de madeira de onde pendiam penas de cores e tamanhos diversos. No punho, tinha uma pulseira trançada com a palha do buriti contendo uma grande pedra esverdeada no centro. As mãos magras estavam trêmulas sobre o colo. Ao ver o índio, pediu que se aproximasse. Aos pés da velha índia descansavam três enormes onças-pintadas, que se agitaram diante da aproximação do mestiço. A índia afagou a cabeça de cada uma delas, que imediatamente voltaram a dormir.

— E então, entregou a ela? — perguntou, ansiosa.

— Sim, entreguei.

— E?

— Nada. Ela parece não se lembrar de nada — respondeu com amargura na voz.

A velha deu um longo suspiro e afagou um pequeno chumaço de cabelos loiros que pendiam de um berloque no seu pescoço.

— Ainda não é o momento. Tudo virá no seu tempo certo!

— Mas eu já esperei tempo demais — replicou o mestiço com tristeza.

— O tempo não tem pressa. Nós, sim! Tenha paciência e tudo acontecerá como tem que ser. Agora me deixe sozinha. Tenho que me preparar...

— Sim, madrinha.

A velha índia fechou os olhos e passou a entoar as canções de seus antepassados. Toda a aldeia se recolheu, sabendo que o grande momento se aproximava, e só lhes restava esperar, e nada mais.

13 DE ABRIL DE 2029
SERRA DO RONCADOR, BARRA DO GARÇAS, MATO GROSSO

SOPHIA ESTAVA RECOSTADA NAS PEDRAS quando sentiu um braço quente envolvendo seus ombros, puxando-a em direção ao peito. Estava gelada de tanto frio e o carinho lhe pareceu extremamente agradável. Levantou o queixo e viu que Zion a observava. Fechou os olhos, pedindo um beijo, que veio de forma quente e molhada, fazendo o seu coração acelerar. Por um momento, desejou estar ali sozinha. Queria que o tempo parasse e que não houvesse mais nenhum portal para procurar. Abraçou Zion e correspondeu ao beijo de forma ardente, desejando a entrega. Quando abriu os olhos, deparou com um rosto moreno e os olhos penetrantes de um índio. Tentou se afastar, mas o seu corpo não queria. Colocou as mãos espalmadas sobre o peito moreno e sentiu o coração dele galopando junto com o seu. Um sentimento escondido a invadiu de forma perturbadora. Queria demais aquele índio, como se não conseguisse mais respirar sem a sua proximidade. O coração doía de saudades. Uma saudade louca e arrebatadora como nunca havia sentido por ninguém.

O índio esticou a mão para que Sophia pegasse o camafeu. Ela prontamente abriu a joia e percebeu a imagem de uma mulher. Não era ela, e muito menos a mãe, cujas fotos guardava com carinho num álbum antigo. Era uma imagem familiar. Alguém muito próximo cuja memória lhe falhava, mas o coração sábio reconhecia como uma pessoa muito amada e que nunca poderia ter sido deixada para trás. Acariciou e beijou a imagem com uma imensa nostalgia. Seus olhos encheram-se de lágrimas e ela começou a chorar. Chorava convulsiva e torrencialmente. As lágrimas brotavam dos seus olhos e de todas as rochas daquela gruta. Todas as pedras choravam de saudades. Começou a se afogar nas próprias lágrimas sem conseguir respirar, quando sentiu as mãos de alguém lhe sacudindo e gritando o seu nome:

— Sophia!

Conseguiu colocar a cabeça para fora da água e lá estava a sua mãe, na entrada da gruta, sorrindo e chamando-a:

— Sophia!

Tentou sair da água, mas novamente veio a sensação de estar sendo sacudida:

— Sophia, acorde! Pelo amor de Deus!

Abriu os olhos e deparou com Zion sacudindo os seus ombros. Seu rosto tinha uma expressão desesperada.

— Nossa! Eu não estava conseguindo acordar você! Olhe para isto!

O sol do fim da tarde penetrou através das fendas, refletindo-se nas paredes da caverna. Feixes de luz de todas as cores se formavam em todas as direções. As sete cores do arco-íris cruzavam-se todas num único ponto de uma das paredes, como que esculpindo a laser um grande espelho de cristal. Quanto mais feixes se cruzavam, maior o brilho que a pedra ia adquirindo. Era o portal que tanto procuravam. Bernard Campbell, exultante com o espetáculo, batia palmas sem parar. Zion e Sophia pareciam enfeitiçados como estátuas de sal.

— Primeiro as damas, minha cara — convidou Bernard, apontando a arma para Sophia.

Ela caminhou para o grande espelho, completamente em transe. Não via nem ouvia mais nada à sua volta. Nem o brilho do cristal ofuscava a sua visão. Obedecia a um comando invisível. Colocou as duas mãos espalmadas sobre o espelho, que atravessaram um material fluido e agradável ao tato. Seus dedos começaram a vibrar, inicialmente lentos, e aos poucos a intensidade da vibração foi aumentando, fazendo o seu coração disparar. Sua respiração tornou-se mais rápida e ofegante, e seus olhos abertos começaram a fazer movimentos rápidos nas órbitas. A vibração foi tomando conta do corpo de Sophia em movimentos cada vez mais intensos, até que seu corpo fosse tragado para dentro de um túnel luminoso. A vibração foi cessando aos poucos e ela se viu deslizando, como se estivesse numa esteira rolante de luz. Uma sensação de calma e plenitude a envolveu completamente. Flutuava num imenso vazio de paz e de luz.

Uma série de imagens começou a se formar em sua mente. Momentos da sua vida passavam pelos seus olhos como se assistisse a um filme em imagem tridimensional numa rapidez espantosa. Surpreendentemente, seu cérebro conseguia computar todos os momentos com detalhes, como se os vivenciasse de novo. Tudo era muito intenso. A cor, o cheiro, os sons de falas conhecidas, tudo era extremamente real.Via-se agora feliz ao lado de Zion com inúmeras borboletas fazendo cócegas no seu nariz e voando ao seu redor. De repente, a imagem de Westwood surgiu na sua frente, com o enorme complexo de prédios da UCLA e o imponente Hospital Ronald Reagan, onde havia se formado e passado grande parte da sua vida. Seu pai e Margareth trabalhando juntos até os últimos dias de vida, e os momentos em que se abraçavam diante dos Jardins de Sophia na casa de Itaipava. Uma sucessão de memórias se encadeava numa corrente sem fim. Sentiu-se livre cavalgando nas costas de Ventania, sim o seu cavalo tão amado. Sentia o frescor dos banhos de cachoeira com André. A sensação maravilhosa do primeiro beijo trocado numa gruta num dia com cheiro de chuva. As galinhas e as estrelas cadentes no quintal da avó.

Seu coração começou a explodir dentro do peito, até que viu, no meio da luz, *ela*. Parecia perdida, sem entender como fora parar ali. Sem dúvida nenhuma era ela quem gesticulava, tentando lhe chamar a atenção inutilmente. Estava muito aflita. Sophia se aproximou e viu o medalhão com o camafeu pendurado no pescoço. Abriu um grande sorriso, querendo se aproximar e abraçar aquela visão tão amada. Queria lhe dizer tantas coisas, o quanto a amava e sentia sua falta. Não conseguia entender o que havia acontecido e em que momento se separaram. Conseguia entender todas as aflições da avó. Lia todos os seus pensamentos, mas não conseguia fazer com que ela lesse os seus. Seria tudo tão mais fácil se conseguisse mandar alguma mensagem. Se pudesse explicar a localização da gruta do portal, tudo seria tão mais viável. A única coisa em que Ana pensava é que tinha que retornar à cachoeira porque havia deixado as crianças sozinhas. Sophia olhou para Ana, cheia de ternura, deu um último e grande sorriso e mentalmente empurrou-a de volta para o túnel de luz.

Um imenso clarão se fez e Sophia sentiu o camafeu arder em seu pescoço. Uma sensação nova e maravilhosa a invadiu. Estava dentro da barriga da mãe, com o coração pulsando. Ela repetia: "Eu quero viver, eu quero viver". Ouvia a voz meiga de Luzia conversando com ela e se sentiu imensamente amada. De repente, caiu em queda livre até um outro platô, onde um novo e grande clarão de luz se fez. Um misto de medo e pavor a dominou quando percebeu que estava num lugar estranho, cheio de pessoas doentes, sangrando, pedindo a sua ajuda. Estava maltrapilha, e o cheiro forte do éter invadiu as suas narinas. Sem dúvida, estava no meio de uma guerra com sangue e morte por todos os lados. Pessoas feridas gemiam em macas improvisadas num hospital de campanha. Viu a imagem de um homem refletida nas poças de sangue, mas sabia que aquele era o seu próprio reflexo. Subitamente alguém a chamou. Virou-se para trás e sentiu uma ardência terrível no lado esquerdo do peito. O sangue quente e vermelho tingia sua mão, enquanto tombava lentamente.

Fez-se um novo clarão e lá estava ela num lugar diferente de qualquer outro onde pudesse ter estado. Sentia-se como Sophia, mas estranhamente era aquele mesmo homem antes da bala certeira, que ainda lhe ardia no peito. Havia muita luz e paz, e alguns vultos deslizavam ao seu redor. Nada se comparava àquilo. Cidades com pessoas se deslocando sem a necessidade de veículos, apenas com a força da mente. Criaturas com cabeças maiores do que o corpo, bocas pequenas e olhos grandes e amendoados. Estava numa espécie de laboratório, com pessoas ao seu lado que transmitiam conhecimento e ajudavam umas às outras. Sobre uma enorme bancada havia várias placas de Petri com culturas de vírus e bactérias nunca antes catalogados, e muitos tubos de ensaio contendo embriões. Acidentalmente, viu-se esbarrando numa das placas, que quase foi ao chão. Dentro de algumas câmaras de vidro, corpos humanos imersos dentro de uma espécie de fluido vital pareciam hibernar, como se estivessem se recuperando de alguma doença ou de um grande mal. Havia ali máquinas e equipamentos que nunca vira antes. Não existia doença, nem dor e nem dinheiro, apenas trabalho para o bem de todos e muito amor. Uma única e enorme fraternidade universal pulsava, viva, no interior da Terra. E finalmente ela se viu de volta ao ponto em que tudo começara. Olhou ao redor, viu o seu próprio reflexo no grande espelho de cristal e deixou que seu corpo finalmente tombasse.

Sophia parou de vibrar e caiu ao chão, ainda em transe. Zion correu para ela.

— Sophia, Sophia, você está bem?

— Ainda me sinto meio confusa, mas estou bem, sim — respondeu, sonolenta.

— E então, senhorita, agora que vimos que o processo é seguro, poderia me ajudar a carregar umas pepitas de ouro. Pronta para uma nova viagem com direito a acompanhante?

— Ela não pode ir agora. Está fraca — explicou Zion.

— Não existem pepitas de ouro! — retrucou Sophia.

— Você não vai me enganar com essa conversa de paz e amor, senhorita. — Bernard se virou para Zion. — Então quem vai é você.

Bernard colocou o revólver no pescoço de Zion e o forçou a andar em direção ao cristal. Zion encostou as mãos na superfície reflexiva e imediatamente começou a vibrar. Bernard fez o mesmo. Suas mãos começaram a tremer e a vibração transmitida ao seu corpo foi aumentando e se tornando cada vez maior, até que começou a gritar feito louco. Seu corpo não conseguia acompanhar a frequência do cristal e Bernard berrava sem parar, e ninguém podia fazer nada. Era como se estivesse levando choques sucessivos em uma voltagem cada vez mais alta, até que por fim se desintegrou totalmente.

Sophia ainda estava sonolenta e retornando do transe. Zion continuava com a mão na substância fluida, realizando sua viagem com tranquilidade. Sophia se levantou e se aproximou de Zion. Ele parecia estar recebendo instruções e concordava com a cabeça. Aos poucos, Zion começou a ser tragado totalmente pelo espelho de cristal. Sophia começou a gritar desesperada e tocou o braço de Zion, para trazê-lo de volta, sendo jogada para trás. Zion começou a falar telepaticamente com ela.

— Sophia, eu preciso ficar aqui.

— Eu quero ficar com você, por favor!

— Não pode ficar agora. Ainda não. Você tem um compromisso com essas pessoas, que precisarão da sua ajuda.

— Mas eu amo você.

— Sempre vou amá-la. O conhecimento e o amor nunca se perdem.

— Quero ficar com você! — Sophia implorava.

— Sophia, você é a chave que aciona este portal. Milhares de pessoas precisarão de você.

— Mas quando isso irá acontecer?

— No momento certo, quando a Terra realizar a transição para a quarta dimensão.

— Eu não vou saber fazer isso sozinha!

— Você não estará sozinha. *Eles* prometeram que voltariam para ajudar. Eu estarei sempre aqui, esperando por você.

— Mas quem são *eles*?

— São aqueles que nunca nos abandonaram e que sempre estiveram impulsionando anonimamente o futuro da humanidade.

A voz de Zion ia ficando cada vez mais distante.

— E não se esqueça nunca de que sou a sua terra prometida!

Sophia agachou-se e apanhou o medalhão de Zion, que ficou caído no chão. Pendurou-o no pescoço juntamente com o camafeu. Olhou para a parede de pedras e o portal havia desaparecido. Finalmente entendeu que só lhe restava esperar.

14 DE ABRIL DE 2029
BARRA DO GARÇAS, MATO GROSSO

PELA MANHÃ, JOSÉ ESTAVA À ESPERA, conforme o combinado. Lançou um olhar interrogativo para Sophia, que logo entendeu as palavras não ditas e respondeu pesarosamente:

— Não, ele não irá conosco.

José não insistiu, e acompanhou Sophia durante todo o trajeto mantendo-se em silêncio. A cabeça de Sophia latejava sem parar. Um turbilhão de pensamentos e sentimentos a invadiu como quem abre uma grande comporta. As memórias voltaram à sua mente, trazendo interrogações e cobranças. Passado e presente se misturavam, cada qual querendo o seu espaço. E ainda tinha que lidar com a perda de Zion. Como iria conseguir seguir em frente sem ele? Em resposta, sua mente de imediato lhe presenteou com a imagem de André. O índio havia se transformado num homem muito especial. Mas por que nunca a procurara? E sua vó Ana, de quem o pai sempre falara tão pouco e dissera que havia morrido?

Imediatamente o seu arquivo de imagens a levou para minutos antes da morte do pai. Entrara no CTI onde Carlos, consciente, brigava com o respirador mecânico. Os vários nódulos da metástase deixavam pouco espaço para o ar, e a insuficiência respiratória passou a dominar o quadro clínico da doença terminal. Aproximou-se do pai e lhe acariciou os cabelos grisalhos. Percebeu algumas lágrimas em seus olhos, e logo tratou de enxugá-las, brincando:

— Mas não é que o dr. Carlos Roberto Pontes do Amaral está virando manteiga derretida?

Carlos agarrou forte a mão de Sophia. Parecia tentar dizer alguma coisa, mas o aparelho não permitia. Num esforço supremo, apontou para um pedaço de papel sobre a bancada de medicamentos. Sophia percebeu a inquietação do pai e se aproximou da bancada. Sobre a superfície, um pedaço de papel escrito à mão. Uma frase com as letras tremidas e borradas, mas inconfundivelmente a grafia de Carlos. "Procure por Ana." Na ocasião, não entendera o que aquele bilhete escrito pelas mãos da morte representava. A que Ana seu pai se referia? Será que se tratava da avó que ele dizia estar morta? Tentou perguntar ao pai, mas quando retornou ao leito, Carlos já havia falecido. Na época, não dera importância, atribuindo tudo aquilo à baixa oxigenação cerebral ou a algum tipo de delírio. Mas agora, com o retorno de sua memória, aquele fato fazia bastante sentido.

— José, o nome daquele índio que nos acompanhou é André?

— Não sei, dra. Sophia. Na aldeia o chamam de Pequeno Pardal.

— Sabe se uma senhora chamada Ana mora com ele na reserva?

— Que eu saiba, não.

— Você poderia me levar até ele? — Sophia pediu sem conseguir esconder a ansiedade.

— Pequeno Pardal viajou logo após ter nos deixado na entrada da caverna.

— Ah, que pena!

O índio levou Sophia até o jipe.

— A senhora quer ir direto para o aeroporto de Cuiabá?

— Na verdade, não. Estou exausta e tenho que colocar algumas coisas em dia. Poderia me deixar em algum hotel no centro de Barra do Garças?

— Claro!

Sophia tomou uma ducha demorada. O vapor da água quente a deixou mais relaxada. A vida inteira teve sonhos que não compreendia com a mãe. Em todos eles, ela sempre lhe sorria na entrada de uma gruta, sempre a convidando para entrar. Agora, com a memória mais aguçada, sabia que só podia ser a gruta da cachoeira, na fazenda em que brincara durante toda a infância. Arrumou-se rapidamente e saiu para comer alguma coisa na cidade. Parou em frente a uma grande sorveteria, em cujo letreiro estava escrito em letras garrafais: "Sorveteria da vó Ana, o melhor sorvete do cerrado".

— Boa tarde. Posso ajudá-la? — perguntou a vendedora.

— Na verdade, não sei.

— Deseja algum sabor especial? Quer uma provinha?

— Sim. Gosto muito de murici.

— Vou colocar um pouquinho de cada fruta do cerrado pra você experimentar. — A atendente começou a encher um potinho com vários sabores de sorvete.

Sophia pegou o pote e a cada colherada lhe vinha uma sensação. Era como se estivesse no pomar de Ana, enquanto ajudava a avó a recolher as frutas maduras, ou quando andavam juntas pelas trilhas na mata, no meio dos buritizais. Murici, buriti, carambola, pequi e mangaba faziam cócegas geladas na sua língua e a transportavam para uma época em que havia sido muito feliz. Virou-se para a atendente e perguntou:

— Essa sorveteria já foi da minha avó. Ela se chamava Ana. Você a conheceu?

— Na verdade, estou aqui há pouco tempo, mas por que você não pergunta a dona Ana Maria? Ela é a responsável pela sorveteria. Está logo ali, no caixa.

— Ah, sim. Muito obrigada!

Sophia aproximou-se do caixa. Ana Maria, de cabeça baixa, tentava conferir a lista de produtos no estoque.

— Olá, boa tarde!

— Boa tarde! — respondeu Ana Maria sem desviar o olhar da lista.

— Não gostaria de atrapalhá-la, mas posso lhe fazer algumas perguntas? — Sophia parecia sem graça.

— Desculpe, é que hoje é dia de conferir o estoque e realmente estou muito ocupada. Não poderia voltar outra hora? — A mulher continuava concentrada no que fazia.

— Ah, sim, claro. E mais uma vez me desculpe.

Sophia pagou o sorvete à atendente e saiu caminhando, sem pressa de ir embora. Parou em frente ao armazém do Naldo. Lembrou-se das vezes em que o avô Amaral lhe trazia para tomar Guaraná Marajá e comer batatas fritas. O tempo havia passado, mas Barra do Garças continuava do mesmo jeitinho. Pela primeira vez depois de tantos anos sentiu-se em casa.

Dentro da sorveteria, Ana Maria continuava conferindo os itens do estoque para reposição. Alba, a atendente, aproximou-se, oferecendo ajuda.

— E, então, aquela cliente queria exatamente o quê, Alba?

— Ah, ela pediu vários sabores de sorvete, disse que a avó dela já foi dona da sorveteria. Me perguntou se eu a havia conhecido. Eu sugeri que ela perguntasse à senhora.

Ana Maria deixou cair um pote de compota de mamão verde, que se espatifou junto aos seus pés.

— Você viu para onde ela foi? — perguntou com certo desespero na voz.

— Acho que entrou no armazém do Naldo.

Ana Maria saiu correndo em direção à rua. Avistou Sophia parada em frente ao armazém.

— Sophia! — gritou Ana Maria.

Sophia atendeu ao chamado e se virou, embora não se lembrasse de ter dito o seu nome à atendente.

— Sim?

— Você é mesmo Sophia Peixoto do Amaral?

— Exatamente. Sou eu mesma. E a senhora é…?

— Você não vai se lembrar de mim. Meu nome é Ana Maria. Comecei a trabalhar com a sua vó alguns meses antes do seu acidente.

— A senhora poderia conversar um pouco comigo? Podemos nos sentar alguns minutos aqui mesmo no bar do Naldo?

— Sim, claro.

Sentaram-se, enquanto Sophia terminava o sorvete. Um atendente veio servi-las.

— Desejam algo para beber?

— Eu quero um Guaraná Marajá! O senhor ainda vende essa marca?

— Claro! O Guaraná Marajá é coisa nossa!

— Pode trazer um pra mim também, Naldinho? — pediu Ana Maria.

— Ele é filho do seu Reginaldo? — perguntou Sophia para Ana Maria.

— Sim. Ele assumiu o armazém depois que Naldo se foi, uns três anos atrás. Mas então você resolveu voltar pra casa depois de todos esses anos?

— É uma história muito louca e muito longa. O que eu quero realmente saber é se minha avó está viva.

— Mas você nunca se interessou por ela! Por que essa preocupação só agora? Desculpe se pareço atrevida.

— Acho que tudo foi um grande mal-entendido, dona Ana.

— Mas que quase custou a vida da sua avó — falou Ana com certa amargura. — Aquele seu e-mail para ela, depois de tantos meses em silêncio, quase a levou de vez.

— Mas eu não lembro de ter mandado nenhum e-mail. Na verdade, após o acidente fiquei desacordada por várias semanas. Quando saí do coma, não lembrava de mais nada do meu passado. Fui reaprendendo aos poucos com meu pai e minha madrasta. E agora acho que estou começando a entender o que pode ter acontecido. — Sophia explicou, lembrando da antiga rixa entre o pai e a avó.

— Nunca mais tivemos notícias suas. Ana tentou entrar em contato várias vezes, mas você não respondia mais aos e-mails. Na fazenda dos Amaral, depois da morte do velho, ninguém mais tinha os telefones do Carlos Roberto. Ele vendeu a fazenda e as cotas na sociedade do hospital. Enfim, desapareceu levando você com ele.

— Minha vó está morta? — Sophia perguntou com receio da resposta.

— Sinceramente, não sei.

— Mas como a senhora não sabe, se assumiu a sorveteria?

— Como eu lhe disse, quando Ana leu o seu último e-mail, passou muito mal. Eu a encontrei caída no chão do escritório. Os médicos não sabem como ela sobreviveu ao infarto. Disseram que, pela extensão do estrago, foi um milagre ela ter escapado.

— Meu Deus! Será que meu pai soube e achou que ela tivesse morrido?

— Sophia, não vamos tapar o sol com a peneira. Se não foi você quem escreveu aquele e-mail, então foi alguém muito perverso que sabia o impacto que ia causar.

Sophia lembrou-se do bilhete do pai no CTI. Carlos odiava Ana. Nunca suportou a influência da índia sobre a esposa e a filha. Embora tentasse esconder toda essa animosidade de Sophia, era patente nas conversas com Margareth o tom de revolta e deboche quando se referia a Ana. Às vésperas da morte, tentando fazer as pazes com Deus, deixou o bilhete como prova de arrependimento.

— Mas o que aconteceu com ela depois do infarto?

— Ana decidiu abandonar tudo. A fazenda, a casa, a sorveteria. Pediu que eu tomasse a frente dos negócios, mas que nunca vendesse a fazenda.

— Mas, e o André?

— Partiram os dois sem destino. Para onde, ninguém sabe. Sua avó disse que iria retornar às suas origens, que seu povo precisava dela, e que já havia perdido coisas demais nesta vida. Nunca mais a vi. Posso fazer alguma coisa a mais por você?

— Na verdade, sim. Eu gostaria de rever a fazenda.

— Claro, até porque ela é sua. Vou pedir ao Naldinho que leve você até lá. Sempre deixo uma cópia das chaves com ele para qualquer urgência.

Naldo deixou Sophia na entrada da fazenda. No caminho, pararam em uma farmácia e Sophia comprou alguns objetos de higiene pessoal. Um balaio na entrada exibia algumas cangas de tecido em promoção. Sophia escolheu uma enorme bandeira do Brasil e imediatamente a amarrou sobre a blusa e a calça jeans que usava, customizando um vestido improvisado. Sentia-se parte daquela terra, daquele chão, daquela gente. Queria ficar sozinha com suas lembranças. Não sabia ainda o que faria e que destino daria à sua vida depois de tudo o que acontecera.

Ao chegar na fazenda, caminhou lentamente da porteira em direção à casa. Tudo parecia do mesmo jeito, como se a propriedade não tivesse sido abandonada. O pasto, as cabras, as galinhas, o pomar... Começou a ouvir de longe um relincho familiar. Caminhou em direção ao barulho e avistou o animal preso a uma das árvores. Era um cavalo marrom, malhado.

— Ventania!

Sophia correu em direção ao animal e o abraçou. Pegou uma das frutas maduras que estavam no chão e lhe ofereceu, como costumava fazer. Começou a dizer palavras doces e mansas em seu ouvido, e quase podia jurar ter visto os olhos do cavalo se tornarem molhados. O animal estava selado como se a esperasse. A montaria era um convite irresistível. Sophia montou no lombo do cavalo, que imediatamente começou a cavalgar como se já tivesse uma rota traçada e um destino certo. Deixou que ele seguisse o seu rumo, sem interferir. Logo reconheceu a trilha da gruta da cachoeira. Ventania trotava sobre os galhos secos com total domínio de seus movimentos.

O som claro e forte da cachoeira do Zé Coxo foi se tornando cada vez mais próximo, até despontar no fim de uma clareira, como um imenso véu de noiva. Sophia desceu do cavalo. Suas pernas tremiam de emoção. Era o cenário que sempre aparecia nos seus sonhos. Instintivamente, olhou para a gruta como se esperasse encontrar a mãe lhe sorrindo e acenando. Caminhou em direção à entrada, passando por trás da cachoeira e esgueirando-se por entre as pedras. A caverna estava silenciosa e mal iluminada. Esperou os olhos se acomodarem à escuridão. Notou um movimento no fundo, algo se levantando e se movendo lentamente. Um grande manto com pintas negras moveu-se em sua direção. Deslizava sem fazer barulho, num movimento majestoso. Começou a temer a proximidade do animal. Sem dúvida, era uma onça-pintada.

Fechou os olhos e sentiu sua respiração cheirando-lhe os pés, a roupa e as mãos. Era uma sensação agradável, e estranhamente não teve medo. Assustou-se com um roçar quente no rosto e, quando deu por si, estava no meio de um grande abraço. Abriu os olhos e percebeu que era Ana quem a abraçava. Não conseguiu se conter. Chorava como nunca chorou na vida. Chorou todas as angústias, medo e aflições. Chorou toda a solidão dos últimos anos. Ana a aconchegava junto ao peito e a protegia com uma grande pele de onça-pintada que trazia nos ombros, um grande manto que lhe envolvia o corpo como se fizesse parte da sua própria pele. Ana esperou que Sophia se acalmasse. Secou todas as lágrimas da neta, que a cada toque seu brilhavam como pequenos cristais.

— Desculpa! Desculpa! Desculpa! — Sophia falava compulsivamente.
Ana a afagava e a confortava do jeito que sempre fizera.

— Não há o que desculpar, minha menina!

— Mas eu fiz a senhora sofrer, vó, e a senhora não merecia!

— Sabemos que não foi culpa sua. E a vida nos dá o merecimento a que temos direito.

— Estou tão feliz e ao mesmo tempo tão confusa.

— Você terá todos os esclarecimentos necessários, tenho certeza disso.

— Vó, a senhora esteve lá comigo, no portal!

— Sim! Sempre vou estar com você!

Sophia retirou o medalhão com o camafeu do pescoço e o recolocou no pescoço da avó.

— Acho que isso pertence à senhora.

— Não, agora é seu! Seu avô me deu no dia em que me levou do meu povo. Agora o meu povo me tem de volta. E, depois, vai ser estranho uma onça-pintada usando um camafeu, não acha?

Sophia soltou uma grande gargalhada, descontraindo toda a tensão.

— Mas por que você não voltou para a reserva de Meruri?

— André merecia uma chance de conhecer seus verdadeiros ancestrais. Optei por uma aldeia xavante mais afastada e fiel às suas tradições. Agora eles também são o meu povo.

— E onde está ele agora?

— Em algum lugar.

— Pensei que estivesse à minha espera.

— Ele esperou por você a vida inteira.

— Acho que nunca vai me perdoar.

— Não se culpe tanto. O perdão exige arrependimento. Não é possível se arrepender do que realmente não se teve a intenção de fazer.

— Tem razão. É engraçado estar aqui com a senhora. Sempre sonhei com minha mãe aqui dentro, querendo me mostrar alguma coisa.

— Sim. Não faz ideia do que seja?

— Uma vez, quando eu estava em coma, tive um sonho esquisito. Ela me mostrou um livro que escondia atrás de umas pedras soltas desta caverna.

Sophia levantou-se e andou em direção a uma das paredes. Revirou um grupo de pedras que estavam aparentemente soltas. Retirou uma a uma, até que sua mão pudesse entrar por um buraco no meio das rochas. Sentiu algo duro, como uma caixa de ferro. Puxou-a com firmeza e a caixa foi se soltando, até estar completamente livre em suas mãos.

— Tinha certeza que se lembraria. — Ana sorriu.

— A senhora sabia?

— Sim. Na verdade, fui eu quem a escondeu aí. Entretanto, só temos acesso a determinadas coisas quando estamos realmente prontos para elas.

Sophia olhava intrigada para a caixa. Era de um material esquisito. Não tinha fechadura. Em vez disso, havia três grandes lacres nas laterais. Tentou forçá-los, em vão.

— Essa caixa tem vontade própria, minha menina. Ela vai se abrir para você no momento certo.

— O que tem dentro?

— Um diário que sua mãe escreveu para você quando estava grávida. De certa forma, Luzia sabia o que iria lhe acontecer.

— Suponho que não seja um simples diário — intuiu Sophia.

— Digamos que seja um guia para as mulheres da nossa família.

— Tem ideia do que está escrito aqui?

— Seu pai sempre tentou esconder isso de você, mas sua mãe tinha uns dons especiais. Talvez tivesse medo de que você também pudesse ter herdado esses dons. Achava que tinham a ver com feitiçaria.

— Cresci ouvindo muita gente falar que minha mãe era capaz de curar as pessoas com a força da mente e das mãos.

— Luzia era um ser muito especial. Tinha uma conexão direta com as estrelas. Recebia ensinamentos de pessoas especiais como ela. Quis registrar todos os seus ensinamentos nesse diário. Acredito que tenha um conteúdo muito poderoso. E que você precisará usar esse conhecimento um dia.

— Quando precisar acessar o portal outra vez?

— Muito provavelmente.

— No dia da verticalização do eixo da Terra? Do fim do mundo?

— Não, no dia do recomeço de tudo. O importante é que esteja preparada, Sophia.

— Mas como vou abrir esses lacres?

— A resposta está em você mesma. Nas suas virtudes.

Sophia olhava para a caixa, pensando em como conseguiria abri-la.

— Mas que virtudes são essas, vovó? Vovó?

Olhou para todos os lados e se deu conta de que estava completamente sozinha mais uma vez. Levantou-se com a caixa nas mãos e caminhou até a saída da gruta. Esgueirou-se pelas pedras e saiu por detrás da cachoeira. Uma figura masculina a esperava, ao lado de Ventania.

— André!

Sophia correu na direção do índio e pulou no seu pescoço. Beijaram-se. Um beijo que não pedia explicações, que não exigia nada. Um beijo que dizia tudo e que sinalizava em direção a um futuro incerto, mas repleto de esperança.

14 DE ABRIL DE 2030
VILA COSMOS, RIO DE JANEIRO

SOPHIA ESTACIONOU O CARRO PERTO DA IGREJA. Algumas crianças brincavam numa praça em frente. Caminhou em direção a um busto erguido no centro da pequena praça e, à medida que se aproximava, identificou a imagem de uma mulher com três crianças à sua volta. Passou rapidamente a mão direita pelo cordão em seu pescoço. Beijou a pequena medalha que fora um presente da sua avó Candinha.

— Enfim, aqui estamos! Igreja de Santa Sofia.

Havia escolhido particularmente aquele dia porque fazia um ano que tinha recuperado a memória e suas raízes. Vinha trabalhando intensivamente em suas pesquisas de uma vacina para a hanseníase, mas sempre faltava um dado que não encaixava. Quando achava que tinha chegado ao resultado perfeito, se deparava com algum efeito indesejável no comportamento das cobaias. A passagem pelo portal havia acelerado o curso do seu pensamento, criando novas pastas no seu arquivo de memória. Sentia como se vários softwares tivessem sido acrescentados, conferindo-lhe uma agilidade de raciocínio que lhe permitira queimar várias etapas da metodologia da pesquisa. Era como se o Universo conspirasse e tivesse urgência na fabricação do produto final. Tinha esperança de encontrar respostas no conteúdo da caixa de metal que trouxera consigo da gruta da cachoeira, e que permanecia lacrada. "Essa caixa tem vontade própria", lhe dissera Ana no último encontro.

Olhou para a estátua da santa. Ainda não sabia ao certo o que a levara até ali. Ultimamente vinha sonhando com insistência com aquela imagem. Se tinha aprendido alguma coisa nesse último ano, era a respeitar e a não questionar mais seus sonhos ou intuições. Se fora levada até ali, é porque algo ou alguém certamente a esperava. Lembrou-se das explicações que as freiras lhe davam no colégio todas as vezes que viam a pequena medalha em seu pescoço. A história de santa Sofia e o martírio de suas três filhas na defesa da sua ideologia cristã sempre a comoveram. ·

Na porta da igreja, fez o sinal da cruz e se dirigiu para um dos bancos nas laterais. Ajoelhou-se e começou a orar em silêncio. Alguns minutos depois, sentiu alguém se ajoelhando ao seu lado. Abriu os olhos e, tornando a fechá-los, perguntou em voz baixa:

— Por que demorou tanto?

A voz grave respondeu, desconfortável:

— Porque Barra do Garças não fica aqui ao lado!

— Acho que você deveria se mudar para cá definitivamente — comentou Sophia ainda de olhos fechados.

— Acho que você deveria se mudar definitivamente para lá — sentenciou André.

Sophia soltou uma risada discreta. A igreja ainda estava vazia, e a missa só começaria em quinze minutos. Pegou a mão de André e a apertou com força.

— Estava com saudades.

— Eu também — confessou o índio, mais relaxado. — Enfim, o que viemos fazer aqui? Não me diga que isso tudo é pra me levar ao altar?

Sophia levou a mão à boca, tentando conter a gargalhada.

— Sem a onça-pintada aqui, nunca! E depois, isso é tradicional demais para quem já passou por um portal do tempo.

Aos poucos, os fiéis foram ocupando seus lugares, até que os bancos estivessem todos preenchidos.

— Logo a missa vai começar e você sabe o quanto sou avesso a esse tipo de ritual — André se explicou, querendo afastar antigas lembranças.

— Não entendo nada de missas, André. E você já foi coroinha.

— Mas o que você está procurando, afinal? — quis saber o índio já com certa impaciência.

— Não sei! Mas sei que devíamos estar aqui hoje. Tenho sonhado demais com essa santa.

— E o que eu tenho a ver com os seus sonhos e os seus pecados?

— Você é meu guardião, lembra?

André aceitou a explicação e calou-se. Aos primeiros acordes do órgão, levantaram-se. O cortejo da missa entrou pela porta principal e seguiu em direção ao altar. O padre entrou numa cadeira de rodas, se locomovendo com a ajuda dos coroinhas. Era um senhor frágil e franzino, certamente tinha mais de noventa anos. O coral da igreja era formado por adolescentes da comunidade. Todos vestiam uma camisa com os dizeres "Fé, esperança e caridade", as três virtudes que davam nome às filhas da santa. Após os cânticos de entrada, todos se sentaram para ouvir a homilia. Apesar da fragilidade aparente, o sacerdote surpreendeu Sophia com a firmeza de sua voz:

— Meus queridos irmãos, numa das passagens do Evangelho de São Lucas, uma pecadora se aproxima de Jesus e derrama algumas gotas de um bálsamo de nardo nos seus pés cansados e empoeirados das estradas, limpa-os com as próprias lágrimas e os seca com os próprios cabelos. No capítulo 7, versículo 47, indagado por um dos discípulos se ele conhecia a quantidade de pecados daquela mulher, Jesus se limitou a responder: "Por isso te digo: seus numerosos pecados lhe foram perdoados, porque ela tem demonstrado muito amor. Mas ao que pouco se perdoa, pouco ama". Da mesma forma o fez santa Sofia diante dos torturadores de suas filhas. A Fé foi amarrada e teve seus braços e pernas quebrados, a Esperança foi escaldada em betume, e a Caridade foi decapitada. Mas santa Sofia nunca deixou que sentimentos de ódio e vingança se apoderassem do seu coração.

— Sabe que santa Sofia é a intercessora das doenças de pele? — comentou Sophia.

— Não tinha a menor ideia. Sempre achei que o padroeiro da dermatologia fosse são Bartolomeu!

— E é, mas ajuda nunca é demais, não é mesmo? Acho que preciso de toda a ajuda possível.

E o padre continuou:

— Assim, meus queridos irmãos, não importa o tamanho e a quantidade dos nossos pecados, o que é mais importante é o tamanho do nosso arrependimento! Não importa a quantidade, e não importa o pecado que você cometeu. O importante é ter a consciência de que não podemos mais nos ferir, de que não podemos mais ferir o outro, e não devemos mais ferir a relação amorosa que temos com Deus. Nunca percam a Fé e a Esperança, e pratiquem sempre a Caridade e o Perdão.

— Sophia, acho que você não vai encontrar nada aqui!

— Acho que, de certa forma, já encontrei — disse ela, enigmática.

O coro iniciou o cântico do ofertório e Sophia levantou-se para depositar sua contribuição na cesta próxima ao altar.

— Vou ficar aqui sentado — avisou André com uma impaciência crescente na voz.

Desde que havia abandonado a casa paroquial, André nunca mais havia pisado numa igreja. Só estava ali porque Sophia havia sido extremamente insistente. Fez as pazes com a mãe, mas só a via quando ela visitava Ana na fazenda. Lurdes falecera havia alguns anos, vitimada por um câncer de mama. Quanto ao padre, nunca se interessou pelo seu paradeiro.

Sophia entrou na fila e caminhou automaticamente para o altar. "Será que essas eram as virtudes às quais a avó se referira no último encontro? Fé, esperança e caridade?", ela pensou. "E quanto ao perdão? Se a santa tivesse dado à luz um menino, certamente seu nome seria Perdão." Esses pensamentos tomaram conta da sua mente e, quando percebeu, estava em frente ao altar. Quando foi depositar o dinheiro na cesta, distraída, deixou cair algumas notas. O padre, cuja cadeira estava próxima, tentou ajudá-la, recolhendo algumas das cédulas com as mãos trêmulas. Sophia levantou os olhos para agradecer e parou no meio do movimento. O padre a olhou com grande ternura e pegou suas mãos com um imenso carinho. Sophia não conseguia acreditar. Pegou rapidamente as cédulas, depositou na cesta e retornou para o seu lugar. André percebeu o desconforto.

— Você está bem? De repente ficou pálida.

— Não é nada, é só um desconforto. Acho que é o calor. Como é quente este lugar!

O padre prosseguiu a missa com a oração eucarística e os procedimentos preliminares para o rito da comunhão. Antes, porém, tentou erguer-se sozinho. Com muita dificuldade, apoiou-se nas próprias pernas e tentou caminhar pelo corredor central, recusando ajuda. Os ministros da eucaristia e os coroinhas começaram a se olhar, sem nada entender. O sacerdote apoiava-se no corrimão formado pela proximidade dos bancos e seguia em frente, decidido. Dava a impressão de caminhar em direção ao banco onde Sophia se sentara.

Diante da proximidade do ancião, Sophia começou a se agitar, deixando André nervoso. O índio, que até então parecia não ter entendido o motivo da agitação de Sophia, começou a ficar pálido com aquela aproximação inusitada. E a cada passo do homem encurvado na sua direção, era como um novo *flash* disparado em sua memória. Não, era coincidência demais! Que tipo de brincadeira do destino era aquela? O estômago de André começou a se revirar, como na época em que era coroinha. As pernas começaram a tremer de tal maneira que teve de sentar. O padre ficou bem próximo. Com muita dificuldade, mas sem aceitar ajuda, ajoelhou-se aos pés de André, que, incrédulo, permanecia imóvel. Retirou os sapatos do pé do índio e lhe beijou os pés. As lágrimas quentes escorriam pelos dedos do mestiço sem que ele conseguisse se manifestar.

— Perdão, meu filho! Perdão!

Os fiéis permaneceram no mais profundo silêncio. Alguns, emocionados, choravam sem entender o motivo. Sophia, quebrando o silêncio, pedia ao padre que se levantasse. André olhou para aquele homem quase centenário, ajoelhado diante de toda a paróquia, chorando como uma criança e implorando o seu perdão. Pela primeira vez depois de tanto tempo, sentiu pena. Pena da decrepitude daquele homem, da sua solidão, da culpa que devia ter carregado durante todos aqueles anos. Por último, teve pena de si mesmo, do castigo que se autoimpôs e também à sua própria mãe, e entendeu que ninguém tem o direito de julgar o próximo. Todos somos humanos e, portanto, pecadores, e que o verdadeiro arrependimento sempre é digno de perdão. André estendeu uma das mãos para o padre.

— Levante-se, padre Lemos!

O padre aceitou a ajuda. Segurou forte na mão de André e pôs-se de pé. Abriu os braços, pedindo um abraço. André fitou os olhos do padre e entendeu que seu arrependimento era verdadeiro. Retribuiu o abraço. Sophia assistia a tudo maravilhada e agradecida pela oportunidade que a vida tinha dado àqueles dois homens. Padre Lemos foi recolocado em sua cadeira de rodas e, ao retornar ao altar, explicou a todos:

— Hoje, meus irmãos, é um dia muito especial para mim! Deus me permitiu o reencontro com um homem que considero como um filho e que viveu em minha casa há muito tempo. Hoje é dia de arrependimento e perdão. Que o filho do homem sempre retorne à casa do Pai. Bendito é aquele que tem na consciência o verdadeiro arrependimento, e bendito é aquele que tem sempre no coração espaço para o amor e o perdão.

André, visivelmente emocionado e abalado, tentava se recompor. Sophia mantinha sua mão junto à dele. A missa retomou o andamento normal, com a comunhão e os ritos finais. Uma vez na sacristia, conversaram longamente e prometeram não se perder mais de vista.

Sophia e André retornaram para a casa de Itaipava exaustos, mas felizes. Mais um ciclo se completava e se fechava para que outro se reiniciasse.

Sophia teve uma noite agitada, como já era esperado. Nos seus sonhos daquela noite, a santa aparecia segurando a faca e a pele escalpelada de são Bartolomeu nas mãos. Padre Lemos cozinhava num grande caldeirão a Fé e a Caridade, enquanto ela e André cavalgavam em Ventania, levando a Esperança para bem longe dali através do portal.

Ela acordou cedo no dia seguinte. André ainda ressonava. Foi até os Jardins de Sophia e observou os miquinhos que pulavam nos galhos das árvores. Déjà-vu? Não, desta vez sabia o porquê de suas sensações e daquela ardência no lado esquerdo do peito. Instintivamente abriu o armário onde guardava a caixa do diário. Pensou nas virtudes do dia anterior. Sem dúvida, a Fé, a Esperança, a Caridade e o Perdão são capazes de mudar o mundo. Passou com delicadeza os dedos sobre a caixa e os lacres se abriram um a um, sem oferecer nenhuma resistência.

Epílogo

Naquela manhã, o dia não quis acordar. Sophia olhou-se no espelho, o tempo havia passado e ela não tinha se dado conta. Penteou os cabelos grisalhos sem pressa e os prendeu com uma fivela de prata. Abriu o pequeno porta-joias sobre a cômoda e pegou o essencial: o camafeu que pertencera à sua vó e o medalhão de Zion.

Na sala, algumas revistas antigas estavam espalhadas sobre a mesa. Passou rapidamente os olhos por uma das manchetes: "Vacina para hanseníase já em franco processo de fabricação". Sorriu para si mesma.

Do lado de fora, o céu estava negro e o mundo mergulhava na mais completa escuridão. O pânico e o desespero apenas começavam. Pessoas gritavam histericamente chamando por seus filhos. Crianças choravam sem parar, chamando por seus pais. O fogo estava por toda parte. A natureza parecia revoltada e cobrava da humanidade a sua parte por todos os anos em que esteve relegada. O planeta parecia agonizar, com as suas entranhas reviradas expelindo gases tóxicos e vomitando lava incandescente. Uma nuvem de poeira densa em suspensão entrava pelos olhos e pelas narinas, tornando a respiração difícil e a visão quase impossível. A chuva ácida chicoteava a pele, dilacerando-a e queimando-a. A grande Mãe Terra convulsionava, e nenhum lugar era seguro o suficiente.

Homens e mulheres corriam sem direção, procurando um abrigo, mas não havia para onde correr. A loucura e o caos imperavam por todos os lados.

A morte caminhava pela superfície da terra com a sua grande foice, ceifando a esperança e deixando um rastro de medo e destruição. Porém, desde o início dos tempos estava escrito que seria assim. Sophia sabia disso, assim como vários como ela ao redor do mundo. Não havia data, nem hora certa, mas aquele dia inexoravelmente chegaria. A mensagem foi deixada ao longo dos séculos de diversas maneiras, por muitas pessoas em vários lugares. Um legado deixado e compartilhado por aqueles que acreditavam que, mais do que uma data, o importante era estar preparado. Aqueles que acreditaram, sabiam que não tinham nada a temer.

Sophia se preparara a vida inteira. Estava pronta! Grande parte do que precisava saber estava ali, naquele diário. A outra parte, aprendeu vivendo, fazendo suas escolhas e escrevendo o próprio destino. O diário de Luzia estaria guardado e bem protegido para aqueles que viriam depois, para aqueles que herdariam um planeta melhor. O diário estava ali para servir e ajudar a quem precisasse. Não estaria sozinha. *Eles* prometeram que voltariam e que estariam prontos para ajudar. Sophia acariciou o camafeu. A imagem de André imediatamente lhe veio à mente. Sua voz clara e forte, dizendo: "O Roncador acordou mais furioso do que nunca. Estamos à sua espera". Na estante da sala, o relicário de metal a aguardava. Olhou para a pequena caixa, sabendo exatamente o que tinha que ser feito, afinal ela era a chave do portal. Olhou para o medalhão de Zion e se lembrou das suas últimas palavras: "Não se esqueça. Eu sou a sua terra prometida". Ela pegou o relicário e uma estranha felicidade a invadiu. Saiu batendo a porta sem medo, porque sabia que finalmente estava voltando para casa.

Agradecimentos

Ao grupo de estudos da Sociedade Espírita Ramatis, cujo trabalho *Cidades intraterrestres: O despertar da humanidade* muito nos serviu de inspiração e fonte de consultas.

Ao professor Zecharia Sitchin (*in memoriam*), por sua inestimável importância e contribuição como profundo conhecedor da cultura suméria através da sua coleção Crônicas da Terra.

Ao ilustre e recluso amigo e escritor *Scriblerius*, pelo muito que nos ensinou em tão pouco tempo de convivência, ao nos abrir as portas dos fundamentos da teosofia.

Aos moradores de Barra do Garças, pelo imenso carinho e pela paciência com que nos receberam.

Aos nossos pacientes, pela confiança e pelo reconhecimento do nosso trabalho na área da saúde.

Às nossas famílias, pelo apoio, pela paciência e pelas palavras de estímulo, sem as quais não teríamos finalizado esta obra.

E finalmente a todos que participaram direta ou indiretamente do processo de criação deste livro através de observações e opiniões, e que nos ajudaram na elaboração final do perfil dos personagens.

ESTE LIVRO, COMPOSTO NA FONTE FAIRFIELD,
FOI IMPRESSO EM PAPEL PÓLEN SOFT 70 G/M², NA IMPRENSA DA FÉ.
SÃO PAULO, FEVEREIRO DE 2017.